SO-BIE-739

DEMCO

Alessandra Cenni

In riva alla vita
Storia di Antonia Pozzi poetessa

Rizzoli

Proprietà letteraria riservata
© *2002 RCS Libri S.p. A., Milano*

ISBN 88-17-86753-5

Prima edizione: maggio 2002

I ritratti di Antonio Maria Cervi e di Annunzio Cervi presenti nell'inserto fotografico del volume sono stati gentilmente concessi da Romana Itala Romano Laccetti.
La fotografia della copertina e tutte le altre fotografie dell'inserto sono di proprietà della Congregazione del Preziosissimo Sangue di Monza.

In riva alla vita

A Fabiola

PREMESSA

Al senso di un tuffo mai completato, seppure fortemente desiderato, che avrebbe consentito ad Antonia Pozzi di immergersi nella fluida corrente vitale lasciando la riva dell'irrealizzabile, si riferisce il titolo scelto per questo volume. E *In riva alla vita* è anche il titolo di una sua importante poesia, in cui l'autrice diciannovenne descrive il suo goffo turbamento e adulta diversità di fronte alla esuberanza di due bambini che la sorprendono scherzosamente. Eccone gli ultimi, splendidi versi:

> ...ed io sosto
> pensandomi ferma stasera
> in riva alla vita
> come un cespo di giunchi
> che tremi
> presso un'acqua in cammino.

L'idea dell'immaginazione come dolorosa ma completa sostituzione alla realtà si connette anche con la sua fondamentale posizione estetico-esistenziale di una «Vita Sognata».

La Vita Sognata è infatti il titolo della piccola raccolta di

9

versi in cui Antonia racconta la storia d'amore con Antonio Maria Cervi, cuore del suo mondo poetico e affettivo. E, a mio parere, costituisce la miglior definizione da cui partire se si vuole scrivere la sua biografia.

La vita di Antonia ha infatti subito, nel corso del tempo, anche dopo la sua fine volontaria, una serie di aggressioni e di offese che riguardano i suoi scritti, fonte principale di ogni serio studio che voglia ricostruire il suo percorso esistenziale con rispetto della verità. La mancanza di documenti e l'evasività delle testimonianze rendono particolarmente difficile il lavoro di ricerca e di chiarificazione.

Tuttavia, l'intento è stato quello di raccogliere tutto quanto è attualmente reperibile e proporlo all'interpretazione del lettore stesso, non dimenticando mai che solo o soprattutto la poesia ha alimentato la breve vita di Antonia.

Preferisco comunque prendere subito le distanze da un'idea aneddotica di biografia: questa vita si regge da sé, nel suo dramma esemplare, individuale e generazionale, anche se qui vengono per la prima volta raccontati episodi finora censurati e necessari per comprendere quali eventi abbiano potuto influire sull'atmosfera complessiva dei luoghi poetici di Antonia.

Chi legge è chiamato a riflettere, interrogarsi, interagire con la poetessa, la cui esistenza delicata e complessa viene indagata nei suoi originalissimi aspetti e, naturalmente, messa in relazione ai contenuti e ai personaggi più importanti della cultura in cui si è formata, la cultura europea della prima metà del Novecento. Ma è invitato anche a *sognare*, a ricostruire con l'immaginazione sia le suggestioni sia le inquiete ombre di questa vita singolarmente compiuta nella sua brevità, i cui frutti di autentica arte sono giunti a noi e sicuramente ci oltrepasseranno.

A.C.

NOTIZIA SULLE FONTI
E RINGRAZIAMENTI

Dal 1986, anno della prima edizione Scheiwiller de *La Vita Sognata*, fino a oggi, sono ben otto i volumi, comprese due ristampe, dedicati all'opera di Antonia Pozzi, tutti curati da Onorina Dino e da chi scrive. Non poche edizioni, in un arco di quindici anni, oltre a numerosi articoli e saggi apparsi su riviste e a tesi di laurea, di fronte al silenzio durato cinquant'anni, dopo le prime edizioni delle sue poesie.

Il lettore interessato alla figura non più sconosciuta di questa singolare poetessa e alle sue opere può così agevolmente rintracciare in libreria l'edizione critica e integrale dell'opera poetica: *Parole*, con i testi restituiti alla versione originaria (Milano, Garzanti,1989,1998; ora anche ne Gli Elefanti, 2001). Attualmente in ristampa è anche l'epistolario: *L'età delle parole è finita. Lettere 1927-1938* (Milano, Archinto, 1989).

Esaurite sono invece le edizioni dei *Diari* (Milano, Libri Scheiwiller, 1988) e delle lettere e poesie inedite scambiate con Vittorio Sereni, il grande amico poeta, raccolte in *La giovinezza che non trova scampo* (Milano, Libri Scheiwiller, 1995), affidati ormai ai collezionisti dei libri pregiatissimi pubblicati dal rimpianto animatore dell'editoria milanese Vanni Scheiwiller, scomparso tre anni fa. Circolazione esclusivamente privata ha per ora, invece, l'antologia *Mentre tu dormi le stagioni passano*, che comprende i testi della Pozzi dedicati al tema prediletto della montagna (Lecco-Milano, Viennepierre, 1998).

Speriamo che si possa finalmente leggere in una nuova edizione anche la sua tesi di laurea *Flaubert e la formazione letteraria*, importante non solo per chi voglia conoscere la formazione culturale della Pozzi, ma per chiunque apprezzi la critica letteraria d'autore.

Le citazioni presenti nel testo sono tratte da questi volumi, che siano di poesie, di lettere o di brani diaristici. In particolare, le poesie sono scelte da *Parole*, le lettere da *L'età delle parole è finita* e i frammenti di altre prose dai *Diari*, appunto, di cui si segnala nel testo, quando sono indicati, luogo e data.

Altri scritti che compaiono nel presente lavoro e che sono esplicitamente contrassegnati come inediti vengono dall'Archivio Pozzi, conservato nella casa di Pasturo (Lecco), dove è stato mantenuto il più possibile l'aspetto originario dello studio di Antonia, mentre il resto dell'edificio ha subito rimaneggiamenti.

Alcuni frammenti riguardanti la storia d'amore con il professor Cervi e l'influenza che su questa ebbe il fratello di lui, Annunzio, caduto sul Grappa durante la prima guerra mondiale, sono stati trovati tra fogli sparsi; mentre l'abbozzo di romanzo inedito, collocato alla fine del presente volume, è parte di un quaderno di appunti scritto a matita, di cui non abbiamo redazione più accurata. Le lettere che Remo Cantoni, il giovane filosofo di cui la poetessa si innamorò nel primo periodo universitario, scrisse al padre di Antonia dopo il suicidio di lei sono conservate tra i documenti della famiglia.

Tutte le carte di Antonia, edite ormai nella quasi totalità, a parte qualche scritto di interesse soprattutto documentario, ma anche gli album delle fotografie, la biblioteca e i molti oggetti personali sono conservati nell'Archivio di Pasturo e affidati alle cure di suor Onorina Dino della Congregazione del Preziosissimo Sangue di Monza, che li ha catalogati e ordinati. Senza la sua dedizione appassionata, probabilmente le carte di Antonia sarebbero andate disperse dopo la morte dei suoi genitori. Le suore di Monza accudirono la madre di Antonia, Donna Lina, negli ultimi anni della sua vita stanca e malata, e vennero nominate eredi testamentarie di tutto quanto era appartenuto alla famiglia Pozzi a Pasturo, compresi i terreni, la casa e le suppellettili. Molti documenti originari, tra cui le lettere alle amiche Lucia Bozzi, Elvira Gandini, Alba Binda e altri intimi, sono state donate all'Archivio dai destinatari.

Diciamo subito qui, come del resto verrà ricordato più volte nel corso della narrazione biografica, che le carte di Antonia, dalle poesie alle lettere, sono state intaccate nel corso degli anni, subendo pesanti censure già all'indomani del suicidio, probabilmente a opera del padre, avvocato Roberto Pozzi, ma anche per via di successive cassazioni e distruzioni, per esempio nella corrispondenza con gli amici e in particolare con l'amato professor Cervi, per cui non sono ancora chiare le responsabilità. Le persone di servizio in casa Pozzi e i loro parenti hanno reso testimonianze contraddittorie. Ma i tanti documenti perduti non sono più ricomparsi.

Nell'estremo tentativo di rintracciarli, negli oltre quindici anni di ricerca e di studio sulla figura e l'opera di Antonia, ho conosciuto moltissime persone vicine alla poetessa o alla sua famiglia. Anche se non sono stati tutti utili alla ricerca, sono stati tuttavia incontri significativi, che mi hanno consentito di ricavare un gran numero di notizie, tanto più preziose a causa della scarsità del materiale documentario.

Pochi i contatti con gli ultimi esponenti della famiglia, dalla parte della mamma, con infinite diramazioni tra nipoti e pronipoti, non particolarmente preoccupati di rivendicare l'eredità letteraria di Antonia Pozzi. Dai figli e nipoti delle persone di servizio ho potuto ricavare alcune informazioni, che riguardano più che altro atteggiamenti o episodi singoli, particolarmente rilevanti, di cui sono stati testimoni diretti o che hanno ascoltato dai parenti.

Prezioso e continuativo è stato l'apporto delle amiche intime: Elvira Gandini, instancabile animatrice di ogni iniziativa riguardante la sua Antonia (anche attraverso l'Associazione degli ex allievi del Liceo Manzoni, di cui è una delle fondatrici) e Lucia Bozzi, ora suor Marcellina, presso il Convento di Santa Scolastica a Civitella San Paolo (Viterbo), appassionata filologa del latino cristiano. Ho potuto conoscere anche, poco tempo prima della morte, Alba Binda la quale, anche durante la sua attività universitaria in Sudamerica, continuò a occuparsi dell'amica, scrivendo articoli e recensioni. Contatti telefonici sono pure intercorsi con Piero Treves, mentre notizie sul fratello Paolo (entrambi sono stati esuli e poi esponenti di spicco della cultura antifascista), ho avuto da Lucia Bozzi.

Per la figura di Teresita Foschi, dal profilo piuttosto sfuggente, mi sono basata su testimonianze dirette e mediate dalle amiche comuni.

Il primo contatto con il mondo di Antonia fu con Vittorio Sereni, che ebbi la fortuna di conoscere nell'inverno 1982-83, pochi mesi prima che morisse. Fu Sereni, grande amico e compagno d'università di Antonia, a indicarmi le strade per attuare quello che nella mia mente era ancora un progetto in cerca di realizzazione, la pubblicazione della sua opera poetica. Quando Sereni mancò, il contatto continuò con la moglie Maria Luisa e con un'altra amica del poeta, Daria Menicanti, moglie del filosofo banfiano Giulio Preti, che mi donò anche un prezioso ricordo, ora all'Archivio Pozzi: l'ultimo biglietto di Antonia con la trascrizione della poesia di Sereni *Diana* e la dedica all'amico fraterno negli ultimi istanti prima della morte.

Mi rivolsi quindi a Vanni Scheiwiller, che abbracciò subito la mia proposta. Vanni mi mise in contatto con Livio Garzanti, Gina Lagorio e Rosellina Archinto per l'edizione di *Parole*, il diario in poesia di Antonia, per il cinquantenario dalla morte.

Un ringraziamento commosso, che posso trasmettere ora solo al nipote, Marco Melato, voglio fare a Clelia Abate, scomparsa cinque anni fa, che più di ogni altro esponente della cerchia di Antonio Banfi (fu, tra l'altro, amica e fedele compagna del filosofo fino alla morte) mi mise a disposizione tutto quanto era in suo possesso, libri, documenti dell'epoca e la mole delle lettere che quasi quotidianamente riceveva da Banfi e dagli amici, oltre alla sua appassionata memoria storica sugli anni del fascismo, della resistenza e del dopoguerra (in particolare, sull'attività instancabile per la Casa della Cultura di Milano). Clelia mi fece conoscere il gruppo di «Corrente», che gloriosamente comprende banfiani della prima generazione (dal fondatore Ernesto Treccani, agli amici Raffaellino De Grada, Giosue Bonfanti, Giancarlo Vigorelli) e della seconda, come Fulvio Papi e Gabriele Scaramuzza. La Fondazione Corrente organizzò una mia conferenza su Antonia Pozzi e gli anni di Banfi, con la partecipazione di Papi e di Scheiwiller e la presenza, che tanto mi onorò, di tutti loro.

Quell'anno, il 1987, un riconoscimento prestigioso del nostro lavoro venne anche da Francesco Messina, che volle ospitarmi per un altro incontro pubblico nella cornice del suo elegante Museo. Da Bologna mi inviava consigli e suggerimenti Luciano Anceschi.

Per quanto riguarda l'epistolario con Remo Cantoni, fui informata dalla moglie Maria Brunelli che non erano mai state rinvenute carte che fossero indirizzate ad Antonia o scritte da lei. Infatti, come vedremo nel corso del presente volume, queste lettere furono distrutte dal padre, dopo che Cantoni su sua richiesta decise di restituirgliele. Analoga assenza di documenti mi confermava la figlia di Enzo Paci, Francesca Romana.

Ho incontrato Isa Buzzone, l'amica di Barzio che frequentava volentieri gli amici universitari, la quale mi raccontò qualcosa della confusione emotiva di quegli «anni giovani» e la sua sorpresa nel vedersi rappresentata da Antonia con una attenzione così particolare.

Potei incontrare Dino Formaggio, l'ultimo dei grandi amici di Antonia, nel 1988, in occasione della pubblicazione dei *Diari*. Egli mi accolse con affettuosa stima consentendomi di dare alle stampe alcuni documenti importanti in suo possesso, come le fotografie con le dediche di Antonia. Putroppo non ho potuto rivedere in anni più recenti il professore, impossibilitato per motivi di salute.

Tra gli allievi di Antonia dell'Istituto Tecnico Schiaparelli, l'unico contatto, ma davvero prezioso, è stato con Aurelio Bertin (fratello, tra l'altro, di Giovanni Maria, un altro filosofo banfiano), che mi ha trasmesso l'importante testimonianza dell'amicizia tra Antonia e il collega insegnante di matematica, forse in qualche modo collegata con la sua tragica fine.

Per quanto riguarda la storia d'amore negata e offesa con il professor Cervi, centrale nella vita di Antonia anche per l'intensità della delusione patita, sono molto grata alla nipote, Italia Laccetti, e alla famiglia tutta, per avermi offerto tante importanti indicazioni sulla figura dello zio, malintesa, anche per i pochi dati a disposizione. Insieme a loro formuliamo la speranza che possa essere presto rinvenuta tanta parte della dispersa corrispondenza con Antonia. Ricomponendo questa traccia, che si confonde tra amnesie e contraddizioni degne di un romanzo giallo, si potrà finalmente ridare corpo alla storia d'amore più importante nella vita della giovane poetessa e defraudata, oltre la fine di lei, dell'irrinunciabile diritto d'esistenza.

I ringraziamenti vanno dunque a tutte queste persone che hanno aiutato il lungo, arduo e, malgrado tutto, appassionante lavoro di ricerca, ostacolato spesso dall'oggettiva difficoltà, ma anche da un singolare sentimento di geloso e talvolta imbarazzato riserbo.

Ringrazio la persona con cui ho collaborato in tante iniziative editoriali per Antonia e con cui, sempre grazie ad Antonia, si è cementata negli anni, malgrado le diversità, una sincera amicizia, suor Onorina Dino, a cui deve riferirsi chi voglia occuparsi degli scritti della poetessa.

Un particolare ringraziamento ad Alessandra Mascaretti e Massimo Birattari che con puntigliosa pazienza hanno seguito questa fatica editoriale.

Ma la mia affettuosa gratitudine va anche agli amici Maria Silvia Libè e Riccardo Soliani che non mi hanno mai fatto mancare il loro prezioso ausilio tecnico quando se ne è presentata la necessità. E un infinito grazie a chi mi ha permesso di guardare Milano con occhi diversi e cuore rinnovato.

PARTE PRIMA

LA VITA SOGNATA

CAPITOLO I

DOVE LA CITTÀ SI PERDE

A chi attraversi la piana del Ticino, dove l'orizzonte sembra scorrere senza soluzione di continuità, d'improvviso appare il profilo dell'abbazia di Chiaravalle. La strada prosegue nella campagna grigia, tra mucchi di sabbia e laterizi, verso l'ultimo girone della periferia, con le sue grandi e lugubri case popolari a ridosso delle industrie.

L'abbazia cistercense svetta sulla campagna con la saldezza dei suoi mattoni e l'eleganza essenziale dei suoi pinnacoli. È un annuncio per chi arriva alle porte meridionali di Milano, o se ne allontana.

Corre una ragazza sulla bicicletta, ai bordi della strada: è un giorno d'inizio dicembre, uno di quelli in cui il gelo fa battere i denti e andare presto a casa, a bere qualcosa di caldo accanto alla stufa, ed è un accidentato percorso per campagne nude, brumose. Esce dalla città verso Chiaravalle, con un unico volo della bicicletta, senza sentire più i piedi sopra i pedali, senza poter muovere le dita dal manubrio, andando dove la città si perde, in uno slancio di ponti e di viali, con una meta in cuore che coincide con un solo, infinito, desiderio di pace.

Corre ma è sfinita, mentre le automobili la affiancano e la superano con un ironico strombazzare, i capelli le volano intorno al viso magro, spiritato, gelato dal vento. Il paltò azzurro si confonde nella nebbia. Il suo fiato produce una corona di nuvolette in quel grigio perla dell'aria come sbiancata. Sbanda leggermente nell'ansia della corsa, poi riprende il controllo. Gli occhi che s'imbevono di azzurro, spalancati sul mondo, hanno quel giorno un riflesso terribile di durezza. Se qualcuno l'avesse guardata in volto, l'avrebbe fermata e raccolta. Così non è stato. Tra venti giorni è Natale: gli addobbi sono già stati preparati, qualche alberello decorato sui giardini e sui balconi annuncia la festa.

Antonia si era messa d'accordo con l'amica Lucia per passare i giorni di Sant'Ambrogio in montagna o nella pace di Camogli. Sembrava contenta, la sera prima, al concerto della Società del Quartetto.

Poi, all'uscita, una brutta notizia le aveva rabbuiato il volto, mentre il ragazzo che era venuto a prenderla si era allontanato poco dopo: forse solo una piccola lite.

Ma lei si era staccata dal gruppetto degli amici e, come faceva quando era troppo commossa per la musica, si era messa a camminare davanti a tutti, davanti alla sua macchina anche, mentre l'autista la seguiva.

Aveva bisogno d'aria, di respirare. Il vento freddo la riportava alla calma ghiacciata del tempo reale, lontano dall'onda della musica che la sconvolgeva, dal dolore che la serrava nella sua morsa.

Poi quella notte terribile; la notte della risoluzione. E fuggire da casa all'alba, per non vedere i volti dei suoi e avere la tentazione di rinunciare, un'altra volta, solo per non fare soffrire loro.

Andare a scuola come in trance, forse solo per rivedere un'ultima volta i suoi ragazzini. E poi correre, scappare dalla città: quasi non vede davanti a sé, lei che non aveva perso mai neppure un dettaglio del paesaggio della sua pianura.

S'abbatte quasi in un fosso; conduce a mano la sua bici nella nebbia che sale dai prati scintillanti di brina e galaverna. Non c'è anima viva; l'aria è diaccia, rarefatta.

Ci sono intorno i fantasmi amati; quella successione di volti, istanti, cose che si stanno per perdere e che non hanno la struggente stretta dei distacchi provvisori, ma il gelo tagliente dell'esecuzione finale. In quegli istanti non si sente più nulla; non si ascolta alcun richiamo.

La decisione è presa, occorre portarla a termine, concludere subito per non correre il rischio di essere resuscitata alla luce intollerabile, alla nausea di un respiro riconquistato alla vita dalla pietà degli amici. Già un'altra volta l'avevano soccorsa. Erano gli anni non troppo lontani del primo grande dolore: la rinuncia all'amore per il suo professore, imposta dalla famiglia. Non aveva altro mezzo per gridare la sua ribellione a quella violenza morale. Lavanda gastrica, rivolgimento feroce delle viscere, poi svenimento, quindi risveglio tra i volti cari, chini su di lei e il senso della sua lontananza più forte e acuto come uno spasimo nuovo. Ma come farli soffrire ancora? I suoi genitori, la nonna, gli amici che aveva nel cuore con un mite, stupefatto rimprovero.

«Perché ci fai questo?» «Non ti abbiamo dato abbastanza?» «Non ti abbiamo abbastanza amata?»

«Non è questo, non questo, cari.» Quei volti interrogativi, in pena, intenti a indovinare le parole sulle sue labbra.

È che la vita non fa che correrle troppo velocemente davanti o forse è lei che arranca dietro ai suoi richiami ingannevoli che non si lasciano mai cogliere.

Non è il «vizio assurdo», ma il tormento esistenziale di una vita che non può più rinunciare, rinviare il proprio destino: se deve essere la svolta del non-vivere, sia, ma presto, presto.

I suoi anni sono pochi, eppure sembra tardi per tutto: sa di aver raggiunto un limite non più superabile; sembra che il giorno fugga dietro le sue spalle come le cose che ha amato, la loro voce si fa sempre più debole e quasi non la chiamano più.

Il freddo la aggredisce da ogni lato, per poi annientarla, andando verso quelle rive a cui la corrente della vita fluisce senza più rumore o dolore.

Il campanile appena si profila nel cielo nebbioso; alla sua ombra non si sente protetta. Anzi, le macchie oscure intorno al luogo abbandonato, a tutti segreto, ingigantiscono fino a ingoiarla del tutto. Passa la notte senza che alcuno giunga; una notte brumosa della campagna milanese, divorante. Prima i rumori della sera che scende, grida di gazze, di corvi; il brusio delle automobili lontane; voci, forse, umane, ma sempre lontane; poi il fiume delle memorie che scende su di lei, in correnti blande, infine la dolce marea di silenzio e oscurità che l'abbraccia da ogni parte, che attutisce ogni fitta e rallenta il battito crudele... Dormire, scendere nella pace assoluta di un oceano notturno, dove tutto è illuminato di nuovo, nel nulla che riporta al tutto, in perfetta, divina circolarità.

Antonia Pozzi, nata il 13 febbraio 1912 e morta il 3 dicembre 1938 senza aver pubblicato una sola poesia, è stata considerata dalla critica una delle voci più importanti della lirica italiana del Novecento. Nel suo cassetto sono stati rinvenuti una miriade di fogli e alcuni quaderni che costituiscono un vero «diario in poesia», e annodano la sua vita poetica singolarissima a quella di alcune illustri personalità del Novecento italiano, oltre a far luce sulle motivazioni profonde della sua fine prematura. Ottiene, all'inizio, una fama di corto respiro, sulle colonne della cronaca, poi trasformatasi in memoria durevole, grazie all'ammirazione di grandi critici e poeti, come Eliot o Montale, che la impone all'attenzione dei lettori italiani presentando l'edizione mondadoriana delle sue poesie nel 1948.

Come avevo scritto nell'Introduzione a *La Vita Sognata e altre poesie inedite*, pubblicata da Scheiwiller nel 1986: «Le sue parole liberano la voce della Pozzi da ogni letterario "equivoco", sottraendola alle mitologie di una consumazione prematura, al caso d'eccezione: quasi la sua poesia fosse nata da uno "stato di grazia" e non fosse l'originale risultato di un'acquisizione attenta delle esperienze culturali contemporanee». Se quella voce si regge da sé, resta tuttavia inevaso l'interrogativo a proposito di un'esistenza in troppi punti censurata.

I manoscritti riscoperti e catalogati in anni più recenti portano segni di altra mano, quella del padre ma non solo: alcune poesie sono state cancellate, altre corrette. Su alcune è stata applicata, per cassarle, una pagina bianca. E in questa forma, con varianti e tagli talvolta consistenti, furono inizialmente pubblicate.

Come vedremo meglio più avanti, si arrivò al punto di intervenire con tagli e manipolazioni censorie, per nascondere aspetti ed eventi della vita di Antonia che non erano in accordo con l'idea che la famiglia voleva trasmettere di lei: quella di una giovane sensibile, dotata per la poesia sentimentale, rispettosa e ubbidiente, stroncata da una malattia improvvisa.

Ripulita dai rimaneggiamenti e riportata alla sua versione originaria, come è stata pubblicata nelle ultime edizioni, la poesia di Antonia appare insieme «personale» e «generazionale».

«Oggi tutto vuol essere mobile, convertibile, aperto; siamo come in una matassa di fili sciolti e intersecantisi che vanno, certamente, verso una meta compatta, un gomitolo sodo, ma nessuno può e vuole vedere dove esso sia.»[1]

A questa moderna consapevolezza subentra la malinconia di aver conosciuto la relatività di ogni essenza, l'incompiutezza di ogni visione. Ma la realtà ha una identità mutevole e porta un segno negativo, invano ribaltato in un tentativo di riscatto etico, secondo la lezione di Eliot, uno dei poeti fondamentali nella formazione di Antonia e suo estimatore. La sua fatica esistenziale non riuscirà a raggiungere un'accettazione totale della vita, com'era nelle sue intenzioni morali: sulla soglia tanto cercata dell'esperienza, lo sforzo della coscienza di arginare l'infinita complessità del reale si arrende e si arresta.

C'è una «stanza» – racconta un poeta da lei molto amato, Rainer Maria Rilke – da cui occorre uscire, scendendo le scale, per entrare nell'invisibile «castello della purezza»: solo così si raggiunge la reciprocità tra pensiero e atto, immaginazione e realtà.

Ogni pagina dei suoi quaderni, sin dalle prime prove, sembra correre verso quella fine: non dobbiamo crederla per questo assorta in una continua meditazione sulla morte (nonostante l'evidente influenza dei suoi modelli letterari): quasi che la sua fosse una lirica della consumazione, della rinuncia, dominata da un *cupio dissolvi* che ne avrebbe segnato fin dagli esordi il destino.

Non si costruirà, dunque, anche per Antonia, quel mito di *Lady Lazarus* che è stato rivendicato per Sylvia Plath, la grande poetessa americana che sperimentò il suicidio come un reiterato attacco al mondo intollerabile, nonostante l'analogo impatto di drammatici eventi privati. Ma certamente non si può più tacere la verità e profondità della sua sofferenza morale, celata fin qui dal disagio per quella sua scelta estrema, edulcorata da letture sentimentali che hanno voluto appiattire in un patetismo di maniera la complessità del suo percorso artistico ed esistenziale.

Imprigionata nel fondo di un tetro silenzio, la sua personalità ne viene distorta: come se quel pensiero di morte giungesse quasi a giustificare l'inevitabilità della sua messa in atto, oscurando l'altro volto di lei: il suo sensuale ardore di vita.

Non è già più autunno in quel 3 dicembre 1938, ma inverno livido, da cui non trovi scampo.

La prendono tra le braccia, per tirarla fuori dal fosso, che non pesa quasi nulla. Febbricitante e irrigidita per le pastiglie che ha ingerito e più ancora per il freddo preso in quella notte all'addiaccio e che le ha provocato una polmonite acuta. Quel corpo inerme che viene condotto di corsa e invano all'ospedale, avvolto in una coperta che è già un sudario, testimonia una passione disperata e imperdonabile per la vita stessa.

Si deve fare un'inchiesta. La polizia, come di prammatica, indaga le circostanze di un suicidio simile a uno dei tanti che avvenivano tra quei giovani turbati. Ma qualcuno, allora e poi, aveva denunciato le responsabilità collettive di un tempo di dittatura, in cui il disagio non viene perdonato, in cui occorre solo obbedire ai doveri imposti da famiglia, società, regime. E su tutto l'occhio divino giudicante.

L'hanno vista per ultimi i suoi ragazzini, di cui era insegnante all'Istituto Tecnico Schiaparelli.

Erano abituati già ai suoi rossori improvvisi, alternati ai pallori: alle imprevedibili emozioni, che trascorrevano rapidamente sul suo volto nervoso, mutevole come una giornata d'aprile. Talvolta li guardava con un'intensità che quasi li spaventava e la sua mano carezzava timidamente le teste agitate nel gioco o piegate sul compito. Era sempre pacata, equa ed esigente, attenta alla disciplina eppure comprensiva, precisa e trascinante nelle spiegazioni.

«Che ha?» si chiedevano e la guardavano con i loro occhi profondi e indagatori, poi passavano ad altro, distratti dalle sollecitazioni della curiosità.

Ma, quel mattino, la lezione è strana. L'insegnante dolce e amata chiede aiuto. Sembra essere lei bisognosa di guida. Si vede che lotta contro le lacrime, contro una commozione che le spezza la voce. Non può aspettare la campana che segna la fine delle lezioni. Assegna una traduzione di latino scrivendola con mano decisa alla lavagna. Chiede di potersi allontanare per un malore. Li saluta con gesto improvvisamente confuso: e poi via, correndo quasi, fuori della classe, verso l'uscita, come se volesse scappare da loro, da tutto, subito, prima di pentirsene.

Alle porte della città sceglie la direzione tante volte percorsa con la sua macchina fotografica in cerca dei profili sfuggenti e lineari della campagna.

Sono i «suoi» luoghi, la bontà della sua terra, quella che Antonia va cercando, nel nome di quella volontà che anima la sua vita: dare voce alle cose, le più semplici ed essenziali, riconoscere la verità della loro forza oggettiva, per sobrietà e rigore, a dispetto di ogni compiacimento letterario che faccia del discorso sulle «radici» una retorica.

Trovano nella sua borsa due lettere: una per i suoi, l'altra per il suo ultimo compagno, Dino Formaggio. Dino, di cui si è innamorata perché si era costruito una vita di studente modello malgrado la durezza dell'esistenza da operaio: lui che vive in case popolari a ridosso della periferia ed è abituato a piaceri semplici, il pallone, il bar, le ragazze, piaceri che la sete del sapere via via gli riscatta, fino alla scalata al meritato titolo accademico. Ma, nella borsetta, tiene con sé anche la trascrizione manoscritta di una poesia poi famosa di Vittorio Sereni, *Diana*, con un'aggiunta a matita, degli ultimi istanti: «Addio Vittorio, caro – mio caro fratello. Ti ricorderai di me insieme con Maria».[2] Maria Luisa, l'amore eternamente perduto e sempre ritrovato di Sereni. Un amore che si conclude con un lungo matrimonio mentre tanti altri amori in quegli anni erano soggetti alla labilità di un tempo prebellico in cui viene a mancare il respiro. Uno dei sofferti amori che quasi condividono, confidandosi speranze e ansie comuni e diverse, loro, poeti, inadatti alla vita, incapaci per eccesso di sensibilità a danzare quel «valzer in tre tempi» che cattura gli altri in un facile ritmo.

Nel tormento di una scelta di morte sembrano ritrovarsi le loro letture: Mann, Rilke, Nietzsche, Kierkegaard… Ma come affrontate con furore e consapevolezza, per poi essere messe da parte. La cultura che conduce alla riflessione di morte. L'amore che conduce alla consapevolezza della morte, all'inadeguatezza, alla solitudine irredenta.

Hanno dunque ragione? Ha lottato tutta la vita, intellettualmente, intimamente, contro le posizioni scettiche ed esclusivamente intellettualistiche: ora la vita le mostra l'inanità della sua ribellione morale.

Chi ha rassicurato Antonia sulle sue grandi capacità di poeta? Quale degli amici l'ha mai ascoltata fino in fondo? Erano attratti dalla sua fame di conoscenza, spaventati di dover camminare sul filo di una aspettativa rischiosa. Che voleva dalla vita, questa ragazza ricca, questa signorina viziata che aveva tutto ciò che chiedeva, a parte la libertà?

Era circondata da una tacita diffidenza che il suo stesso senso di colpa sociale, un imbarazzo affiorante, finiva per alimentare: troppo intelligente, generosa e sensibile, e ricca, mentre non avrebbe voluto possedere altro che il necessario al sostentamento. E aveva uno spirito acuto che colpiva infallibilmente nel segno, una febbre vitale che la spingeva al compimento di un progetto di felicità semplice, che non aveva tregua per il continuo arretrare delle cose e per l'inseguimento del significato della loro perdita.

Quando viene a sapere della morte di Antonia, Sereni arriva subito a Milano sentendosi investito di una responsabilità enorme. Quanto si rimprovererà in seguito la sua assenza in quei giorni… Ma il nuovo lavoro nella scuola non gli aveva permesso di essere realmente vicino a quella che più che un'amica era la sua sorella elettiva. Fatti forza, ricostruisciti, aggrappati alle cose che stanno e resistono in questa tempesta, le va scrivendo; ma intanto era distratto dal nuovo innamoramento per la giovanissima Bianca, sopraggiunto in un periodo di crisi del legame con Maria Luisa, e soffriva per i contrastanti comportamenti della ragazza amata. E Antonia si ritraeva davanti a questa novità sentimentale, quasi timorosa di costituire un ingombro, un grumo di sogni un po' torbidi, nella vita dell'amico.

Così gli altri compagni: ognuno trainato, travolto dagli eventi personali e dalla tragedia collettiva che si annuncia. Il

1938, quell'anno cruciale per i destini d'Italia e del mondo, è lo scenario storico di questo gesto definitivo. Infatti, anche le ultime speranze di pace sono cadute.

In Italia, il fascismo avvia le leggi razziali e stringe le maglie della censura. Gli accordi di Monaco erigono una facciata di cartapesta per quella Europa democratica e pacifica a cui molti giovani hanno creduto; sembra loro di camminare sull'orlo di un precipizio e sentono che la catastrofe è solo rinviata.

Lo spessore plumbeo di quei giorni soffoca quella generazione cresciuta secondo principi liberali: un regime che sancisce la morte e la distruzione della civiltà ha cancellato ogni equivoco o illusione, e soffoca la libertà di parola e di espressione in nome della quale quei giovani intellettuali avrebbero voluto vivere e operare.

La loro esistenza è troncata alle radici della speranza, quelle che affondano nel cuore della civiltà moderna: nel suo fondamento di essere e di verità, nella cultura che ha aperto all'uomo le vie della natura e della storia.

C'è qualche spiraglio di salvezza nelle vite personali, se qualcuno si ricava un rifugio dalla pena collettiva. Ma l'amore, anche il più forte, difficilmente resiste alla tempesta della storia, oltraggiato e illuso, sempre in bilico e minacciato.

Antonia rifiuta la possibilità di un compromesso, di una rinuncia. Antonia è assoluta, non vuole più attese inutili e false pacificazioni. Non è più disposta a barattare la sua felicità con l'obbedienza. Raccoglie la sua vita in poesia e la consegna alle mani di invisibili lettori.

Lascia questo testamento che viene bruciato e ritrascritto a memoria dal padre, dove i puntini di sospensione indicano la censura praticata dalle stesse mani che l'hanno nutrita e seppellita:[3]

> Papà e mamma, carissimi, non mai tanto cari come oggi, voi dovete pensare che questo è il meglio. Ho tanto sofferto. (...)

Deve essere qualcosa di nascosto nella mia natura, un male dei nervi che mi toglie ogni forza di resistenza e mi impedisce di vedere equilibrate le cose della vita. (...)
Ciò che mi è mancato è stato un affetto fermo, costante, fedele, che diventasse lo scopo e riempisse tutta la mia vita. (...)
Anche i miei bambini che l'anno scorso bastavano, ora non bastano più. I loro occhi che mi guardano mi fanno piangere. (...)
Fa parte di questa disperazione mortale anche la crudele oppressione che si esercita sulle nostre giovinezze sfiorite. (...)
Direte alla Nena che è stato un male improvviso, e che l'aspetto.
Desidero di essere sepolta a Pasturo, sotto un masso della Grigna, fra cespi di rododendro. Mi ritroverete in tutti i fossi che ho tanto amato. E non piangete, perché ora io sono in pace.

La vostra Antonia

Il funerale si snoda tra i campi, nella gelida mattina di montagna, a Pasturo, il luogo preferito di Antonia, il suo rifugio. La giornata è limpida e gelata come aveva previsto. Come aveva previsto ci sono fiori e bambini. La semplicità con cui si svolge tutta la cerimonia, la piccola processione degli amici tra i campi coperti di brina, le sarebbe piaciuta. Così già l'aveva descritta, prefigurando in poesia il suo funerale, ma senza il compiacimento un po' morboso che, trattando un tema analogo, era stato di Emily Dickinson.

Funerale senza tristezza

Questo non è esser morti,
questo è tornare
al paese, alla culla:
chiaro è il giorno
come il sorriso di una madre
che aspettava.
Campi brinati, alberi d'argento, crisantemi
biondi: le bimbe
vestite di bianco,

col velo color della brina,
la voce colore dell'acqua
ancora viva
fra terrose prode.
Le fiammelle dei ceri, naufragate
nello splendore del mattino,
dicono quel che sia
questo vanire
delle terrene cose
– dolce –
questo tornare degli umani,
per aerei ponti
di cielo,
per candide creste di monti
sognati,
all'altra riva, ai prati
del sole.

3 dicembre 1934

Viene messa a riposare sotto tre grandi massi della Grigna. Una statua di un Cristo imponente con un volto di ragazza sorge sulla sua tomba. Assomiglia all'angelo che, come aveva scritto Antonia sul suo diario, l'aveva visitata nella strana estate dell'anno che precede la sua morte.

La mamma e il papà, il loro seguito di affetti: le zie, i cugini, i parenti tutti, superstiti di una grande famiglia che attraversa secoli di storia lombarda e italiana. Tra la piccola folla, qualcuno avrà forse ricordato che altri suicidi avevano segnato la storia familiare di Antonia, come quello della sorella del padre, che si tolse la vita a diciassette anni, dopo essersi vestita come per il giorno delle sue nozze, quasi che l'impulso al suicidio fosse un'attitudine geneticamente trasmessa.

Sfilano le immagini dei volti affannati; qualcuno, impietoso, li fotografa con accanimento come a scrutare i segni della pena, forse del pentimento. Sono i volti scomposti dei suoi amici e compagni d'università: Enzo Paci, con i capelli in disordine, gli occhi spiritati, Vittorio Sereni, spaventato, smagrito; e la disperazione stupefatta di Dino. Con le intime amiche di Antonia, sfilano per le stradine di Pasturo, dietro la bara seguita dai bambini, amati e cantati e cercati.

Assunta in cielo Antonia, in virtù della sofferenza, malgrado il disagio per quella scelta contro natura, al punto di avere un suo personale ciclo di affreschi, che il padre vuole ordinare in sua memoria nella chiesetta parrocchiale di Pasturo, come per una santa: «Lasciate che i bambini vengano a me». In essi si riconosce la figuretta esile e bionda, mentre carezza la testa dei bambini di Pasturo a cui lo zelante pittore Aldo Carpi nella sua commozione sentimentale, aggiunge persino una aureola dorata. Nell'ultimo riquadro, si riconoscono i profili della madre e del padre dipinti da quell'artista semplice che intendeva, secondo la lezione della grande pittura, inserire nel suo lavoro le immagini degli infelici committenti.

La madre, Lina Cavagna Sangiuliani, con quel modo sfuggente, etereo, di posare, con il volto sottile dominato da un naso prominente e aristocratico, non avrà più il coraggio di entrare nella stanza di Antonia, ma la conserverà come un piccolo mausoleo. Quando qualche visitatore vi giunge ne indica solo la porta, al piano nobile della villa di Pasturo, non osando neppure accompagnarlo. E il padre, che conduceva con ostinata probità la professione di avvocato, ridotto a fantasma di se stesso, incapace di guardare avanti, non avrà più riposo. Eppure quel padre ammutolito, che non resiste al pianto, avrebbe comprato ogni cosa per la felicità di una figlia la cui ribellione era stata tenace, silenziosa e invincibile, il cui unico «capriccio» era il bisogno di povertà.

E poi ecco le amiche, quelle più care dall'adolescenza torturata e composta: Lucia Bozzi ed Elvira Gandini, l'una avviata alla scelta conventuale, l'altra al matrimonio e alla famiglia e a una impegnativa attività d'insegnamento. Elvira gracile e luminosa, con gli occhi pervinca colmi di lacrime irrefrenabili, al braccio del fidanzato che sposerà presto; Lucia, scura, inquieta, sofferente di una disperazione indicibile cammina da sola, tenendosi discosto dalle altre compagne. Non aveva più saputo raccogliere le confidenze di Antonia. Negli ultimi anni si era allontanata: due differenti strade all'università, Lucia a proseguire i suoi studi sulla latinità cristiana e Antonia a estetica, alla scuola laica e antidogmatica di Antonio Banfi. Si era progressivamente ampliata la differenza di orientamento culturale tra lei, Lucia, credente e prossima a monacarsi e Antonia, se non figlia del diavolo certo neppure di Cristo: Antonia seguace della scuola fenomenologica, della filosofia della vita di Simmel e, prima, del paganesimo scettico di Nietzsche.

Lontane, queste amiche: lontane ma solidali con il suo dolore, sempre teneramente sollecite, ma non più capaci di raggiungerla nell'inconfessabile isolamento.

Tra tutti è forse la nonna a soffrire di più. La nonna Nena, vicina a morire, rimasta a casa a contemplare i ricordi di quella nipote tanto amata, vanamente amata e prediletta. Lei che l'aveva tenuta tra le braccia appena qualche giorno prima, cercando di trasmetterle la vitalità che pure fatalmente le sfuggiva, quel peso ancora lieve di un'esistenza colma fino all'orlo.

«Nonna, nonna... Antonia è stata ricoverata. Antonia ha perso conoscenza. Antonia non è più...»

Durante la convalescenza dell'operazione di appendicite, avvenuta l'estate precedente, le aveva trasmesso tutte le sue memorie più care: il racconto fluente della sua giovinezza, dell'ambiente in cui era nata e cresciuta, della sua famiglia che risaliva al grande poeta Tommaso Grossi, amico fraterno di Porta e Manzoni.

Antonia intendeva «ricostruirsi», diceva, e scrivere un grande romanzo d'ambiente in cui far rivivere la storia della sua terra lombarda: i ritmi dei lavori agricoli, le semine e le crescite stagionali, il passaggio degli eventi storici e dei mutamenti sociali attraverso una generazione.

Il progetto non fu completato. Destino analogo anche per altri progetti, di lavoro e di ricerca, che esprimevano il suo impegno intellettuale e l'ambizione di ritemprarsi anche moralmente, grazie al lavoro di scrittura incessante a cui avrebbe votato la vita.

Con la sua uscita dal mondo, anche la poesia non può essere più difesa: vengono aperti i suoi cassetti, emerge tutto il suo lavoro segreto, i fogli dove aveva vergato con calligrafia chiara e nitida versi, abbozzi, appunti, il tessuto di una esistenza che aveva fatto della poesia il proprio scopo.

Eppure, queste poesie appaiono troppo sperimentali e si finisce per confondere la ricerca con l'inesperienza: il padre, carducciano ma interessato all'ermetismo, interviene per correggere, censurare. I quaderni passano dalle mani del padre a quelle degli amici intimi, non tutti esperti di poesia, e poi di nuovo al padre.

In quei fogli Antonia rivela la sua vita interiore, scopre la sua fragilità, l'intensità con cui si confronta con le emozioni e le esperienze, la finezza della sua posizione intellettuale, il coraggio della sua offerta d'amore.

Le mani estranee sfogliano, giudicano, cancellano interi versi, interi titoli e dediche e testi.

Pagine vengono strappate; si usano forbici e colla per annullarne la traccia; alcuni testi vengono ricopiati, altri non vedranno più la luce, distrutti come il suo testamento.

E le dediche ad Antonio Maria Cervi, il professore del liceo che Antonia aveva amato di amore assoluto e con cui aveva desiderato fare un figlio, tutte quelle dediche eliminate, a una a una, come per annientare, con loro, quella storia che aveva fatto scandalo, proibita e negata fino in fondo.

Educata nelle migliori scuole, elegante, raffinata, sportiva, a contatto con ambienti culturali in fermento e in grado di avere quanto di meglio la vita potesse darle: ricchezza, intelligenza, fascino. Eppure dai ritratti emerge un'ansia profonda: dalla ampia fronte, dagli occhi azzurri inquieti, dalla timidezza che non le consente di padroneggiare lo spazio, ma dà comunque una leggerezza aerea ai suoi gesti, che i più non sono in grado di afferrare e la cui implicita libertà di atteggiamento viene temuta, imbrigliata anche dopo la sua scomparsa.

CAPITOLO II

IL GIARDINO CHIUSO

Antonia cresce tra rigori formali e sostanziali dimenticanze.

La madre è occupata, contro le sue più vere inclinazioni, in attività mondane e nasconde la sua inquietudine esistenziale dietro un placido perbenismo. Non è una fanatica osservante, ma crede alla necessità dell'apparenza, elargisce cospicue elemosine e insiste perché la figlia abbia una educazione cattolica. Discende da una famiglia di antico lignaggio, radicata in terra lombarda da molte generazioni. Dalla madre, la nonna Nena, la migliore amica di Antonia, eredita il senso della concretezza, ma si differenzia dalla spontaneità di lei per un'indole schiva e un po' ombrosa.

Il padre, di estrazione piccolo-borghese, si è inserito in quella famiglia aristocratica con la fierezza di chi ha costruito il proprio destino solo grazie ai meriti personali: ha uno studio legale bene avviato e ha accettato con noncuranza alcuni incarichi amministrativi dal regime. Aderisce al fascismo per convinzione, ma senza eccessi. Vizia la figlia, la tratta come il suo fiore all'occhiello, alimentando di autoritarismo formale il suo egocentrismo, pronto a concederle beni

LA VITA SOGNATA

materiali in cambio di cedimenti morali al suo affetto coercitivo.

Antonia, dal canto suo, recita la parte di *jeune fille* borghese con sconcertante naturalezza, senza appoggiarsi tuttavia al suo privilegio o smarrire l'originalità di quella sua intelligenza infallibile. L'indole timida ma intimamente libera le fa sentire come lacci innaturali pregiudizi e convenzioni sociali. Impara a suonare il pianoforte, disegna e scolpisce, diventa campionessa di tennis, sci ed equitazione. Come rispondendo all'imposizione di quegli abiti di scena indossati in virtù della sua appartenenza di classe, si stringe fortemente a immagini di purezza ed essenzialità legate al mondo dei poveri. Il vestito da sera, il tailleur alla Marlène, di taglio maschile, la divisa da amazzone per la caccia alla volpe, il completo bianco da tennis, sembrano costumi per ruoli inadeguati. Ma la bocca nervosa, la fronte spaziosa corrugata e, soprattutto, gli occhi meravigliati e inquieti, intensamente azzurri, smentiscono l'ordine esteriore rivelando qualche passione repressa. La ragazza alta, elegante ed emotiva non si diverte nel suo ruolo, lascia che le cada addosso quel peso di frivolezza imposta per conservare la nudità assoluta dell'anima. Lei preferisce rappresentarsi con i pantaloni alla zuava, gli scarponi e il cappellaccio da montanara: la praticità della vita libera, innanzi tutto.

È sola. La notte resta sveglia per ore, con le magre ginocchia serrate contro il petto. A questa solitudine i libri non possono porre rimedio; semmai nobilitarla, suggerendo parole che la definiscano come stato di grazia.

È estroversa e sensuale. Si getta nella vita perché vorrebbe scoprirne le radici terrestri, il dolce peso delle cose: riconosce dappertutto un mistero che sembra aver fondamento nella mente soltanto.

Si lega alle amiche con una stretta appassionata: a Lucia e a Elvira, che chiama sorelle, dato che sorelle non ha avuto. Hanno gli stessi gusti: letture, passeggiate, buona musica e una comune insofferenza per la superficialità della ricchezza. Una

38

sensibilità acuta la fa trasalire di fronte ad aspetti della vita che lasciano indifferenti i coetanei. Lucia Bozzi, orfana, si affeziona enormemente al *Tugnìn*, come amavano soprannominarla con un neutro da elfo, da creaturina pudica e romantica. L'una si appoggia all'altra con semplice abbandono.

Per interi pomeriggi discutono dei grandi principi a cui nessun altro pensa: si pongono interrogativi su Dio e l'universo, sul tempo e la storia, cercando di difendere dalle intrusioni la loro intimità.

7 febbraio 1926

Sono appena tornata dalla casa dei miei amici. Abbiamo ragionato a lungo intorno a cose grandi, troppo grandi per noi; e abbiamo detto del principio e della fine del mondo, dell'origine della materia; abbiamo vagato con la mente nello spazio costellato di pianeti, abbiamo discusso sulla vita dell'aldilà, abbiamo finito col rimanere assorti in uno stesso pensiero, mentre le ombre della sera scendevano lente, avvolgendo tutto delle loro brume misteriose. È strana l'impressione che provo io nel pensare alla vastità della terra: spingo più che posso il mio sguardo al limite dell'orizzonte; mi dico: è più grande – rivedo il panorama goduto dalla Madonnina del Duomo: no, è più grande ancora – mi si riaffaccia la visione scintillante avuta sulle cime della Grignetta: no, no, è più vasta. E allora tento, tento raffigurarmi una distesa immensa, sconfinata, che s'incurva così, laggiù... E lo stesso provo pensando all'eternità; sempre, ripeto a me stessa; sempre... sempre... Mi scuoto con un brivido: sempre! Parola terribile, terribile come mai!

Sta per compiere quattordici anni quando scrive questo frammento di diario. Gli amici si chiamano Maria, Giulia (morta anche lei nel 1938, poco più che ventenne, di parto), Carlo e Gaetano Giussani, con cui Antonia intrattiene un'amicizia tenera e solidale, che la ripara dalla delusione delle esperienze più segrete su cui si getta voracemente.

Nel 1987 andai a trovare suor Marcellina, al secolo Lucia Bozzi, al Monastero di Santa Scolastica. L'antico convento di clausura si raggiunge percorrendo strade tortuose tra monti boscosi nei pressi di Civitella San Paolo, tra Roma e Viterbo. Fui invitata ad attendere l'ora del colloquio, concesso in via del tutto eccezionale, in una piccola stanza disadorna adibita alle visite. Una grata separava il mio tavolo dalla parte riservata alle monache. Aspettai qualche minuto, in preda a una certa emozione. Poi entrò con impeto giovanile suor Marcellina, e con un gesto deciso aprì la porticina proibita e mi abbracciò affettuosamente. Non me lo aspettavo. Quel gesto era il segno inequivocabile del suo comportamento aperto e generoso. Restai a parlare con lei per molte ore, poi, al vespro, dovette ritirarsi, non senza avermi invitata ad assistere alla messa della Comunità, l'indomani, a un'ora antelucana. Non vidi mai fronti più diafane di quelle delle anziane suore del Monastero. Quando riprendemmo il colloquio, Lucia continuò il racconto con la sua voce calda, e disegnò per me con tenera naturalezza la figura dell'amica amatissima, mentre diceva di riconoscere nei miei occhi la luce di quelli del suo *Tugnin*.

Lucia è di un anno più grande di Antonia; manifesta già una propensione per la scelta conventuale che è frutto della sua sensibilità e di un'infanzia sofferente.

Hanno una confidenza estrema, anche se l'intelligenza di Antonia è più complessa e ribelle a ogni principio di autorità, a ogni imposizione dogmatica.

Lucia è colta, legge moltissimo, prediligendo i testi antichi: ha una straordinaria conoscenza delle lingue classiche, in particolare del latino umanistico e cristiano. Con Antonia discutono per ore di scoperte intellettuali e del riverbero emotivo che le grandi letture producono sulle loro anime. Entrambe hanno un profondo pudore nello svelare i sentimenti, ma si incontrano sullo stesso orizzonte spirituale, anche se le posizioni di Antonia in materia di fede sono radicalmente diverse.

Lucia mi raccontava delle loro appassionanti passeggiate. Cercavano rifugio in luoghi solitari, in Valsassina o in Valle d'Aosta, dovunque il silenzio delle montagne fosse complice delle loro emozioni nuove.

Lucia ha già coscienza della sua vocazione. Antonia porta spesso con sé qualche libro di poesia e ama leggergliene qualcuna che l'ha particolarmente colpita. Ha una voce sottile e roca ma carezzevole, a volte leggermente tremante.

Gli alberi concedono un po' d'ombra ai loro corpi accaldati. Quando siedono vicine, Lucia è abituata a un gesto tenero: le prende la testa tra le mani, scostandole i capelli dagli occhi. Antonia si emoziona sempre in quei momenti: nel suo modo irruente di sentire le passioni, a una tenerezza come quella era impossibile fare argine se non iniziando a conversare, per raffreddare i sensi.

Antonia divisa tra la carne e lo spirito, come una antica manichea, le diceva l'amica: lo spirito che la commuove dinanzi al bello e il desiderio che glielo rende necessario e la tormenta. Antonia, il suo piccolo *Tugnin*, che deve difendere la sensibilità dalle incomprensioni di chi ignora le sue doti. «La natura vuole che tu la rappresenti con le parole» le ripete. E allora Antonia, con quel suo fare da ragazzino scanzonato e timidissimo, tira fuori dalla tasca dei pantaloni qualche foglietto spiegazzato e glieli porge: «Leggi» le chiede, arrossendo. «Leggi, ti prego.» Poi scappa via, dietro qualche tronco o su per un altro sentiero, per non dover patire l'angoscia del giudizio.

«*Tugnin*, dove sei?» chiede Lucia. «Dobbiamo parlarne, di queste tue poesie.»

Allora Antonia rispunta dai cespugli con qualche foglia tra i capelli, si accuccia ai suoi piedi, si schermisce: non si possono proprio dire poesie, poesia è una parola troppo impegnativa e che lei troppo rispetta perché ne legge tanta, di poesia, e sa la differenza tra i suoi pasticci e la letteratura. Questa è poesia, dice e tira fuori Tagore.

Lucia le vuole molto bene, sa quanto facilmente le passioni possano travolgere l'amica. Le spiega che le occorre uno sforzo di definizione, una meta di raccoglimento e di certezza. Vorrebbe indicarle il Cristo come via alla consapevolezza; ma Antonia rifiuta l'osservanza ai dogmi, è ribelle e renitente alla conversione. E, dunque, Lucia rinuncia al discorso di fede. Se le chiede di avvicinare le labbra al suo crocifisso, Antonia grida il suo rifiuto, con una mossa di repulsione che spaventa intimamente l'amica.

Le ribellioni di Antonia sono infatti clamorose: «Come vuoi che io creda alla tua Chiesa?» le dice. Perché Antonia avrebbe rinunciato alle ricchezze, ma ancora questo non le è consentito. Si sarebbe francescanamente spogliata di ogni cosa, rifiutando le proprietà dei genitori alle quali non tiene affatto. Dovunque guardi, i suoi occhi vengono feriti dalla povertà e dalla sofferenza e i gesti di umanità, laicamente, non le sembrano che palliativi. «Che sono nata a fare?» chiede. «Forse per alimentare i miei desideri egoistici o quelli dei miei genitori?»

Allora Lucia le propone la carità attiva: andare a trovare i poveri di via dei Cinquecento, come un riscatto morale alla sua irrequietezza esistenziale.

Donna Lina è gelosa di Lucia: avrebbe voluto per Antonia amiche di lignaggio, che sapessero apprezzare i privilegi della mondanità, e non quella ragazza bizzarra con gli occhi indagatori, a montarle la testa di idee mistiche.

Ma quando, durante le gite nella bella stagione, Antonia e Lucia lasciano indietro gli altri, per raggiungere per prime la vetta al crepuscolo, dopo aver camminato tutto il giorno, quel leggero moto delle nuvole intorno alle cime più basse e sulla pianura dov'è la grande città, assomiglia al linguaggio fantastico che solo loro due sanno intendere.

Antonia sta scoprendo la poesia: tentare la bellezza nell'esperienza del mondo. Il desiderio di scoprire la vita la perseguita: l'amore e la libertà che attraversano i romanzi che ama sembrano occultarsi nella vita reale. L'attesa fiduciosa, l'offerta spontanea vengono accolte con turbamenti che preludono a rifiuti e una nuova solitudine si spalanca, quasi la vita non fosse che un succedersi, amaro, di scoperte relative.

Se le sono negate le necessità vitali, l'amore, la libertà, l'autonoma scoperta del mondo, se i suoi le offrono solo la prospettiva di un'esistenza protetta, come potrebbe appoggiarsi sull'indefinibile, sulla fede di cui le parla Lucia? Sarebbe questa l'evasione?

È il tempo di conoscere se stessa, piuttosto, di toccare i propri limiti, di fare errori per imparare. È attratta da ciò che sta sotto, e sopra, e intorno alla cerchia familiare, ma comunque sfugga al controllo.

Con Elvira Gandini condivide una bella esperienza della montagna, in un campeggio sotto il Cervino.

Nelle giornate luminose passate insieme, Elvira e Antonia parlano molto. Antonia le racconta del proprio animo tormentato, dei desideri impossibili: Elvira sa ascoltare, nella sua dolcezza, lei che comunque ha un sereno orizzonte vitale e progetti concreti da realizzare presto: la laurea, il matrimonio, il sogno di una maternità. A fronte di tale forte sicurezza, i dilemmi esistenziali di Antonia appaiono ancora più penosi e poco condivisibili. Antonia vorrebbe provare le gioie degli altri, avere le stesse aspettative sul futuro: ma la sua febbre vitale la conduce altrove, verso zone meno controllabili dalla ragione, abitate da insoddisfazione e volontà di cambiamento anche morale. Per dare corpo a un'irrequietezza ancora più pericolosa, se abbandonata a se stessa, cerca esperienze concrete, il contatto diretto con la vita che le viene negato, chiusa com'era sotto la campana di vetro della protezione familiare, del privilegio sociale.

Poi, sotto il cielo limpido delle notti in alta montagna, Elvira le siede accanto e le suona qualche aria con l'armonica. Anche quella musica semplice, nel silenzio estremo che le circonda, carezza la sensibilità di Antonia meglio di una preghiera. Rivela l'intimità conquistata per sempre la stretta delle mani, calde nonostante il freddo tagliente, mentre stanno sdraiate intorno al falò acceso nell'oscurità.

Sorelle, a voi non dispiace
ch'io segua anche stasera
la vostra via?
Così dolce è passare
senza parole
per le buie strade del mondo –
per le bianche strade dei vostri pensieri –
così dolce è sentirsi
una piccola ombra
in riva alla luce –
così dolce serrarsi
contro il cuore il silenzio
come la vita più fonda,
solo ascoltando le vostre anime andare –
solo rubando
con gli occhi fissi
l'anima delle cose –
Sorelle, se a voi non dispiace –
io seguirò ogni sera
la vostra via
pensando ad un cielo notturno
per cui due bianche stelle conducano
una stellina cieca
verso il grembo del mare.

Milano, 6 dicembre 1930

Negli anni dei turbamenti e delle inquietudini adolescenziali, l'amore le appare come un ideale da raggiungere, più che come un sogno ovvio che realizzi l'atteso passaggio dall'infanzia alla vita adulta. Come lettrice onnivora e appassionata, si rifugia nelle avventure romantiche, s'identifica con i personaggi che hanno fortemente amato. Sente crescere dentro di sé quello che in fondo è una sorta di talento, un'inclinazione alle passioni, un desiderio forse impossibile di conquistare una felicità condivisa con un altro essere prediletto.

Nel 1927, a quindici anni, conosce un cantante della Scala, che ritrova tra la folla dopo averlo ascoltato a teatro e a cui dal palco aveva gettato un complimento innocente. Gli aveva sorriso, arrossendo in continuazione, e aveva sentito i suoi occhi lucenti fissi addosso, alle sue vesti, al corpo che vi sta sotto, assalito da brividi senza che vi fosse un alito d'aria.

L'uomo, massiccio, dai capelli rossi, è conquistato all'istante dall'ammirazione della timida e avvenente ragazzina e, quando lei si reca a fargli i complimenti in camerino, dopo uno spettacolo, le chiede di incontrarla, magari per parlare di musica.

Dopo pochi giorni Antonia riceve un biglietto (gli ha comunicato con troppa precipitazione il suo indirizzo): è un invito.

L'inizio di un romanzo tutto scritto nella testa di una giovanissima e immaginosa lettrice ha sempre tinte magiche, intime proiezioni, illusorie rifrazioni: come la vita inscenata su un palco.

Confusa dall'evocazione di un sogno di grandezza, incarnato in una persona e quindi, forse, non effimero, coltivando il suo segreto come una primula in pieno inverno, Antonia corre all'appuntamento.

In questa fuga da casa, vive un invincibile bisogno di trasgressione, un romanzo di apprendistato scritto da lei stessa intorno a desideri impediti dall'educazione ricevuta, dal decoro borghese che la sta schiacciando, costringendola a essere diversa da come si sente diventare.

Il desiderio che la tormenta, di esperienze libere e appagan-

ti, come di carezze meno labili, meno timide, che la tirassero
via dalla solitudine, ha ancora volti e corpi e voci sconosciuti,
ma seducenti. La sua immaginazione le rappresenta l'amore
come un impegno totalizzante, ma anche come un'unica, vitale affermazione dei sensi.

Non ha esperienze e di questa ignoranza ha paura; paura di
se stessa, di violare l'ignoto. La fanno sorridere le maliziose al-
lusioni delle compagne o i comportamenti ancora infantili
delle amiche. Esse non hanno letto con altrettanta attenzione
i romanzi moderni... C'è un punto in cui la dissolvenza segue
al bacio, su cui si arrovella la curiosità inquieta di chi legge
senza sapere. Questa idea di fusione, che si accompagna all'a-
more, ha un suo coronamento nel contatto fisico. Altre forme
d'amore conosceva: adoranti, divoranti; ma mai quell'estasi
che si diceva congiungimento di due corpi e due spiriti. Almeno questo pensava dovesse essere l'amore.

Dunque, esce di casa, inventandosi una visita a un'amica e
cura l'abbigliamento perché è un convegno importante. Il tailleur che la fa apparire più grande, persino un tocco di rossetto
e via per la strada, continuando a voltarsi per paura di essere
scoperta e inseguita.

Come è bello lui, ma soprattutto eroico, fuori dal comune:
e vive di teatro, nel teatro. Con quella padronanza delle scene,
cosa mai sarebbe stata la vita. Quante donne deve avere avuto.
Che bell'Alfredo è, strepitoso e magico nel suo dolore. Che
bel volto espressivo, segnato, che dal palcoscenico sembra
sempre rivolto a lei, con l'illusione dello sguardo diretto che
danno le statue greche.

Per la prima volta è consapevole della forza e della natura
dei suoi desideri: essere stretta e baciata da quell'uomo che do-
mina lo spazio, essere sua nel canto dell'essere, dimenticarsi di
sé – piccola cosa magra e muta – lasciando che il mondo resti
lì a guardare, a giudicare. Antonia si è liberata dai sì e dai no,
da tutti i vincoli che le sono imposti, dallo sguardo severo e
vacuo di sua madre, dalla stretta paterna intorno alle spalle

– falsa protezione, vera tirannia – e affonda in un romanzo breve e tumultuoso, con pagine agitate da una foga russa, da un vorticare di sogni e di attese, ebbri di rivoluzione.

E lui la porta al Parco Sempione, a mangiare il gelato, quasi fosse una bambina. Poi, sulla panchina, a cui l'ha condotta per mano – per mano! – la copre di promesse e di carezze. Antonia è confusa, stordita. Voleva le sue attenzioni e la sua confidenza, certo, fantasticava sulle sensazioni che avrebbe provato; ma adesso, di fronte al suo volto sudato, di cui crudelmente scopre ogni difetto, di fronte all'agitazione del suo collo lasciato scoperto tra gli eleganti bottoni del colletto, non prova che ribrezzo e distanza e voglia di scappare.

Non vorrebbe rinunciare all'eroe che aveva intravisto, capace di sacrificarsi fino alla morte per un amore impossibile. Nella realtà si vede accanto un vecchio dai modi persino volgari, che con voce assai meno melodiosa di come l'aveva ascoltata dal palco, vuole convincerla a essere gentile con lui. Antonia intuisce la malizia, l'inganno: questo basta.

Si alza di colpo, mentre l'altro le prende la mano e vi mette un bacio, stringendogliela con forza, per trattenerla. Non lo lascia parlare, né avvicinarsi oltre. «Addio» e d'un balzo è lontana; corre sulle sue gambe svelte come se non ci fosse altro che un gran respiro prima dello scatto per dare ossigeno a una vita in apnea; la attraverserà raccogliendo qui e là frammenti di esperienza, anche a poco prezzo, ma non tradirà mai più quanto di se stessa si rispecchia in una scena romantica, l'Antonia idealista che non vuole che quel sogno segreto sia violato.

Di quel momento non avrà mai nostalgie, ma il senso di una conoscenza mancata, o piuttosto, eternamente rinviata, e mescolata alla colpa di essersi abbandonata a una sciocca speranza.

Un'esperienza da adolescente, come tante altre, ma da adolescente inquieta, che non accetta mediazioni e s'avventura, pur temendo.

Nella primavera del 1929, a diciassette anni, ecco che le capita di emozionarsi ancora una volta, innamorandosi dell'impossibile che in questo caso ha le sembianze di una sua amica, Teresita Foschi. È una ragazza sensibile, sfuggente, voluttuosa, malgrado la sua giovanissima età. Antonia è incantata dai suoi modi evasivi. Persino quando parlano di libri o le porge la tazzina di tè, Teresita ha accenti di estrema tensione, come avesse sempre timore di cedere troppo della sua intimità. Ci sono molti sottintesi, in questa amicizia, e qualche fanatismo nello stare insieme. Nulla a che fare con la sorellanza condivisa con Lucia ed Elvira. Teresita è l'ombra che attira; un desiderio, forse. Che cosa le accomuna? L'inquietudine, la fretta di assaggiare la vita. Teresita le parla delle sue precoci storie d'amore, con dovizia di particolari e pause strategiche. Antonia si perde a guardarla mentre gli occhi le si accendono.

Quando la mamma di Antonia le trova insieme, mentre parlano fitto sul divanetto, appena discoste l'una dall'altra, si allarma leggermente, quasi le avesse scoperte in qualche posa proibita.

Antonia non è ancora del tutto cosciente dei suoi desideri, ma esplora gli imprevisti di un temperamento passionale, in cerca di sbocchi, verso un'amica prediletta, un amante immaginario o un libro.

Eppure, questa relazione costruita sul non detto (nonostante non facciano che parlare), alimentata da confidenze anche false, ricordi letterari spesso reinterpretati come proiezioni dei propri sentimenti idealizzati, speranze senza costrutto come l'adolescenza che svanisce, ha stretto Antonia in un'ansia senza nome.

Antonia è grata all'amica della vicinanza che nulla chiede, ma tutto suggerisce. Nella confusione dei suoi sentimenti, nei mesi in cui sta affiorando alla coscienza l'amore tragico che segnerà il resto dei suoi giorni, l'emozione sottile e il disordine sensuale provocato da Teresita costituiscono quasi un sollievo.

Eppure, Teresita, l'inquietante, attraente ragazza con cui condivide la fuga dalla realtà quotidiana, non può essere altro che la compagna di una breve stagione.

In un tardo pomeriggio di maggio – le finestre già aperte che fanno entrare nel salotto i semi dei pioppi che imbiancano la calura di Milano, dando un'esotica impressione di neve – se ne stanno, loro due, intente come sempre, tenendosi le mani mentre parlano.

Antonia sa che non deve compiere passi falsi, che le sue emozioni non sono corrisposte adeguatamente, che i suoi sentimenti sono spesso oltrepassati dalle loro proiezioni ideali. La letteratura non fa che creare nella sua testa mondi immaginari o rappresentare figure di un teatro che la vita si rifiuta di far agire realmente. Le poesie di Saffo cedono a un certo manierismo nostalgico di Pascoli o di Gozzano.

Ragazze intelligenti, originali, preoccupate di difendere le proprie scelte dal sempre incombente controllo familiare. Ma pur sempre ragazze, prive di libertà e di autonomia economica. Si poteva cominciare da «una stanza tutta per sé», come consigliava Virginia Woolf alle giovani donne in quegli stessi anni, ma non era sufficiente per ottenere un'indipendenza anche morale e culturale dagli obblighi imposti in famiglia.

Antonia avrebbe voluto che le regole non fossero quelle artificiose, convenzionali: ma vivere e amare secondo la propria natura. Questo non avrebbe potuto mai darglielo la letteratura.

E gli altri si sottraggono, come spaventati di fronte alla sua indisciplinata energia vitale che ancora non trova strade socialmente percorribili. Anche Teresita prende le distanze e, così come vi si era affacciata, scompare dalla sua vita, lasciando una lievissima traccia che presto si perde nell'oblio.

Di quell'incontro a casa di Antonia sappiamo pochissimo: qualche accenno da parte delle amiche comuni, una poesia, *Distacco* (9 maggio 1929). Ecco i versi iniziali:

Tu, partita.
Senza desiderare la parola
Che avevo in cuore e che non seppi dire.

Poche parole. Ma sappiamo che Antonia ha sperimentato una nuova distanza.

Ferme sul vano della porta, il bacio lieve (Teresita appena incipriata) è tagliato da un'improvvisa luce dalle scale. Precipitosamente si distaccano, spaventate.

Teresita se ne va, quasi fuggendo. Antonia la osserva scivolare via, poi chiude piano la porta e torna in camera; seduta al tavolo sogguarda un ritratto della madre, in una cornicetta d'argento, e cerca dentro il vetro il riflesso degli occhi febbrili.

L'idealismo romantico non può che avviarla all'esperienza di un amore nato nelle profondità oscure e sincere dell'immaginazione e che, costretto a fantasia irrealizzabile, s'identifica con il fondamento stesso della sua esistenza lacerata: vita e sogno, offerta e rinuncia, unità e separazione sono i nodi insolubili delle antiche tragedie.

CAPITOLO III

IL MAESTRO E MARGHERITA

> Seguimi, lettore! Chi ti ha detto che non esi-
> ste a questo mondo l'amore vero, fedele ed
> eterno! Al mentitore sia tagliata la malefica
> lingua.
> Seguimi, lettore. Solo me, segui. E io ti mo-
> strerò un tale amore.
>
> MICHAIL BULGAKOV

Il Liceo Manzoni è uno dei più antichi licei classici di Milano. È situato nelle antiche viuzze intorno a Sant'Ambrogio, che quasi sembrano accerchiare avvolgendolo il *flâneur* abituato a una città dall'assetto generalmente squadrato.

Antonia non ha ancora sedici anni e frequenta la prima liceo. È allieva originale e brillante, ma l'indole timida le impedisce di esibire il suo sapere.

Ogni mattina, mette in ordine i suoi libri e li lega intorno alla vita con una cintura: quel contatto, anche se comporta un bel peso sul fianco, la rassicura.

Vive una stagione di entusiasmi: è affascinata dai mondi che va scoprendo. Ha cominciato a scrivere versi e a credere nella necessità di questa attività clandestina.

Il professore di greco e latino è Antonio Maria Cervi.[4] Ha già alle spalle alcuni anni di esperienza scolastica: prima al Dettori di Cagliari, poi al Giannone di Caserta; approda al Manzoni nell'ottobre 1924. Antonia diventa sua allieva nell'autunno del 1927. Quando entra in classe per la prima volta nessuno ne viene colpito. Ma dopo che fa sedere gli alunni e comincia a parlare, nell'aula scende un silenzio incuriosito. Il modo di rivolgersi loro è diverso rispetto a quello degli altri docenti: la sicurezza dell'eloquio e la vastità e profondità dei concetti suscita attenzione anche nei ragazzi più pigri, mentre incute rispetto tra i colleghi la capacità di insinuare nelle menti degli allievi valori fondamentali.

È un arrivo insolito: unico professore proveniente dal Sud in un corpo insegnante compattamente lombardo: un evento per il liceo più tradizionale di Milano. Di corporatura robusta, poco più che trentenne (è nato nel 1896), sempre attivo, con i grandi occhi neri accesi e inquieti, appare dotato di una grazia particolare, quella del sapere e dell'onestà intellettuale. Animato da una tenace passione per la didattica, si è formato una cultura straordinaria e ne fa dono, senza risparmiarsi alcuna fatica.

In ogni stagione porta lo stesso vestito: sempre nero, con il fiocco nero al colletto della camicia bianca, e ha i modi di un aristocratico. Quando legge Omero e i lirici si trasfigura, è illuminato dal di dentro di una luce che lo rende quasi bello. Costringe anche i renitenti ad ascoltarlo, a piegarsi all'onda dei versi che pronuncia nell'aula silenziosa. Egli è in grado di connettere alle pagine dei classici, come nessuno, il senso di una civiltà fondata sui più grandi valori etici e politici.

È un professore diverso da tutti gli altri: esigente con gli alunni e con se stesso. Le lezioni sono serrate, concentrate, spesso proseguono ben oltre il suono del campanello e i ragazzi sono costretti a seguire il suo ritmo velocissimo. Le interrogazioni non sono facili: il professore non accetta giustificazione per gli impreparati. Non c'è scampo neppure nei compiti scritti: ognuno riceve la propria versione, così che nessuno s'illuda di poter copiare. Le traduzioni non sono mai una prova esclusivamente tecnica, ma, prima di tutto, esercizi di comprensione e interpretazione.

Dal mondo greco, attraverso lo studio delle opere, egli fa scaturire la scintilla di ogni conoscenza: l'arte, la ricerca della verità, la meraviglia dell'etimo e della struttura linguistica che è fondamento della moderna cultura europea.

«Il greco» ricorda l'amica Elvira Gandini, a sua volta allieva di Cervi «è stato per lui e per noi la lingua degli dei, degli uomini innamorati della bellezza e della verità, travolti dall'inesorabilità del mito tragico, placati nell'abbraccio lieve del seno della terra.»

Per chi si dimostra in grado di superare tutte le difficoltà, il premio è alto: il professore ha il dono di farlo sentire tra gli eletti, gli presta i suoi libri, gli dà consigli di vita, incoraggiandolo a sempre migliori risultati. Ed è proprio sulle testimonianze dirette di alunne di Cervi come Elvira Gandini e Lucia Bozzi che possiamo ricostruire il metodo «socratico» del professore e l'ideale relazione intellettuale che aveva stabilito con gli allievi: in particolare Antonia.

Quando suona la campana della fine delle lezioni, Antonia lascia che i compagni sciamino via dall'aula per restare a parlare al suo insegnante preferito e non vuole essere aspettata al portone di scuola. «Andate, andate pure, io resto per chiedere una cosa al professore.»

E, allora, Antonia si avvicina alla cattedra, vi posa le sue mani sottili per sorreggersi mentre le gambe le tremano. Avvicinandosi al viso di lui, per parlargli, sente il suo respiro, si incanta dei suoi occhi grandi, buoni, in cui sembra lampeggiare talvolta un dolore segreto, subito nascosto da un'intensa dolcezza.

«Professore, mi scusi, non ho ben compreso quel passaggio in cui ci spiegava il metodo socratico: che cosa rappresenta Platone nei Dialoghi di quanto aveva imparato dal suo maestro? E che rapporto c'è tra l'amore ideale e la *mimesis* nell'arte?...»

Glielo chiede, forse, anche per godere del piacere esclusivo della sua voce che rinnova l'incanto della lezione, ma solo per lei, senza il mormorio delle sue amiche, senza la vergogna del suo continuo rossore. Non avrebbe potuto essere più tesa di così all'ascolto, lei, che non ha mai provato una felicità tanto acuta e segreta, fatta di improvvise rivelazioni intellettuali, come scenari di bellezza successivamente spalancati al suo cammino che si fa via via sicuro e promettente.

Ora può capire cosa significasse per Alcibiade, per Platone, avere un maestro. È come se le scoperte quotidiane, nel loro piccolo mistero insondabile, intimamente legate alla verità universale, costituissero altrettanti fondamenti etici dell'esistenza. C'è la storia e la memoria del *logos*, l'autenticità di un pensiero sempre desto e di una razionalità che innerva ogni sentimento del bello.

«Grazie, professore, ora ho compreso meglio e mi perdoni se le ho fatto perdere del tempo.»

«No, signorina, non si preoccupi, lei non mi fa perdere tempo: ha una tale acutezza di ingegno e sincero interesse allo studio degli antichi; basta che impari a dirigere lo zelo intellettuale, a concentrare le sue grandi risorse in un impegno costruttivo.»

«Lo so, professore, ma l'emozione fa parte delle mie scoperte culturali. Prima di tutto è la mia sensibilità a venire colpita, la razionalità viene dopo, a riorganizzare il tutto, a indurmi all'approfondimento con lo studio. Rivedrò quanto mi ha detto: oggi mi applico sui suoi appunti.»

«Le do con piacere questa mia copia del *Fedone*, Antonia, la tenga da conto, mi è cara: è quella su cui anch'io ho studiato. Se la legga e rilegga, in particolare la risposta a Cebete. Platone spiega meglio, qui, il suo concetto dell'unicità in amore, legato all'immortalità dell'anima: la duplicità originaria superata nel desiderio, nella creazione... Il principio di tutte le cose non è materiale, ma eterno e immutabile e il Bello vi partecipa. L'anima comanda al corpo come Ulisse dice al cuore di sopportare il dolore: "Soffri, o mio cuore: altri dolori già sopportasti più acuti". Se lo ricordi, questa lettura deve fortificarla: sono le ultime parole di Socrate, il suo ultimo dono ai suoi discepoli. L'ora incalza, il maestro lava lentamente il suo corpo per purificarlo, ha accettato la sua condanna. Prima di morire del veleno che gli viene offerto, dice: "Sacrificate per me un gallo a Esculapio". Il filosofo si considerava guarito, rifiutando di fuggire e rinunciando volontariamente alla vita.»

Antonia ghermisce il libretto con mani tremanti, se lo porta al cuore e sorride. Anche il professore si sente sempre meno capace di frenare l'emozione di fronte a questa ragazza disarmante, troppo intelligente, timida eppure disposta a violare il suo naturale riserbo forzandosi a incontrarlo, a parlargli con gli occhi prima che con la voce, con l'atteggiamento tutto teso e raccolto nello slancio verso di lui. Forse non dovrebbe consentirle di farsi così vicina al suo viso, ma non era quella intesa emozionata che lo turbava di più, cosa che non era mai successa con alcuno o alcuna dei suoi studenti. L'ammirazione, sì, a questa era abituato e continuava nel tempo, tanti dei suoi studenti lo venivano a cercare una volta laureati e diventati magari, a loro volta, docenti. Ma nessuna aveva quest'adorazione negli occhi e, soprattutto, questo talento per la bellezza, l'ambizione del comprendere, di ampliare a dismisura i propri orizzonti conoscitivi.

E, dunque, le concede sempre più spazio nella sua vita quotidiana, fatta soprattutto di quel lavoro, a cui dedica tutte le energie. La sua famiglia sono i suoi studenti; non si è sposato perché lo studio è tutta la sua vita e perché le ragazze che ha conosciuto non riuscivano ad avvicinarsi neppure lontanamente a quella sua idea di donna, tra dolcezza e dominio, che in fondo a sé tiene chiusa come un progetto senza molte speranze di realizzazione.

Ogni mattina ha la sorpresa del suo sorriso e ormai la cerca gettando un rapido sguardo sugli alunni alzatisi in piedi ogni volta che varca la porta dell'aula, riconoscendo la figura di lei al suo solito posto. Così, sente quei grandi occhi fissi su di sé quando si allontana alla fine della lezione.

Riconosce immediatamente la sua calligrafia, quando si trova di fronte al suo saggio di versione da correggere e ne viene quasi rinfrancato dopo tanta fatica. La tiene per ultima, dopo avervi dato un'occhiata subito, e non perché non sia in genere corretta e rifinita, ma per quel nitore cristallino della forma che si dispone con chiarezza e precisione sulla pagina e che gli dà fin un piacere agli occhi.

Non si chiede adesso se la sua affezione verso questa ragazza, a lui così lontana, appartenente a una famiglia molto ricca e rispettabile in Milano, che viene a scuola cambiandosi ogni giorno il colletto al grembiule e accompagnata dall'autista, non sia di natura diversa da quella che si crea tra insegnante e allieva.

C'è un'attrazione che nasce dal profondo e che i gesti rivelano malgrado l'estremo pudore di entrambi. Quasi più evidente agli altri, che li osservano con stupore e curiosità spesso malevola, che non a loro stessi, lontani da ogni idea che vada oltre l'assoluto rispetto.

Tutti lo stimano, il buon professore, che parla loro dell'intero scibile, ma anche delle incognite dell'attualità, che interpreta la cultura come bene vivo, operante, in trasformazione, nell'idea che questa sia proprio la più importante eredità dei classici.

Ma di lì a scorgere in lui un oggetto d'amore... Le ragazze, non potendo capire, sono sconcertate e un po' invidiose e ostili.

Quest'amore matura lentamente, giorno dopo giorno, lezione dopo lezione: l'incontro tra due spiriti, al di là dell'età, della classe. Cervi offre ciò di cui Antonia ha bisogno: una guida per la coscienza sul cammino che i libri mostrano, che le esperienze sbagliate possono confondere e dirottare.

Non può trovare tale guida nella sua famiglia: la madre è troppo distaccata, il padre tende sempre ad assimilarla a sé e ai propri gusti, senza rispetto per la sua autonomia di carattere o di giudizio. Si confrontano in interminabili discussioni morali o politiche, a cui – di necessità – deve porre la parola conclusiva la *patria potestas*, d'autorità, anche se non sono infrequenti momenti di affettuosa intesa.

Antonia combatte per affermare le proprie opinioni, ma si tormenta intimamente perché riconosce nell'atteggiamento del padre un pregiudizio, una mancanza di rispetto. Come avrebbe potuto formarsi mai una personalità adulta, in quanto piccola donna, dunque, inferiore, secondo i condizionamenti sociali? Il professore, invece, pur non confutando del tutto le idee sull'inferiorità della donna, comprende la sua originalità e vuole rivolgerla verso porti sicuri e tradizionali.

Ma non diversamente da Lucia, interpreta le sue inquietudini mistiche come segno di una ricerca del divino, più che come turbamenti di una natura creativa che non ha ancora trovato espressione o sbocco.

La giovane allieva, «sottile come un giunco» – lui le dice – e curiosa di tutto ciò che riguarda la bellezza, s'innamora infatti proprio della personalità di quest'uomo, della generosa tenacia con cui ha lottato contro le avversità piovute sulla sua famiglia fin da quando era giovanissimo.

A partire dal momento in cui le mette in mano volumi di filosofia e l'accompagna nei musei e le parla dei grandi concetti trascendenti, Antonia si sente rapita fuori da se stessa, in un mondo ignoto che ha appena imparato ad amare e che la sua voracità intellettuale vuole comprendere intero. È una scossa violenta, l'esordio di una passione niente affatto adolescenziale, crudelmente matura, già esperta del dolore. E nell'ancora confusa ribellione esistenziale di lei, sono i germi di un cambiamento che chiede la pienezza dell'amore, di cui è parte integrante una serena fisicità.

Per comprendere lo sviluppo di questa vicenda determinante nella vita di entrambi, anche molti anni dopo la loro separazione, dobbiamo dipanare il filo della memoria servendoci di ciò che resta delle carte che li riguardano, quello, cioè, che si è salvato dall'assalto della censura intervenuta a tagliare testimonianze, lettere, poesie, anche di fondamentale rilevanza.

Per questo, a parte la paziente ricucitura di pochi elementi in nostro possesso abbiamo dovuto ricostruire ciò che manca con testimonianze dirette degli amici e raccordi di fantasia, rigorosamente fedeli al contesto, così come fa il moderno archeologo, che deve aggiungere i blocchi caduti e spezzati per ridare al visitatore l'idea del tempio com'era alle origini, differenziando i propri interventi di restauro dagli elementi salvati.

Nella primavera del 1928, Antonia parte con la famiglia per un viaggio di vacanza nel Sud, dove il professore farà loro da guida. Fino ad allora, ha continuato ad attenderlo all'uscita delle lezioni e qualche volta a camminare un pezzo al suo fianco ascoltandolo parlare, ma ricevendo da lui solo qualche risposta prudente a ogni minima intrusione nella sfera privata.

Quella vacanza, comunque sotto il controllo dei suoi, le consente di passare del tempo con lui al di fuori dell'ambiente scolastico.

Antonia coi genitori e l'inseparabile zia Ida arriva a Roma in treno la mattina. Una veloce colazione al buffet della stazione e poi partenza alle nove e mezza per Napoli, con una nuova linea direttissima che taglia attraverso la campagna romana e poi lungo il golfo di Gaeta e la costa campana. Arrivano a Napoli a mezzogiorno.

Cervi, che era a Napoli dalla madre, va incontro ad Antonia e ai suoi, sorridendo e porgendo loro le mani al saluto, con calore meridionale. È felice di averli lì, è felice di far loro da guida. Ma certo è spaventato dall'emozione che gli provoca la vicinanza della sua devota allieva. Intanto propone un breve giro di Napoli che si distende nella luce in una delle sue giornate incantevoli, in cui il sole disegna nettamente le articolate superfici dei suoi palazzi.

Antonia rimane stupefatta dall'eleganza della città che si offre al visitatore concedendo tutte le sue meraviglie. Da Posillipo si recano a Pozzuoli dove visitano i Campi Flegrei.

Camminano sulle colline che formano il cratere, sul suolo grigio, come di cenere compatta, molto duro. Giocano a sentirne il rumore, il cupo rimbombo che rivela la cavità; vengono assaliti dai fumi di zolfo; provano ad accendere una torcia e vedono il fumo crescere di intensità, così che tutti gli altri buchi e collinette, su fino alla cresta, si mettono a sfiatare come un inferno che li avvolga.

Antonia si crede in una nuvola sulfurea che la separi dagli altri. La promessa del professore di condurla all'indomani al Museo Nazionale la emoziona al punto che abbandona la sua tipica riservatezza per comunicargli senza mezzi termini la sua gioia profonda. Considera un immenso privilegio essere accompagnata da lui alla scoperta dei tesori di Ercolano e Pompei, di una civiltà sepolta con i suoi segreti, nello slancio bloccato della vita, di questa stessa natura tumultuosa, dalla furia sotterranea di una terra fascinosa ma infida.

È Pasqua e la gente è chiusa in casa. La città appare come svuotata. La sera, dunque, si imbarcano alla volta di Sorrento, che raggiungono dopo due ore di piacevole navigazione.

È un paradiso di aranci e limoni e ulivi, una distesa di colori e di aromi culminante nel Vesuvio che scende fino al mare con una frastagliata costa ghiaiosa. Al di sopra emergono gli ammassi variopinti di Castellammare, Torre del Greco, Torre Annunziata e finalmente Napoli che si prolunga nel verde ramo di Posillipo, mentre occhieggiano a ovest le isole luminose dell'arcipelago: Capri, Ischia, Procida.

Cervi viene a prenderla all'albergo e la vede scendere insieme alla zia Ida: ecco la balia, pensano entrambi, sorridendosi... Ma va bene così, per le convenzioni. In quel sorriso d'intesa era il primo riconoscimento di una segreta complicità. La compagnia del professore è più che piacevole, è un incanto di finezza e di gusto, di cultura e capacità di affabulazione. E anche la zia Ida gongola, un tantino innamorata anche lei del professore *terun* con tanto *savoir faire*.

Tutto egli sa spiegare e disporre di fronte al loro sguardo, aggiungendo qualche osservazione molto personale o una citazione opportuna dai frammenti antichi. Ora Antonia riprova l'emozione e la tensione intellettuale di non perdere neppure una delle sue parole, aggrappandosi al suo sguardo, sorvegliando i suoi passi per mettersi al ritmo di quelli di lui. Rivive la felicità inconsapevole provata a scuola durante le lezioni del professore e che ora sente quasi immeritata. I libri che le aveva trasmesso erano qualche volta accompagnati da biglietti in cui la incoraggiava nel proseguimento della ricerca che avrebbe avvicinato sempre più le strade di due spiriti comunque affini. È la prima ammissione della reciproca dipendenza.

Cervi la ritrova ancora, al ritorno a Roma, e questa volta da sola. La mamma è stanca e lascia che Antonia vada col professore a visitare il Foro.

È un segno di grande fiducia da parte della famiglia; i genitori apprezzano l'influenza dell'insegnamento di Cervi sulla loro ragazza, sensibile, sofferente delle «crisi della crescita», e certo bisognosa di una guida per la sua fame intellettuale come per la sua incertezza esistenziale.

Visitano il Museo delle Terme e il Foro, camminando per ore, instancabili, accostando ogni monumento, interrogando le pietre.

Quel viaggio rappresenta una tappa fondamentale nell'evoluzione dell'amore, perché entrambi hanno la conferma di poter condividere un'esperienza intellettuale ricca di emozioni, al di fuori delle mura scolastiche, dell'ambiente che sarebbe stato l'unico concesso alla loro conoscenza dal costume corrente. Ma l'affinità chiede altro. Lo si capisce dai dialoghi concitati: è vero, Antonia impara da lui, ascolta, chiede – la lezione si è trasferita fuori dall'aula – e il professore parla del mondo degli antichi, della loro ricerca di equilibrio tra estetica e morale, del *logos* che fonda la civiltà sulla conoscenza razionale, sull'eredità greca nel mondo latino. Mentre camminano per i viali che circondano il Foro, tra i verdissimi prati che fanno così luminosa la primavera romana, Antonia cerca di spiegargli l'incertezza della sua posizione esistenziale. Attraverso i ricordi delle amiche, con le quali si era confidata Antonia, possiamo ricostruire qualche frammento di quel dialogo intenso.

«Come può, professore, attendersi da me qualche opera compiuta o un progetto di vita morale. So di non poter più vivere senza fedi e certezze... Ma il dubbio che nasce improvviso mi dà una stretta ansiosa, presto dimenticata, senza alcuna volontà di tramutarla in atto di affermazione.»

«Osservi, Antonia, il taglio nitido e deciso di questa pietra: la colonna rastremata verso l'alto, la leggerezza di un arco poggiato al basamento per slanciarsi con poderosa energia oltre il vuoto. Le fondamenta vanno edificate con precisione, altrimenti non è possibile raggiungere altezze ed eleganza. È adesso che deve curare la sua vita, Antonia, darle senso e direzione, per poi consentirle i maggiori slanci. Non trascuri la sua educazione, si impegni nell'approfondimento delle cognizioni che già ha, ma vada sempre oltre, per riconoscere la fonte da cui tutta la sapienza del mondo deriva. Non sarà nulla senza la consapevolezza di un'unità più profonda, rifiutando la consolazione della sua esistenza invisibile, ma dappertutto presente.»

«Io colgo la bellezza in ciò che vedo» ribatte lei con sforzo «eppure il linguaggio della pietra non mi riporta ad altro che a un umano calcolo di proporzioni esatte. Non vedo l'altro, l'afflato di cui parla lei sta solo nella mente di chi ha progettato la meraviglia. È questa che contemplo, per cui mi emoziono e che ammiro.»

L'indomani è fissato il ritorno a Milano. Antonia riparte con la sensazione di avere fatto una scoperta su di sé e tra le tante immagini del viaggio, c'è l'impressione, ferma, anzi indelebile ormai, di quanto sia insostituibile la compagnia di quell'uomo sapiente e fanciullesco.

Cervi le sarebbe stato accanto, quanto poteva, perché da quella ragazza riceveva un dono di attenzione, non ubbidiente ma piuttosto tesa a tutto recepire e comprendere, che rendeva prezioso il suo ascolto. Talvolta al brav'uomo, colto, intelligente, che era stato a sua volta allievo diligente, Antonia sembra quasi incontrollabile negli slanci di entusiasmo come di ribellione. Come porre argini all'irruenza della sua curiosità intellettuale? Come indirizzarla, disciplinarla, in modo che dalla vita e dalle sue fortune possa ricavare il massimo?

Poi si vergogna dei suoi pensieri. Con che diritto egli progetta di accompagnare la crescita di Antonia, se non è suo parente, se il suo compito è solo quello del maestro, destinato a essere messo da parte dalla vita?

Nel giugno 1928, Antonio Maria Cervi chiede il trasferimento a Roma, adducendo motivi familiari: deve occuparsi della madre e della sorella, rimaste sole, tra mille difficoltà, dopo la morte del fratello Annunzio sul Grappa. Possiamo però supporre, grazie alle testimonianze di amici intimi, che l'abbandono di Milano sia da collegarsi con la tentazione di quell'amore che nasce sotto il crisma dell'impossibilità.

A Roma ottiene un incarico al Liceo Tasso; in seguito passa all'università, dove tiene diversi insegnamenti: storia comparata delle lingue classiche, letteratura greca, storia della filosofia antica nella Facoltà di lettere.

Dopo Caserta e Milano, tornare a Roma significa per Cervi partecipare direttamente al dibattito culturale, non solo sui temi della filologia classica a lui congeniali, ma anche della letteratura e della lingua tedesca. Molti anni dopo pubblicherà un'*Introduzione all'estetica neoplatonica* e il saggio *La storiografia filosofica di Nietzsche*, dedicato all'amico carissimo Luigi Castiglioni, pioniere dei moderni studi di cultura classica, a cui resta vicino per tutta la vita fino ad accompagnarlo nel suo ultimo viaggio, al cimitero di Azzate. Egli ammira l'essenzialità e la precisione del lavoro scientifico di Castiglioni e, forse, avrebbe voluto assomigliargli.

Il fatto curioso è che egli, sebbene ambizioso, ritarda molto a concludere i lavori a cui si è accinto: in parte per perfezionismo, ma anche per una ritrosia a farsi conoscere per mezzo di pubblicazioni. Generoso nell'effusione epistolare e telefonica e devotissimo agli amici, ha una sorta di «complesso» (potremmo definirlo «socratico»?) della parola scritta e pubblicata, tanto da completare ben pochi libri rispetto alla mole del suo lavoro di ricerca.

È comunque talmente brillante da essere invitato da Giovanni Gentile, allora direttore della Scuola Normale Superiore di Pisa, a ricoprirvi la cattedra di lingue classiche. Cervi si schermisce, di nuovo anteponendo all'ambizione quella sua paralizzante modestia e il desiderio di non abbandonare i suoi allievi del Tasso, compromettendo definitivamente quell'amicizia potente.

Augusto Guzzo, collega e intimo di Cervi, ricorda questo aspetto schivo del carattere, che gli faceva evitare incontri pubblici, lo spingeva a sottrarsi a inviti a pranzo e altri doveri sociali, gli rendeva difficile mantenere responsabilità gravose che limitassero la sua libertà d'azione, lo scenario sempre mutevole dei suoi interessi.

«Negli ultimi mesi» (Cervi muore nel 1966) «aveva voluto farmi certe dolorosissime confidenze» ricorda l'amico. «"Ma perché volesti venir via da Milano?" gli dicevo. "Rassegnazione e rinunzia", era la risposta: e aveva, quella rinunzia, antiche penosissime radici. Ma si può "rinunziare"? Non era, in Cervi, un tema tardo-romantico e wagneriano. Un antico pessimismo avvolgeva, fin dalla giovinezza, la sua vita, fermava le sue iniziative, lo scoraggiava nei lavori, lasciandogli la sola soddisfazione di "studiare" com'egli diceva, a settant'anni come a venti. Ma – ripeto – si può "rinunziare"? Chi "rinunzia" ha spesso l'impressione di compiere un sacrificio perfettamente lecito, perché crede di essere il solo a scapitarne. Ma possiamo disporre liberamente di noi stessi, quasi fossimo, della nostra vita e di quanto ci concerne, i soli padroni ed arbitri? Né siamo soli: il sacrificio che stronca noi stessi, coinvolge altri destini: possiamo disporne con la nostra "rinunzia"? La piaga sanguinava. Negli ultimi mesi della sua vita, nelle rare conversazioni e nelle più frequenti telefonate, Cervi ritornava sull'argomento, taciuto per quasi trent'anni e ora *voluto* rivelare al vecchio amico, che forse egli credeva ignaro. La tristezza, intanto, s'accumulava sempre più cupa su quella vita sola.»[5]

La rinunzia a cui allude Augusto Guzzo è quella a vivere in pienezza l'amore e l'unione con la sua allieva, Antonia Pozzi. Ed è il sigillo malinconico a questa storia, nata con diverse prospettive, anche se in un contesto difficile e ostile.

Dopo la prima liceale, conclusa con successo, Antonia continua a fare esercizio di studio e di traduzione durante le vacanze. Confida alla nonna, in una lettera del 31 luglio, che «adesso, se non altro, il greco mi è venuto a piacere molto: indizio, credo, che faccio dei progressi». Per questo, il trasferimento di Cervi, dopo un solo anno di insegnamento nella classe di Antonia, produce in lei un dolore tale da costituire di per sé una vera e propria accensione di consapevolezza. L'idea di non poterlo vedere la mattina a scuola e ricevere il dono esaltante della sua intelligenza è talmente insopportabile da essere la prima inequivocabile manifestazione dell'amore.

Una mattina, infatti, apre il giornale e, nella lista degli insegnanti trasferiti, il primo nome letto è quello del suo professor Cervi.

Passa due giorni interi a piangere. L'aveva incontrato nel momento più delicato della sua crescita, quello in cui ogni influenza esterna e non effimera lascia una traccia indelebile nella giovane coscienza e ora è come dover procedere in un cammino anche se non c'è più luce.

Così scrive alla nonna da Pasturo il 21 agosto 1928:

> Egli era, o meglio, è, uno spirito come pochi, come nessuno se ne può trovare. Una gran fiamma dietro una grata di ner-

vi; un'anima purissima anelante a sempre maggior purezza, destinata purtroppo a inaridirsi sola, in una sete inesauribile di sapere, di perfezione, di luce; uno studioso dalla cultura sterminata, dalla memoria prodigiosa, dalla volontà ferrea che gli faceva passare la vita nella penombra delle biblioteche, chino sulle più ardue pagine di filosofia; un insegnante tutto ardore ed entusiasmo per la scuola, tutto affetto fraterno per gli scolari; un povero figliolo che, a vent'anni, si è veduto morire sul Grappa il fratello maggiore, e poco dopo il padre, e si è trovato solo in pensione, che porta anche con la neve il soprabito di primavera con le tasche rotte, e che pure era sempre allegro con noi come un bambino e ci elettrizzava tutti con il suo fuoco inesauribile... con la parola e con l'esempio egli mi ha dato uno scopo e una fede; mi ha insegnato a guardare più in alto e più lontano...

Tuttavia, si fa forza: ma nonostante i libri e le lettere di incoraggiamento del suo professore tende a chiudersi in se stessa, come se l'entusiasmo per la cultura e il mistero della bellezza non fosse recuperabile dopo l'abbandono di chi aveva contribuito a farlo nascere in lei.

Filosofia

Non trovo più il mio libro di filosofia.
Tiravo in carrettino
un marmocchio di otto mesi – robetta molle, saliva,
                               sorrisino –.
Quel che m'ingombrava le mani, l'ho buttato via.

Il fratellino di quel bimbetto,
a due anni, è caduto in una caldaia d'acqua bollente:
in ventiquattro ore è morto, atrocemente.
Il parroco è sicuro che è diventato un angioletto.

La sua mamma non ha voluto andare al cimitero
a vedere dove gliel'hanno sotterrato.
Pei contadini, il lutto è un lusso smodato:
la sua mamma non veste di nero.

Ma, quando quest'ultima creaturina,
con le manine, le pizzica il viso,
ella cerca il suo antico sorriso:
e trova soltanto un riso velato – un povero riso in sordina.

Oggi, da una donna, ho sentito
che quella mamma, in chiesa, non ci vuole più andare.
stasera non posso studiare,
perché il libro di filosofia l'ho smarrito.

Ma il suo professore segue passo dopo passo il suo percorso.
Scrive alla nonna il 7 settembre 1928:

> Spessissimo ho la gioia di vedermi ricordata dal Professor
> Cervi, che ha poi la pazienza di chiarirmi per iscritto tutte le
> difficoltà che incontro nello studio, e che mi manda in dono
> sino a qui molti bellissimi libri. Così le buone letture non mi
> mancano. Ritiro anche, sempre con le schede firmate dal
> Professore, molti volumi a Brera. Altri ne compro. E sono
> sempre libri sulle origini, lo sviluppo, la storia, il contenuto
> filosofico dell'arte, libri di storia greca e romana, di letteratu-
> ra, di filosofia soprattutto.
> Sento che questo studio mi fa un bene immenso: mi pare di
> affacciarmi a una gran luce; mi sembra di cominciare a vive-
> re adesso.

Verso la conclusione dell'anno scolastico, nell'aprile 1929, visti gli ottimi risultati conseguiti, Antonia ottiene di fare ancora una puntata a Napoli, sempre coi suoi. Il vero motivo è
quello di rivedere Cervi.

Amalfi, Ravello, Paestum, Salerno scorrono di nuovo davanti ai suoi occhi, come gemme incastonate nella roccia, ma
Antonia non prova più quell'entusiasmo che l'anno prima la
frastornava. Quasi senza rendersi conto del passare del tempo,
si ritrova sulla nave da crociera *Ausonia* che li riporta a Genova. Durante la traversata le sembra di librarsi nell'orizzonte
aperto, ma nella direzione opposta rispetto alla nave. Mentre
contempla la scia su cui giocano delfini e gabbiani, a ridosso

della poppa e incurante del fumo dei motori, ritorna col pensiero a tutti quei giorni tersi, all'Antonia che se ne va e a quella che resta, inevitabilmente.

Antonia mal padroneggia le proprie sensazioni: le passioni la attraversano senza che possa opporvi resistenza.

La lettera che scrive a Cervi, datata 30 maggio, esplicita la profondità di questa influenza, ma anche la volontà di difendersene, chiudendosi nella sua diversità di ragazza ancora irrisolta e disarmonica, ma capace di un'autoanalisi lucidissima.

Il professore la ascolta, con paziente dolcezza. Si insinua nei suoi segreti con il tatto di un pedagogo amante, un Centauro dei tempi mitici.

L'amore adulto di Antonia si esprime con il pudore delle grandi passioni, che si ergono con naturalezza sopra il mondo comune, senza disprezzarlo, tutto accogliendo nel proprio abbraccio. Ma si avverte una stanchezza, sorprendente in una ragazza di tante fortune, come se il suo sguardo avesse già oltrepassato l'esperienza consueta e intravedesse lo scacco dietro ogni umana speranza.

> Caro Cervi,
> sono un po' scossa, ma non sto male. Cosa vuole: non ho la forza di star male. Sì, potrò illudermi, per qualche ora, come oggi, di non poter più vivere così, senza fede, senza religione, negando più per abitudine che per convinzione... ma poi!... Che cosa vuole che nasca da questi brevi momenti d'ansia, se non una confusione sempre più folta che io, nella mia ipotesi intellettuale e morale, posso risolvere soltanto con una scrollata di spalle? Stasera sarà tutto passato.
> E allora, quando sarebbe il momento di mettermi con calma a pensare e soprattutto a studiare, io dimentico completamente l'affanno di poco prima: mi metto a guardare il cielo; penso che le stelle sono fitte come i battiti del mio orologio: per ogni stella un ticchettio. Mi esaurisco così, in una contemplazione superficiale e incosciente. Poi mi dipingo la

scorza a tinte liliali: dentro, rimango un torso di cavolo. Vede, Cervi: penso che è anche inutile che lei mi mandi dei libri: tanto non li leggo.

Non ho più la forza di fare niente di serio.

Anche questo mio scriverle, cos'è, se non uno sfogo egoistico? Posso scriverle le cose più impure: sempre lei mi risponde con la stessa dolcezza silenziosa. Mai una volta che m'abbia additato i miei errori. Le ho chiesto una parola d'aiuto nel problema vitale: lei me l'ha negata. Lei comprende che da sola non posso cercare niente. Che cosa vuole che concluda io sulla divinità di Cristo, se nessuno mi ha mai insegnato a crederci; se quando ero bambina ne ridevo e adesso mi sembra che non valga nemmeno la pena di pensarci? In uno dei miei fugacissimi risvegli, le ho chiesto, in nome della fraternità, di guidarmi e di stimolarmi, perché mi conosco bene e so che ho bisogno di uno sprone continuo per combattere la mia incostanza che mi fa dimenticare tante cose con una facilità spaventosa: lei mi ha negato il suo aiuto. In fondo, ha avuto ragione: io non sono né un'anima religiosa né una mente filosofica. Di filosofia, quando leggevo qualche cosa e lei mi era vicino, credevo di capirne un poco: ma oggi mi accorgo che non ci ho mai capito niente. Non so nemmeno che cosa voglia dire immanente e trascendente: si figuri se penso a conciliarli! Credo che posso benissimo andare avanti così: qualche stella, qualche fiore, qualche poesiucola.

La mia pigrizia ne ha fin troppo.

Poi, quando resterò da sola e avrò bisogno di trovare i miei morti in qualche luogo, allora troverò comodo adagiarmi supinamente in una fede acquisita, di recitare l'imparaticcio, così, per consolarmi..

No, Cervi: non mi chiami più la sua buona sorellina. Che diritto ho io d'essere chiamata così? Le voglio bene, sì: che importa? Lei è la mia vita: il pensiero di lei mi carezza l'anima, continuamente. Ma che cosa vuol dire, questo, se io non conosco nemmeno il suo Dio; se non so nemmeno pregare per il suo fratello caduto? È meglio che lei mi lasci andare per la mia strada, con la mia incoscienza. Io galleggio come un pezzo di sughero: non posso scendere alla minima profondità.

Io = sonno + effervescenza. Mi lasci andare.

Non so nemmeno chiederle perdono di quel che faccio. Non piango neanche: non sono neanche triste.
Me ne vado pian pianino, come un pezzo di carne insensibile.
Mi lasci andare; e non sia triste, perché non val la pena.

L'estate la trova a Carnisio, una piccola località delle Prealpi lombarde: lascia che i pasti si susseguano sulla sua tavola al Grand Hotel Morlin, che la vita comoda del grande albergo la induca a disertare il territorio arduo dell'arte e della poesia, pensando al quale prova, talvolta, una fitta inspiegabile. Sembra allegra, fa ridere gli ospiti con le sue battute; fotografa monti e vallate, volti e figure di quella montagna che non la emoziona veramente.

Un bimbo trainato col carrettino, una fontana tra pietre, una collina di abeti nel sole.

Poi la cavalcata prima di pranzo, un bel trotto tra le pinete fino a Orino, dove sorseggia il vermouth nel tranquillo ritrovo.

Ma Antonia non vede l'ora di lasciare quel lusso e la vita ordinata del villeggiante milanese. Torna finalmente a Pasturo: lì ha il silenzio, la concentrazione. Può ripensare al tumulto degli avvenimenti trascorsi; scrivere al suo amato professore con la passione a fior di labbra.

Pasturo, 13 luglio 1929

Cervi caro,
voglio dedicare a lei questa prima sera che passo nel mio brutto, dolce paese. Che cosa è un ritorno? Una cosa che, per qualche ora, scioglie i groppi duri che separano l'oggi dall'ieri e fonde il passato e il presente con sicurezza fresca, dove il male non ha luogo.
La mia anima di oggi, la mia anima dell'anno passato, si sono ritrovate senz'urto e restano ancora abbracciate, stasera, in questo mio studio strano, fatto di mobili vecchi, accattati un po' dappertutto; lo zoccolo di legno, l'armadio a muro, odoroso di pino, la finestra bassa e larga, il soffitto e le pareti irregolari gli danno l'aspetto di una baita alpestre.

È tanto lontano dalle altre stanze, che non vi giunge nessun rumore della casa.

Solo, dal giardino, dei brusii monotoni: oggi, nell'afa pomeridiana, era il ronzio delle api sui tigli fioriti; ora, è l'indolenza di una pioggerellina abulica.

Qualche ora fa, quando sono entrata, l'odore caratteristico di queste pareti mi ha investito e contorto il cuore come uno strappo brusco di redini...

Da questo tavolo, l'anno scorso, non ho mai pensato a Dio. Quest'anno ci penserò. A Carnisio, ho tanto studiato: con calma, senza affanno. Sono contenta. Sono anche abbastanza buona. Prima di venire a scriverle, ho sonato le *Fontane di Roma*, per levigarmi l'anima.

È terribile essere una donna, ed avere diciassette anni.

Dentro non si ha che un pazzo desiderio di donarsi. Ha ragione lei di dire che le donne non valgono niente. Noi vediamo prima, ma i nostri occhi si chiudono anche prima. Scorgiamo le vette, ma, se qualcuna vi arriva, è perché ha in sé molto di virile.

Non è avvilente, Cervi, sentirsi più purificati per effetto della musica che per effetto della propria volontà? È quello che capita a me, stasera. Eppure, non dispero. Dall'anno scorso, ho camminato un pochino. Camminerò ancora.

Lo crede?

Con tanto affetto,

la sua Antonia Pozzi

CAPITOLO IV

LA MONTAGNA INCANTATA

Pasturo, «un fazzolettino d'Italia», è un borgo arrampicato alle pendici della Grigna, nell'alta Valsassina, sopra Lecco. Antonia percorre ogni sentiero, scala ogni roccia dei dintorni: ne conosce ogni angolo.

Lì la famiglia ha acquistato l'antica dimora signorile dei Marchiondi, semplice ma molto elegante, rinnovata interamente nelle sue sobrie linee settecentesche. Al pianterreno sono le cucine e a lato il garage e le scuderie; sopra, le camere e i salotti che si aprono sulla veranda coperta. La villa è circondata da un grande giardino, scosceso, dal cui cancello si accede direttamente ai sentieri che portano alla Grigna. Lo studio di Antonia è al secondo piano, sotto la gronda del tetto che molte rondini scelgono per nido, con una finestra quadrata che dà sulla Grigna e sul prato rinfrescato dal torrente della Pioverna. I mobili sono pochi e vetusti: il centro della stanza è lo scrittoio, coperto da una spessa tovaglia e illuminato a sera da una piccola lampada.

Intorno, i ritratti delle persone care e le fotografie da lei scattate sui luoghi dei suoi viaggi: i templi di Grecia e di Sicilia, il Foro romano, gli affreschi della Sistina, alcuni ritratti della pittura inglese e tedesca. Dovunque mazzi di stelle alpine, margherite, anemoni e genziane, dai suoi lunghi vagabondaggi solitari per la valle. Affisso alla porta, per tenere lontano gli importuni, un piccolo orso di Berna; alla parete un orologio a cucù, che misura il tempo con impertinenza.

A un angolo gli attrezzi dei suoi sport preferiti: gli sci, la racchetta da tennis, il frustino da cavallo, la piccozza e lo zaino da escursioni.

«Sto tanto bene qui» scrive a Tullio Gadenz, il giovane poeta a cui invierà alcune delle più belle lettere sulla sua vocazione «è la casa della mia prima infanzia. E in questa stanza ho cominciato a meditare e a soffrire. Qui, in questa solitudine di ogni ora, vengono le anime care dei vivi e dei morti; e la popolano di presenze silenziose. E forse è proprio l'essere qui, in questo raccoglimento di cella, che mi riconduce alla più vera me stessa.»

Talvolta se ne sta tutto il giorno a lavorare, soprattutto quando le fredde giornate d'inizio autunno costringono a casa; ne esce che è quasi il tramonto come trasognata. Spesso gira per le stradine del borgo, soffermandosi alle cascine, giocando coi bambini che la cercano come una deliziosa compagna grande. Oppure prende per qualche sentiero in salita, per un bel tratto, fino a perdere il suono delle cose note e ascoltare solo il fruscio degli alberi o il proprio passo deciso sulle pietre. Antonia si inerpica sulle montagne: Grigna, Tuchett, Castelletto. Si aggrappa alle rupi con le dita, aderisce alla roccia, guadagna la vetta e si guarda intorno: l'anfiteatro delle cime nevose è disteso sotto lo strapiombo, in una vertiginosa profondità scorge la rupe formata dai massi appena superati: la fragilità umana sembra aver varcato l'abisso terrestre in virtù del solo coraggio. La materia conquistata non è più inerte e nemica. Concreta immagine della volontà d'ascesa sembrano le svettanti guglie dei monti. Strappa una stella alpina: il fiore che rappresenta la luce dell'alta montagna.

Spesso porta con sé un libro, che legge avidamente, cercando tra il folto del fogliame il solito sedile di un masso largo oppure una nicchia nell'erba. Legge anche ad alta voce, ascoltando se stessa come un compagno invisibile da rimproverare o incoraggiare a ogni scoperta. Ma più spesso cammina per il piacere di camminare, senza una meta precisa, e sa di andare verso se stessa, verso una meta interiore, e allora non c'è più per nessuno. A malincuore ritorna, quando già si infittisce il buio, cominciano i sussurri misteriosi tra i rami e si odono strane voci di uccelli notturni.

L'aspettano i suoi, in ansia, la tavola imbandita per la cena, mentre accendono le lampade sui mobili e nelle nicchie delle pareti e la dimora, vasta, labirintica, serenamente affonda nell'oscurità.

Allora Antonia, dopo aver cenato in silenzio, va a cercare i suoi libri. Ne ha raccolti lassù una bella quantità e sono i suoi preferiti, mentre a Milano conserva soprattutto i libri di studio.

Di solito legge alla scrivania o seduta sul divano, alla calda luce della lampada, sottolineando a matita le frasi interessanti e ogni tanto accendendosi una sigaretta (clandestina perché i suoi trovano deplorevole questo vizio delle ragazze «emancipate»). Ascolta il torrente che scorre vicino a casa facendo da contrappunto alla fontana in piazzetta: musica d'acque, unita a quella del vento che muove le fronde degli alberi in giardino, che l'aiuta a concentrarsi. Ma spesso ascolta al grammofono o alla radio la musica classica che le piace al punto che la commozione la fa piangere: Beethoven, Chopin, Schubert soprattutto, e anche i contemporanei come Respighi.

Il rito della lettura è comunque sacro. Chiude le due porte di accesso alle stanze comuni di soggiorno ed è fiera del cartellino sulla porta «Non disturbare». Allora tutti, compresi le cameriere e i domestici, con in testa il Pierino, il *factotum*, si danno da fare perché la *signorina* non sia disturbata e parlano tra loro a bassa voce, come fossero in chiesa.

È vero, le piace leggere in veranda o in giardino, comodamente, su una sdraio all'ombra degli abeti, talvolta staccando gli occhi dalla pagina per inseguire uno scoiattolo o un merlo. Ma lì non troverà mai la concentrazione che ritorna d'incanto quando è nella sua stanza. Talvolta, la mamma che cuce improvvisa conversazioni che poco le interessano e la distolgono sul più bello. Oppure il papà arriva dalla città e pretende di fare subito una cavalcata con lei, «per togliersi la fatica di dosso».

Le piace anche accarezzarseli i suoi libri e non solo con lo sguardo. Tirarli fuori dalla libreria a vetri, spolverarli, fiutarne l'odore diverso, a seconda della rilegatura, della qualità della carta, ma, persino, secondo lei, del contenuto e della provenienza.

Lo scaffale dei libri classici è austero come quello dei testi filosofici. Ma, dietro la severità accademica, spuntano i fiori dei ricordi sentimentali, degli entusiasmi che l'esegesi non sempre può e vuole controllare. Il libro è soprattutto emozione, sembra volerci ricordare Antonia. E, qui a Pasturo, già la luce del sole che batte quasi instancabile nello studio dimostra che il libro è anche illuminazione.

Lo scaffale che Antonia consulta di più è però quello della poesia: *Les fleurs du mal* di Baudelaire, le poesie di Rimbaud nelle edizioni Mercure de France del 1929; il Tennyson della Macmillan di Londra del 1920. Le è molto cara anche la raccolta di liriche di Emile Verhaeren, soprattutto la struggente *Les heures du soir*. Ama i poeti fiamminghi non meno dei francesi per le loro malinconiche penombre esistenziali. Ma adora anche l'impeto ribelle di Walt Whitman e la raffinatezza di Oscar Wilde, che possiede in traduzione italiana.

La lezione più diretta la ricava però dagli autori italiani che hanno rinnovato la poesia contemporanea: dai crepuscolari Corazzini e Gozzano (tra le opere, *I colloqui*, che Antonia possiede nell'edizione Treves del 1922) all'ermetismo, dalla classicità di Ungaretti (*Sentimento del tempo*, della Vallecchi, 1922) e Quasimodo (di *Acque e terre* nell'edizione di Solaria del

1930) alla poesia canora di Saba (non dimentichiamo la raccolta *Parole*, titolo che anche Antonia sceglierà per i suoi testi). Anche Montale è poeta amato da Antonia: legge gli *Ossi
di seppia* nell'edizione Carabba del 1931.

Un libro di poesia le salta sempre fuori dalla tasca o dalla
borsetta, ma soltanto quando è sicura di avere la quiete necessaria si decide a prenderlo in mano. Trascrive interi passi di
suo interesse su un taccuino oppure li sottolinea fittamente.

Dai *Monologhi* di Schleiermacher: «Essere sempre più ciò
che sono: questa è la mia unica volontà». E, in margine, aggiunge una nota, siglata col nome del filosofo Augusto Guzzo,
amico di Cervi: «noi vogliamo essere i padroni della nostra
barca» e, nella pagina successiva, alle parole dell'autore «... fino a che saprò conservare nella coscienza anche ciò che all'e-
sterno sarò costretto a interrompere» aggiunge di sua mano:
«e sentire e benedire la lontananza materiale come la più divina, indissolubile vicinanza spirituale» e sottolinea ancora la
continuazione dell'autore: «e saprò perseverare nel volere ciò
che ancora non ho compiuto e nel riferire tutto ciò che com-
pio a ciò che io stesso volli, fino allora la mia volontà domi-
nerà il destino e potrà, in virtù della libertà, volgere al suo fine
tutto ciò che il destino le apporta».

Poi c'è l'ampia varietà dei romanzi, che campeggiano nelle
nuove edizioni economiche della «Medusa», ma anche in edizione originale. Di Dostoevskij (di cui possiede i romanzi in
russo) legge la traduzione italiana della *Voce sotterranea* – le
Memorie dal sottosuolo – nell'edizione del 1928. Dai *Fratelli
Karamazov* sottolinea frasi come questa: «Se non c'è l'immortalità non c'è nemmeno la mortalità». Di Tolstoj ama soprattutto *Anna Karenina*. Da Lawrence a Sinclair Lewis, da Katherine Mansfield a Stefan Zweig, Antonia trascorre attraverso
mondi letterari diversi, raccogliendo differenti esperienze di
scrittori irrequieti, sperimentatori, tormentati: tra i quali, fra
tutti, lo Schnitzler di *Fuga nelle tenebre*.

Altri scrittori come Guelfo Civinini (in una lettera rammenta a Sereni il racconto *Bisogno di una sorella*), che rappresentava un filone provinciale del naturalismo psicologista, da lei molto apprezzato, sono stati oggi dimenticati.

In questo piccolo e confortevole rifugio, caldo come il legno che lo ripara dal freddo, Antonia consuma le sue passioni, le trattiene e le consacra tra le cose a cui tiene e che ha raccolto. Si sente così tutelata dai pericoli esterni, dai vuoti che, al di fuori di questo approdo sicuro, le si aprono a ogni passo.

CAPITOLO V

SOTTO LA CAMPANA DI VETRO

D opo i molti contatti epistolari, in una data impreci-
sata che potremmo collocare agli inizi del 1930,
Cervi va a trovare Antonia a Milano.

I suoi sono assenti e la domestica è occupata altrove. Antonia gli apre trafelata e lo fa sedere sulla poltrona, accanto a lei,
poi subito si prendono le mani. Ricostruiamo il dialogo che si
svolse tra loro attingendo alle lettere di Antonia, in particolare
quella data 11 gennaio 1930.

«Antonello...» Il sentimento arginato nelle lettere, il «lei»
rispettoso della distanza lascia il posto all'affiorare dell'emozione spontanea, senza più le barriere della convenienza. L'a-
more già raccontato in tante lettere, a noi in gran parte scono-
sciute, ora si fa reale, fisico. Antonia lo bacia e si sente «limpida come una tazza d'acqua».

«Se tu mutassi, sarei capace di soffrire in silenzio» le dice
Cervi, scostando piano il volto, oppresso dalla gioia.

«Che dici? Mi sento così forte, ora, contro tutto: niente mai
potrà separarci. Nessuno, sai, nessuno io penso, nemmeno il
padre e la madre, hanno il diritto di troncare le strade di due
anime: e se queste due strade si congiungono, se queste due

77

anime non sono che una vita, nessuno ha il diritto, nessuno deve avere il potere di dividerle.»

«Ma tu sei molto giovane... La vita ti porterà lontano da me, è inevitabile.»

«Se tu mi chiamassi, fra molti anni, io mi svincolerei da tutte le mani che vogliono trattenermi, per venire a mettere solo nelle tue mani la mia vita. E se invece non mi vorrai con te, se vorrai che il nostro amore resti così il cenno di due fiamme, da lontano, alimenterò la mia fiamma fin quando sarò assopita per sempre.»

«Voglio quello che vuoi tu.»

«Io voglio vivere con te.»

Gli bacia i capelli, le labbra.

Quando Cervi si congeda, uscendo prima del ritorno dei suoi, con l'incerta complicità della domestica e del portiere, Antonia torna nella stanza dove sono stati un poco insieme. Sente il profumo dei suoi capelli sulla stoffa e sulle mani e lo sente divenire il suo segreto. Quando un organetto si mette a suonare per strada, con note dolciastre, malinconiche, sente l'amarezza di un pianto impotente.

Questo amore grande, virtuoso, le infonde una voglia di fare, studiare, leggere.

Riconquista lo spazio della biblioteca e riprende in mano i libri che lui le ha regalato. Finora non li ha letti con continuità e attenzione oggettiva: era occupata a decifrare le emozioni e difendere la propria pigrizia dall'impegno del sapere. Riflette sul meraviglioso lavoro compiuto da quest'uomo per la sua formazione e sente di avere finora sprecato le possibilità della sua intelligenza e del suo cuore.

Sono costretti alla prudenza, lacerati dalla distanza. Nei mesi a venire, Antonia si sente di nuovo afferrata dal dubbio: accettare questo amore e viverlo quanto più possibile in pienezza, sfidando tutto quanto gli si oppone o scegliere una specie di «eroica rinuncia» per non turbare l'ordine familiare, fin tanto che la situazione non si evolva. Tale conflitto, che si presenterà quasi subito, sarà il loro principale tormento. Ma quella barriera irta di interdetti non potrà indebolire, nonostante le alternanze emotive, un sentimento comunque saldissimo.

Con irruenza di ragazzina, Antonia vorrebbe donarsi a lui, di slancio, interamente, ma poi, da lui frenata, si rende conto che la sua selvaggia ribellione alle imposizioni familiari non li condurrebbe ad alcun risultato. Occorre pazienza e fermezza, capacità di attesa, di sacrificio. Quell'insieme di stoici intendimenti che lei definisce, santificandoli laicamente, «bontà»: cioè volere il bene dell'altro, anteporre la sua sicurezza al proprio egoismo.

Finora i genitori non hanno bene compreso che tipo di sentimento leghi la figlia al professore. Pensano, stimandolo un onest'uomo, che egli abbia un'influenza anche morale molto positiva sulla sua crescita, e delegano a lui ogni discorso impegnativo, compresa la religione e l'educazione spirituale. Tuttavia, l'avvocato Pozzi, un conservatore dai principi laici, considera in fondo il professore un mistico dalle idee piuttosto confuse. Diffida dei suoi modi troppo affabili e dell'appassionata eloquenza che illustra ogni aspetto di una cultura che anche a lui non è estranea, ma che ha dovuto lasciare in disparte per l'attività forense. Anche per una inconfessabile competitività maschile, non gli è del tutto simpatico, dunque, e, pur decantandone genericamente i pregi, capita che faccia notare alla figlia questa o quella mancanza, che possono essere anche piccolezze, come una opinione politica che lo trova in disaccordo o l'accento meridionale troppo marcato che gli faceva supporre ineleganze di espressione, in realtà affatto assenti. È il suo rivale, in fondo. Diviso tra ammirazione e dispetto, l'avvocato cerca come può di dissimulare i propri sentimenti.

La mamma trova dal canto suo ch'egli sembra avere oltrepassato da un pezzo la mezza età e si chiede perché non si sia sposato. Intuisce una certa inquietante esaltazione nel rapporto che unisce il professore alla figlia, ma poiché si fida ciecamente di quell'uomo di valore, non ha sospetti.

Ma i sospetti diventano inevitabili quando i genitori si vedono arrivare a casa con sempre maggiore frequenza i doni di libri accompagnati talvolta da impegnativi bouquet... E soprattutto non possono non leggere sul volto di Antonia, che nulla sa loro nascondere, un turbamento crescente.

CAPITOLO VI

DI ANNUNZIO

Antonio Maria Cervi aveva un fratello maggiore, Annunzio, nato nel 1892, quattro anni prima di lui, in Sardegna e morto sul fronte del Grappa alla vigilia dell'armistizio nel 1918, all'età in cui Antonia decide di togliersi la vita, ventisei anni. Anch'egli era stato educato sui classici dal padre, professore emerito, e aveva poi completato gli studi laureandosi in lettere all'Università di Napoli, dove aveva cominciato l'attività letteraria facendo parte del cenacolo artistico d'avanguardia che si ritrovava al caffè Gambrinus. Soldato-poeta, Annunzio ha consegnato al futuro una sua raccolta di liriche, tra il crepuscolare e il futurista, accolte con freddezza dalla critica. Cervi induce in Antonia una sorta di venerazione per il fratello di talento. Certo Annunzietto era una bella figura di giovane, un vero eroe dannunziano, ma senza magniloquenza, senza velleità da superuomo. Era un poeta e basta, con la semplicità con cui se n'era partito volontario per il fronte, e il presagio di terminare presto il suo mandato nel mondo.

Leggiamo questa curiosa *Inserzione*, datata 1917 e introdotta in *Cadenze di un monello sardo*.

Ad un mandorlo
il bianco disimpegno della primavera
si allampana
velato
un sole da settimana santa
leggevo Bergson
un soldato m'ha portato tante violette
nere violette di proda
tutte odore vispo di fanciullezza

le ho messe fra le pagine
e a leggere
m'è parso
di cominciare
non di continuare.

Lionello Fiumi, nell'introduzione apposta al volume delle *Poesie scelte* (comparso nel 1968 presso Ceschina), giustamente sottolinea l'originalità estrosa della fantasia poetica di Cervi, sperimentale e disperatamente ironica. Egli appare come un precursore dell'essenzialità stilistica introdotta da Ungaretti, a proposito della lirica di guerra. Ed è sorprendente, inoltre, che, se pur molto giovane, intrattenesse relazioni epistolari con personaggi famosi, come Eleonora Duse.

Se leggiamo le prove d'esordio di Antonia, non possiamo non riconoscere l'influenza evidente dello stile desolato e bizzarro di Annunzio. Infatti, sperimentando il proprio vocabolario lirico, adotta termini presi a prestito dall'opera di Annunzio, di cui si innamora per la connotazione simbolica, oltre che per il timbro.

Così lo ricorda ancora Fiumi, che lo conobbe personalmente:

«Lo rivedo e lo ricordo: occhi un po' strizzati in faccia a zigomi sporgenti, non alto di statura – "Annunzietto", proprio – ma alto di timbro nel parlare, ch'era velocissimo, e nel ridere, ch'era brusco, rapido, e altrettanto rapido e brusco nel chiudersi a scatto... D'un tratto, nel poeta, nell'uomo della trincea, riaffiorava il "monello"; e subitamente, felice, immemore, al greto scagliava, a raso, un sasso piatto che sforacchiava l'acqua».

Qualcuno li ricorda entrambi, i due fratelli innamorati della classicità, mentre declamavano i versi dell'*Agamennone* nel teatro di Siracusa, dopo averne vista la realizzazione scenica con la traduzione di Ettore Romagnoli, che diede il via alle rappresentazioni classiche. «Senti che odor di Grecia» diceva Annunzio all'amico Umberto Galeota, andando verso la collina dei Camaldoli dove progettava di far costruire un teatro all'aperto.

Eppure la sua poesia è anche decadente, con forti influenze dal *Poema paradisiaco* di D'Annunzio e, in questi aspetti segretamente martoriati e quasi profetici della morte prematura, ha il dovuto effetto sulla sensibilità poetica di Antonia, alla ricerca di riferimenti non obbligati nel percorso di riconoscimento della sua vocazione.

Ma c'è di più. In Antonia subentra una specie di ossessione quasi morbosa. Annunzio le appare con insistenza nei sogni, perché il professore gliene parla spesso e con dovizia di particolari suggestivi, tormentato dall'essere rimasto lui vivo, ma già stanco nella mente e nell'animo, mentre l'altro più dotato veniva stroncato sul fronte dei volontari, come Scipio Slataper, come Renato Serra, alla soglia di una brillante carriera letteraria.

E, lentamente, nell'immaginario di Antonia, prende forma un progetto di risarcimento per la perdita subita da Antonio. Lei potrebbe offrire una nuova vita a quell'uomo che la vita ha privato del suo bene più prezioso: dargli un figlio, che avrebbe potuto chiamarsi Annunzietto.

Riportiamo qui un testo di poesia in prosa ancora inedito, conservato nell'Archivio Pozzi e scritto da Antonia a Pasturo il 21 settembre 1929. Intitolato *Vita*, è dedicato «alla memoria di A. C.» (Annunzio Cervi).

No, non sei morto. L'anima agguantata m'hai e sgualcita, come un foglio sperso; racchiuse v'hai le transazioni vili della mia inconscia vita senza Dio; un cartoccio ne hai fatto, sodo, greve: scagliato l'hai dentro l'azzurra vampa dei tuoi canti, squillati a piena gola; scagliato l'hai dentro la rossa vampa del tuo sangue d'eroe. No, non sei morto. In ogni nuovo fiore che invermigli, silenzioso nel sole, un camposanto, vive ed arde il tuo sangue; in ogni lacrima che, nelle notti insonni e solitarie, beve con le sue ciglia chi è rimasto, vive e brucia il tuo pianto; e nel mio cuore largo di lontananza, tu divampi: alla mia fonda e cupa tenerezza, alla rinuncia mia che si dibatte, tu dài la luce bianca e rassegnata, tu dài la rossa luce di battaglia. Tu mi rinsaldi, tu mi rendi pura: nel mio amore, la tua morte è Vita.

È un sogno di risarcimento, carico di influenze letterarie. Cervi, come il fratello, è un dannunziano senza sensualismo, che cerca nelle esperienze le potenzialità di trasfigurazione estetizzante. L'allieva inesperta e idealista che beve dalle sue labbra le verità della poesia e della filosofia è fatta per capirlo, per sostenerlo: perché, tra i due, è proprio Cervi ad avere più bisogno di aiuto. La sua fragilità lo rende certo affascinante: una sensibilità che lo fa vulnerabile a ogni mutar di vento, un'arresa disponibilità al sentimento, in specie se tradotto in letteratura. Solo ponendosi sulla via tra la coscienza e il desiderio Antonello le permette di incontrarlo. Con il suo amore per la virtù avrebbe orientato la sua giovanissima amica, turbata da istinti e passioni, verso sentimenti più disciplinati: neoplatonici, appunto.

Ricordando quella perdita, Antonia scrive ancora una poesia, che qui pubblichiamo per la prima volta, intrisa di compiacimenti crepuscolari, sentimentalmente sincera.

Anniversario

Anch'io li vedo, sai, i ciuffi d'erica
molli di pioggia, rossi del suo sangue;
ma l'anima mia ignora la preghiera,

anche quella dei morti.
È come se il tuo pianto mi cadesse
tutto sovra le mani, né una stilla
io sapessi asciugarne.
È come se anche tu, bianco, riverso,
stramazzassi di schianto,
né io sapessi prenderti la nuca
per sostenerti. E forse una preghiera
sarebbe buona, come quella terra
che abbracciò il tuo fratello;
sarebbe buona, come quella luce
che gli lavò di bianco le pupille
nel suo ultimo istante.
Io vorrei, per te, essere la terra
tepida e molle, che attutisce l'urto;
io vorrei, per te, essere una luce,
l'ultimo sguardo bianco d'orizzonte,
che fascia gli occhi e il cuore.
Io vorrei, per te, dare la mia vita:
e tu lo sai. Ma la mia vita è vuota,
priva di Dio, ignara di silenzio.
La mia vita non può esserti nulla:
ed il tuo pianto è solo.

Milano, 25 ottobre 1929

CAPITOLO VII

LA PORTA CHE SI CHIUDE

T ra l'autunno del 1929 e la primavera del '30, il rapporto con Cervi non può essere più occultato, almeno alle amiche. Hanno torto esse a stupirsi di quell'attrazione invincibile: si allarmano certo per l'amica, perché interpretano questo interesse del professore nel modo più banale, malgrado lo ammirassero: *in primis*, Elvira e Lucia, che erano state anch'esse sue allieve. Non è la solita infatuazione della ragazzina alla ricerca di un sostituto paterno; non è la morbosa predilezione di un insegnante per quella che era stata la più inquieta e intelligente delle sue studentesse. È un amore assoluto che deve fin dall'inizio difendersi dal sospetto e dalla maldicenza. Vissuto con estrema prudenza da entrambi, si alimenta di parole, di promesse, sguardi e baci rubati, prima che si affermi la necessità di incontri opportunamente segreti.

Mio amore,
il nome che mi hai dato è l'acqua e il pane, con cui si va fino ai confini del mondo.
Tutte le tue lagrime sul mio grembo, tutte le mie carezze sul tuo capo.
Anima mia.

14-XI-'29

Un pomeriggio, dunque, rifugiatisi lontano dalla città, in un prato ancora bagnato di rugiada, Antonia gli si presenta come una donna ardente e i goffi tentativi di mantenere le distanze da parte di Cervi non possono più nascondere il suo intimo turbamento: la ragazzina intelligente e timida, bisognosa della sua guida, lo esalta; ma il desiderio di esplorare anche carnalmente la vita gli fa paura, perché egli stesso, a parte occasionali avventure, non la conosce.

Con voce carezzevole, ma che ugualmente la ferisce come il più rozzo dei rifiuti, egli le chiede, per il suo bene, di tornare a casa e di lasciarlo solo. Non può prendersi quella responsabilità e trasformare il loro grande amore platonico in una relazione come tante altre, per di più proibita.

Antonia crede invece, prima di valutarne l'impossibilità, a un amore che non deve avere divieti ma alimentarsi solo della consacrazione di un comune sentire. L'imbarazzo di Cervi la fa soffrire per la prima volta, come la rivelazione di qualcosa che non aveva previsto: le convenzioni si insinuano in un territorio che aveva creduto libero e soggetto solamente alla legge degli istinti e del cuore.

Le amiche ne sono disorientate, le suggeriscono di dimenticarlo, quasi il suo amore fosse un passeggero turbamento destinato a dissolversi col tempo, i genitori sono preoccupati di qualcosa a cui non osano neppure dare un nome: la campana di vetro costruita intorno alla sua vita sta per spezzarsi. Ma Cervi, il maestro, è divenuto anche padre, fratello, figlio, amante: muove in lei un desiderio di bene; la induce a credere a un'etica e a una religione cui inizialmente si abbandona per la pura felicità di sentirsi accarezzata dalle sue cure e da cui poi si ritrae, incline piuttosto a una concezione panica che vede il divino come sostanza delle cose, immanente a una materia che si rigenera e la cui suprema manifestazione è l'amore.

Cervi cerca sempre di conferire alla loro relazione una consacrazione persino religiosa e non smette di parlarle della fede, pur trovandosi di fronte a una giovane scettica.

Questa contraddizione produce però in Antonia un'aporia dolorosa; come con Lucia, la diversa posizione intellettuale diventa lacerazione, trauma.

Ma soprattutto Antonia non si rende conto che, in questa fase di rivelazione al mondo del loro rapporto, è necessaria una posizione decisa, coraggiosa e non un'altalena di sentimenti che non fanno che indebolire la loro posizione, già aggredita dall'ostilità che li circonda.

Da un brano di diario senza data, ma che appartiene a questa fase, conosciamo il suo tormento:

Per lunghe, crudeli ore, il dubbio e l'ansia mi hanno tenuta avvolta, implacabili, inevitabili, come fumo che uscisse da ogni fessura della terra. Allora, sulla mia anima frantumata, nel mio corpo dolorante, a raffiche violente, l'urlo dell'annientamento: sì, morire, morire; squarciarmi gli occhi per vedere, spezzarmi il cervello per comprendere, morire, morire per sapere. Poi, balzata non so come dal più stremato spasimo, fiore purpureo fiorito sul filo di una lama; una fermezza di proposito che m'ha rifatta. Anche se io non riuscirò mai a vedere nel vostro Cristo più che l'uomo, pure saprò farmi buona, saprò camminare, saprò crearmi dentro sempre più il mio io: e non cercherò di conoscerlo, perché conoscerlo è rimpicciolirlo. Sarà un camminare con una meta canora dentro, che non si può vedere ma senza posa si sente; un vivere la vita senza abbandoni, creandosene dentro, ad ogni istante, gli scopi.

Vedere, sapere, che cosa? Cosa c'è al di là e che ne è della forza indomita di un giovane poeta caduto prematuramente. Seguire il suo stesso destino e frantumarsi nello scontro con la realtà pur di affermare una verità diversa.

Allora, in questa nebbia dolorosa che li avvolge, causata dalla distanza e dall'impossibilità di essere compresi e perfino di comprendersi, comincia a farsi strada l'idea di una «missione», come se l'impossibilità di vivere l'amore alla luce del sole già costringesse entrambi a un sacrificio esemplare. Ecco che, nel caso dell'ennesimo rifiuto della realtà, la grandezza della rinuncia li inebria con il sapore amaro dell'unica vittoria possibile. «La strada del dovere», a cui agganciare la fatica di una giovinezza che deve contenere i suoi slanci.

Intorno, il cerchio si stringe.

Nella onestà di fondo della loro unione, l'insolita coppia giudica che sia giunto il momento di uscire allo scoperto e chiedere un riconoscimento finora negato. Antonia non riesce più a tollerare la tensione e convince Antonio a un atto che li avrebbe salvati dalla clandestinità, ma sul cui esito nessuno di loro nutre molte speranze. Cervi decide dunque di adempiere quei doveri che egli ritiene sacrosanti e che dimostrerebbero la serietà delle sue intenzioni: andare in casa Pozzi e dichiarare al padre di voler sposare Antonia.

Fino a quel momento, i suoi che «non conoscono la sua anima» si sono sforzati di interpretare lo straordinario viavai di libri e messaggi come il lodevole intento di un professore esaltato di estendere oltre i limiti scolastici la cultura della figlia. La mamma, occupata dai ricevimenti a scopo di beneficenza e il padre dalle questioni politiche di sostenitore del regime, non si sono finora accorti dei mutamenti di Antonia, sempre più ribelle, anche nei loro confronti. Per i genitori come per tutti, era ancora la bimbetta graziosa e monella che giocava tra le gambe. Ma Antonia è cresciuta, e non solo in statura, senza che alcuno, appunto, se ne accorgesse. Per questo, la sua esperienza è bruciante e solitaria.

Finalmente il professor Cervi si presenta alla porta di casa Pozzi. L'avvocato è sconcertato di quella visita, vedendo il povero professore a disagio in un completo distinto ma stretto, con ogni evidenza chiesto in prestito, mentre con fatica gli dichiara il suo amore per la figlia.

Il colloquio è breve. Il professore viene invitato a uscire senza indugio e anzi minacciato di denuncia, poi addirittura sfidato a duello. Cervi ritrova in quella occasione la sua meridio-

nale fierezza: «Caro Avvocato, lei non ha nulla da rimprove-
rarmi» gli dice. Era sua intenzione sposare Antonia solo con il
consenso della famiglia.

Fuori di sé dalla collera, il padre di Antonia lo fa accompagnare alla porta dalla domestica, non prima di ingiungergli di
non tentare più di vedere sua figlia. Antonia, che ha seguito
con angoscia il colloquio dalla sua stanza adiacente, si chiude
in casa senza uscirne per tre giorni. Rifiuta il cibo, medita la
fuga, tenta il suicidio ma, continuamente controllata, le viene
fatta subito la lavanda gastrica, alla fine si abbandona a un dolore senza rimedio.

Il rispetto delle libere inclinazioni non aveva davvero spazio
in quella casa da sempre fondata sul decoro. Quella differenza
di classe e di età era stata determinante per il rifiuto, come già
le amiche avevano previsto. La clandestinità prosegue a fatica,
tra mille sotterfugi e fughe.

Finché Cervi decide con disperata determinazione di accettare il distacco, perché non ha potuto convincere nessuno con
la dolcezza malinconica del ragionamento.

Milano, 26 aprile 1930

Antonello,
perdona, ti prego, il mio lungo silenzio. Forse ti ho fatto soffrire: ci pensavo tanto, sai, in questi giorni, e questo aumentava il mio tormento. Ciò che ho sofferto e vissuto non ti
posso dire: cose che sulla carta si dissolvono e inaridiscono
sulle labbra. Cose che si sentono solamente.
Ora sono calma, sicura, buona. Sì, Antonello: forse è orgoglio troppo grande il dirlo, ma mi sembra di essere veramente buona, ora. Sono ciò che «devo» essere.
Questa è la norma di vita che mi sono foggiata. Ti dirò, ti
dirò come mi è nata nell'anima. Io so che sono stati giorni di
spasimo atroce: un arrancare estenuante su per una salita immane, nera; poi, d'un tratto, la vetta e la luce, la luce vera finalmente, che spero di non perdere mai più: e davanti, larga,
chiara, decisa, la mia strada senza meta, la strada del dovere:
più rossa di una strada d'amore.

Parleremo anche di questo, Nello, quando ci rivedremo. Mi sento dentro una forza che non ho sentita mai: una forza che di se stessa si nutre e di se stessa si rinnova. Più completa, più salda, più cosciente sento rinascere in me la mia giovinezza: più pensosamente, più intensamente vivo la gioia di vivere.

Non più serrata ed egoistica ebbrezza, ma gioia piena e feconda mi è consacrare alla vita ed a te nella vita questa mia giovinezza che vorrà di giorno in giorno elevarsi.

Antonello, mio dolce compagno: i doveri che mi attendono mi son tutti presenti: e i più ardui sono i più belli. Io voglio esser capace di compierli tutti.

La tua Antonia

Finita l'età dei «bianchi desideri», comincia la cadenza del soffrire.

Malgrado le intenzioni eroiche, il ritratto di sé si offusca: Antonia smarrisce la propria identità, già così minacciata, e non la ritrova che in simboli di caduta e di morte. Le parole della poesia si alzano, gemmano, scaturiscono dalle profondità del corpo per dare voce alle forme negate, alle creature limbali, ai desideri ciechi.

Alle amiche più care, Lucia ed Elvira, con cui per tante strade si è accompagnata, ma che ormai nulla possono per mitigare il suo dolore, dedica questa poesia, tra le più drammatiche, a indicare come la lotta l'abbia estenuata fino a farle desiderare una pace definitiva. Le parole, pensiero incarnato, s'identificano con la sofferenza di una gestazione mai conclusa, che fonde il progetto di maternità con la fatica della creatività artistica.

La porta che si chiude

Tu lo vedi, sorella: io sono stanca,
stanca, logora, scossa,
come il pilastro d'un cancello angusto
al limitare d'un immenso cortile;
come un vecchio pilastro
che per tutta la vita

sia stato diga all'irruente fuga
d'una folla rinchiusa.
Oh, le parole prigioniere
che battono battono
furiosamente
alla porta dell'anima
e la porta dell'anima
che a palmo a palmo
spietatamente si chiude!
Ed ogni giorno il varco si stringe
ed ogni giorno l'assalto è più duro.
E l'ultimo giorno
– io lo so –
l'ultimo giorno
quando un'unica lama di luce
pioverà dall'estremo spiraglio
dentro la tenebra,
allora sarà l'onda mostruosa,
l'urto tremendo,
l'urlo mortale
delle parole non nate
verso l'ultimo sogno di sole.
E poi,
dietro la porta per sempre chiusa,
sarà la notte intera,
la frescura,
il silenzio.
E poi,
con le labbra serrate,
con gli occhi aperti
sull'arcano cielo dell'ombra,
sarà
– tu lo sai –
la pace.

Milano, 10 febbraio 1931

Eppure, in nessun momento quest'amore viene diminuito o
ridimensionato di fronte all'impossibilità. Per la rarità delle
occasioni d'incontro, l'immaginazione cresce sui pochi ricordi, ritorna ossessivamente sulle parole e sui gesti condivisi: ne

analizza i significati, l'essenza, cercando di conservarne il profumo. In una sospensione così vasta, che non vede la fine, il sentimentalismo forza l'espressione, invade la realtà deludente e la incornicia di sogni, proietta verso ricompense spirituali la ferocia dell'interdetto. Come in questa poesia inedita:

Colloquio

Ti ricordi, mio piccolo amore
(un giorno avevo pensato
di chiamarti Tristano:
così triste la tua anima remota.
Ma poi quella maiuscola iniziale
mi parve troppo pesante
per la mia tenerezza
ed ora tento quest'altro nome,
più dimesso, più lieve.
piccolo amore)
dì, ti rammenti,
mio piccolo amore,
l'ultimo tramonto dell'inverno,
l'ultimo nostro colloquio
sul sedile di pietra rosa
di fronte ai muri rossi del Castello?
Quanti colombi! E tu mi sussurravi
che le ali loro grigioazzurre
assomigliavano ai miei occhi
un poco.
Sul fondo erboso del fossato
le margheritine
trattenevano l'ultima
chiarità stanca del sole.
E tu volevi
coglierle tutte per me,
con le tue dita d'uomo
incerte fra gli steli
come dita di bimbo:
e m'empivi d'erba e di corolle le mani,
dicendomi che l'anima mia di fiore
era fiorita
per tutti i prati

di tutti i paesi,
dicendomi che tutta l'anima
della primavera non giunta
tremava nel mio respiro.
Piccolo amore, piccolo amore, ti rammenti?
Guardavamo le grandi nuvole accese
scivolare mute
dietro i rami nudi degli ippocastani.
Dicevamo: domani sarà vento.
Tu mi narravi, sommessamente,
in tono di una fiaba,
dell'ultima tua notte
passata nella casa della sorella,
in riva al lago.
«Mi destai. C'era tanto silenzio.
I bambini dormivano
nella stanza vicina.
Ed io pensavo, pensavo: mi dicevo
che accanto a te sono un bambino anch'io,
un bocciolo profumato di te.»
Piccolo amore, piccolo amore, ti rammenti?
Moriva il bruciore del sole
di là dagli alberi
in un grande arco d'oro,
in un grande arco bianco
sul nostro capo.
E impallidiva la mia tristezza,
si spegneva il tuo affanno
nella semplicità
delle parole candide.
Tutto che fu menzogna,
tutto che fu dubbio e dolore
si sfaceva
e rimaneva solo
in cima alla più pura anima
un tremore di piccole cose:
ali d'uccello, sentore di vento,
nomi di fiori, sonno di bambini...
Così come dilegua,
al calare dell'ombra,
l'ingannevole luce del giorno

e lo splendore del cielo
si acuisce
in un tremore di piccole cose
che si chiamano stelle.

Pasturo, 2 aprile 1931

Nell'estate 1931, Antonia viene mandata in Inghilterra per studiare l'inglese, in realtà nella speranza di farle dimenticare quella che per i genitori è «la sventurata infatuazione».

Il viaggio le dà gioia: Repton, Kingston, Londra, le procurano immagini di antica, rassicurante serenità.

La verde Repton diventa il rifugio dal tempo che scorre: dovunque è trionfo d'ordine e armonia, rispetto dell'altro, libertà d'immergersi in una natura bucolica e addomesticata dalla civiltà.

Le sue nebbie leggere, il silenzio che invita alla lettura, le permettono un raccoglimento che la salva dalla desolante confusione della vita milanese.

Repton, 9 luglio 1931

Antonello mio adorato,
da cinque giorni sono qui e mi sembra che sia tanto tempo, un incalcolabile tempo. Tutte le cose che ho lasciato sono lontane lontane: non sono più presenti e non sono ancora diventate ricordo. Di vivo, di concreto, non ho che te, nel cuore, mio pupo. Io ti porto con me dovunque io vado. Anche quando morirò e mi porteranno in qualche cimitero del mondo – chissà dove, chissà in che terra – tu verrai là dentro con me e il mio cuore non andrà distrutto perché tu l'avrai fatto eterno. Qui è un posto così dolce, sai, così soave: come una vecchia stampa in una cornice di legno scuro. Mi pare di vivere in un racconto del secolo passato: in quei racconti tradotti la cui vita pare sempre trapelare da uno strato di nebbia. C'è un grande collegio qui: il paese si può dire composto dalle case dove abitano i ragazzi: case di mattoni, con grandi verande coperte d'edera e di fiori. L'edificio centrale, dove si riuniscono a studiare, è un antico convento normanno che

ora si va ripristinando. Ci sono grandi aule, a volta, piene di vecchi libri. E un chiostro pieno di fiori. E tanti prati sterminati, dove i ragazzi giocano a ogni sorta di giochi. Noi, in Italia, non abbiamo la minima idea di quel che sono questi collegi.

Gli studi corrispondono press'a poco al nostro ginnasio e liceo: in più vengono insegnate la musica e la pittura. E si usano ancora, sai, i saggi, i concerti, le recite, le esposizioni fatte dagli alunni. Ho veduto dei dipinti veramente belli. Ora, mi pare, si sta preparando nientemeno che una recita dell'Elettra (non ti pare un po' un indizio di incoscienza barbara questo mettere in scena una tragedia greca? Oppure è una lezione che i barbari sanno dare ai latini?); in ogni modo, sono molto curiosa di sentire come gli inglesi triturano le parole greche. Però la mia impressione è che di qui non possano uscire dei grandi sapienti: degli sportivi di prima qualità, questo sì. Hanno il golf, il tennis, il cricket, persino una immensa piscina all'aria aperta con ogni sorta di trampolini: e di tutta questa grazia di Dio io posso usufruire quando voglio, perché sono in casa di uno che è – non ho ancora capito bene – o l'amministratore o uno dei direttori del collegio. Minni, vedessi che ridicoli sono i professori! Figurati che quando vanno a far lezione hanno tutti una gran toga svolazzante e un cappellino, un cappellino così «funny» che mi piacerebbe vederlo in testa a te, pupo. Anzi, nel caso che tu voglia fartene uno, ti mando il modello.

Ti piace?

E poi pensa che, alla domenica, tutti i ragazzi si mettono la redingote e il cappello a tuba. E se ne vedono di quelli, sui dodici o tredici anni, con dei faccioni rosei da bambini affogati nel cappellone, che sono degli amori.

Ma ci sono tante altre cose belle e serie, sai, pupo: c'è la chiesa del convento, con un campanile alto alto alto che si vede a miglia di distanza, intorno. Ai suoi piedi, un cimiterino quieto, dove i ragazzi vanno talvolta a disegnare e i contadini a falciare il fieno; le croci sono rare e diverse: alcune ritte, altre quasi coricate al suolo; poche lapidi bianche e grigie, coperte d'erba.

E poi c'è la campagna, in giro: piena di greggi e di cottages fioriti. Al tramonto i corvi passano in lunghe squadre nere e vanno verso il fiume. Perché c'è anche un fiume, qui: ma incolore, sbiadito anche lui, visto attraverso una nebbia come i prati, come le case, come il cielo e il sole sono visti quassù. Qui non si vede mai il vero azzurro, sai? Piuttosto un grigio azzurrino e il sole diluito in quel grigio come un'esangue macchia di giallo. Una bella giornata di luglio, qui, somiglia alle belle giornate del nostro autunno: ma senza la vampa dei colori che la nostra terra accende, allora, a vincere il pallore del cielo. Qui di smaglianti non ci sono che i fiori: tanti e tanti e tanti nei giardini che non sai come facciano a venir su così fitti. Il giardino della casa dove abito io è un angolo di paradiso: così tranquillo che sentiresti zampettare gli uccellini sull'erba. La mia finestra vi guarda e al tramonto (giallore diafano dietro il campanile) assisto al convegno dei passerotti nel prato. La mia stanza è tanto bella; somiglia molto al mio studio di Pasturo: lo stesso soffitto basso, la stessa finestra larghissima e quasi gli stessi mobili, vecchi, comodi, cari. Io ho completato la somiglianza appendendo al muro le vedute di Pompei, di Amalfi, di Pesto; le fotografie di Pasturo e i ritratti dei miei cari. Io non so proprio come abbiamo fatto, senza nulla sapere, a scegliere un posto così. La famiglia che mi ospita ha tutte le abitudini nostre di casa e ognuno mi circonda di premure.

Tu vedessi com'è gaia tutta questa gente Antonello! Ridono, ridono, sai, per delle cose da nulla. Ma non è un riso scemo; è un riso ingenuo, un riso fresco, come di eterni fanciulli; e desta uno strano stupore nelle nostre anime vecchie. Davvero, sai, pupo: io qui mi sento tanto più vecchia persino del

97

padre, che ha sessant'anni e che è anche un uomo sufficientemente colto; e comprendo profondamente quale sia l'inferiorità e quale la superiorità dei latini rispetto a questi popoli. Inferiorità è forse in questo: che noi abbiamo perduto le fonti spontanee della vita e non agiamo che per atti riflessi e a vent'anni ci sentiamo (magari senz'esserlo) logori ed esausti. Ma i pensieri che nascono dal cuore della sofferenza nostra, la poesia che fiorisce in vetta al nostro tormento, la vita nuova che prodigiosamente sgorga dalla nostra vecchiezza, queste sono cose nostre, sai, Antonello, questa è la gloria nostra e qui ben pochi la conoscono.

Ieri mi condussero a giocare al tennis in un'antica villa, in cima a una collina, nel cuore di un parco vecchissimo, immenso. C'era un cielo corrucciato e un vento freddo. Nel grigio, i fiori parevano più smaglianti. I prati chiari, rasati, cinti e adorni di aiuole nette e curate come ricami; e mille pergolati e mille serre con piante rare e rose d'ogni specie; e la cascata con ogni sorta di muschi; ed una galleria d'alberi (ippocastani altissimi)...

Le giornate di Antonia sono lente, piene, uguali.

Legge Turgenev, Čechov, Ruskin. Si attarda in lunghe passeggiate che la ricongiungono ai luoghi leggendari e ai loro misteri shakespeariani. E lo racconta anche all'amica Lucia il 20 luglio 1931:

Qui c'è tanto silenzio, sai, tanta quiete. I secoli hanno lavorato e lavorano, muti, non a distruggere, ma a conservare e a creare. Anche il tempo, povero tempo, quando ha abbattuto tutto intorno a sé, non può restare senza un nido: ebbene, Repton è il suo nido: io lo so.

Vado spesse volte a passeggiare nel cimitero ch'è sotto il campanile: un cimitero antichissimo, grande come un giardino, con alberi verdi, frondosi. Le tombe, affondate nell'erba lunghissima, carezzate dai fiori campestri, stanno immote, rivolte ad oriente, sembrano volti protesi che aspettano il sole.

Cerca di tranquillizzare tutti sul suo ottimo stato di salute, sul suo buon umore, si diffonde in descrizioni poetiche dell'estate inglese. Gli altri si illudono che la malinconia sia passata, che la lontananza abbia prodotto gli effetti sperati. In realtà, Antonia non smette di scrivere a Cervi. Gli scrive tutti i giorni, appena può, di nascosto. Compie incredibili acrobazie tattiche per consegnare le lettere alla posta. In tutte c'è lo stesso richiamo. Per distrarre i suoi, riempie pagine e pagine di corrispondenza su minuzie pratiche, ma il pensiero dominante è sempre lì.

All'amica Lucia scrive però che Antonello non le risponde, «è tanto malato» e che il suo aiuto lo salverà.

È l'accidia, la malattia di Antonello? È la mancanza di vitalità, di energia solo dedicata all'attività di studio? Antonia sembra certo la più forte tra i due, la più determinata a resistere e restare fedele all'idea di un amore assoluto che vale più di ogni divieto.

Un giorno, Antonio la raggiunge a Londra.

Sotto i grandi alberi del parco si sentono soli sulla terra. Con uno slancio che raramente riesce ad avere, egli le parla dell'amore che prova, senza più schermarsi per orgoglio.

Allora Antonia si fa forza e cerca di rompere la barriera che separa il proprio scetticismo dalla religiosità di lui. E hanno in mente entrambi un ricordo preciso e recente: le colline rosseggianti d'erica, una solitaria passeggiata sulla Grigna, una sera scintillante, che stilla luce sull'intero paesaggio ai loro piedi.

Ora, a Londra, non c'è più neppure la distanza dell'imbarazzato stupore, i nodi si sono sciolti; Antonia, coi suoi moti immediati, quasi infantili, piange però, come allora.

E Antonio le va dicendo le parole che ritornano mille volte nelle lettere: «Stellina, sei più bella quando pensi delle cose come queste» e le bacia la fronte.

La «barriera» che li separa non sono solo i divieti posti dagli altri, ma un'ombra di incomprensione che riguarda anche la fierezza di lei, l'insofferenza a farsi aggiogare ai dogmi, alle fedi più imposte che sentite.

In quell'emarginazione romantica a cui l'ipocrisia sociale li ha costretti, al di là delle divergenze li unisce però un'affinità invincibile, irresistibile.

Riescono a strappare alcune ore ancora al continuo controllo cui Antonia di fatto è sottoposta.

Lontano dalle meschinità di Milano, liberati dal peso delle responsabilità come ragazzi scappati di casa, ritrovano istanti di intesa perfetta, di amore disperato.

Antonia inventa altri pretesti presso la famiglia che la ospita solo per trascorrere altre ore con lui. Trovano rifugio in un alberghetto centrale, molto antico, che li incanta come fosse un castello. Incuranti del viavai di donne variopinte e signori frettolosi, s'infilano nella camera stretta col cuore che sobbalza a entrambi.

Antonia desidera vivere questo amore in pienezza, con la forza di un'onda trattenuta troppo a lungo, il cui slancio è incontenibile. Cervi è tenero, forse troppo, e incerto, in questi primi approcci. Anche se non fosse stato come Antonia se l'era aspettato, non cambia nulla nel suo desiderio e nei suoi sentimenti. Con un abbandono totale e unico aveva voluto quell'uomo, con la stessa intensità con cui Emily Dickinson aveva abolito ogni compromesso, arrivando a capovolgere le regole del numero per realizzare la propria idea d'amore: uno più uno fa uno, la coppia non può ricondurre che a un'idea di unicità originaria.

Antonia si chiede in che modo l'oscura confessione di fede che Antonello voleva strapparle possa dare maggiore sacralità a questo amore, indomito e paziente, che tutto sopporta e attende.

Al ritorno emergono nuove incomprensioni. Nelle lettere del periodo, in particolare in quella molto importante datata 1° marzo 1932, tali divergenze appaiono insanabili. Possiamo immaginare gli incontri fugaci e clandestini, le telefonate fatte di nascosto, in cui sono state pronunciate le stesse parole, evidenziando piuttosto che colmando le distanze.

In quella lettera, Antonia ricorda all'amato la lezione esistenziale dell'amico Piero Treves, che si era allontanato dal cristianesimo e lo considerava una semplice fase della sua formazione. Questo mutamento nei suoi orizzonti spirituali non può intaccare certo la sincerità della sua coscienza.

Tu non ammetti che oggi si senta e si creda vera una cosa e che domani la si riconosca falsa? Oppure pensi che pur riconoscendo sbagliato uno dei nostri atti passati, questo atto ci obblighi a credere anche oggi a ciò che ieri ce lo aveva ispirato? Ma come, ma come, ma come hai potuto pensare che io non fossi sincera, che non credessi a quel che scrivevo? Mi accusi di verbosità. Ma dunque pensi che chi è verboso non creda alle proprie parole?

Pensi che verbosità sia come dire: qui ci sta bene un «giuro», qui ci sta bene un «supplico», qui ci sta bene «Dio»?

Ma come, come, come puoi pensare ch'io giuochi con le mie parole così?

Accusami di impulsività: in questo sì, hai ragione, hai ragione.

Il mio torto massimo è proprio questo: di prendere per duraturo quello che è mutevole, e di fermarlo in iscritto e di gettarmi in esso con passione e dopo poco riconoscerlo per quello che è e rimediarlo, vedere il suolo fermo là dove non sono che nuvole.

E tu questo lo chiami insincerità, Antonello? Ma chi è impulsivo non può essere insincero! Chi è impulsivo è anzi troppo sincero, perché non lascia nell'ombra il minimo dei suoi moti d'animo, ma tutti li esterna con lo stesso accento di verità. E questo è un male, un male grandissimo, lo so.

Ma non è che noi si voglia ingannare gli altri; siamo anche noi degli ingannati, in quanto crediamo ciecamente a tutto quello che sentiamo.

E allora tu mi dici: oggi tu credi in buona fede di volermi bene e domani ti accorgerai di aver sbagliato.

Ma Nello, Nello, sentimi: non vedi come tutto ciò ch'è mutevole, felice, vano, passa rapidamente, non vedi che pochi giorni, poche ore, a volte, bastano a far sbollire i miei capricci inutili, a cancellare le mie fantasticherie stolte, e, per quello ch'è più profondo, non hai veduto in questi anni quanti mutamenti sono avvenuti nella mia anima e quanti smarrimenti e quanti ritrovamenti, e invece in un'unica cosa, sopra tutto, in fondo a tutto, immutabile: l'amore per te. (...)

Antonello, Antonello, ma non ricordi come ero bambina quando ho cominciato a volerti bene e quante cose sono accadute poi, quante cose ho imparate, anche orribili, e quanto piangere ho fatto, eppure l'amore per te cantava in fondo a tutto come una dolce acqua che va senza fine e mi aiutava a sopportare tutto, proprio come una dolce profonda acqua che porta i petali dei fiori così come i tronchi infranti, così come le pietre grevi.

Tu, tu che mi dici che io non ho niente di sacro... oh, è atroce, è atroce che tu mi dica così, perché vuol dire che dove io tengo le mie cose più sacre tu non sei mai, mai penetrato e non hai nemmeno veduto che per me è sacro tutto quello che è sacro per te e tu sei sacro, tu che sei lo scopo e il motivo della mia vita. Il 10 febbraio, al crepuscolo, poche ore dopo il delirio in cui avevo temuto di perderti, così scrivevo:

Non avere un Dio
non avere una tomba
non avere nulla di fermo
ma solo cose vive che sfuggono –
essere senza ieri
essere senza domani
ed acciecarsi nel nulla
– aiuto –
per la miseria
che non ha fine.

La poesia compare nei quaderni con la stessa data e il titolo *Grido*.

Ogni colloquio, ogni lettera si conclude ormai con il richiamo disperato alla mutua comprensione, mentre l'abisso che li divide si fa ogni giorno più insuperabile.

Dopo l'avventura di Londra, i controlli sono diventati più

pressanti. Quasi mai e solo per breve tempo le è consentito di uscire da sola.

I genitori, a sua insaputa, arrivano a farla controllare. Antonia si accorge, dopo qualche tempo, di essere seguita da un oscuro personaggio che le era stato presentato a una festa di amici e poi scopre essere un maldestro investigatore privato assunto dalla famiglia. Poi, dopo una crisi violenta, viene costretta a essere visitata da uno psichiatra, che si limita a diagnosticarle uno stato depressivo.

Antonia si stupisce e si dispiace della mancanza di rispetto e di fiducia. Probabilmente qualche amico o amica, ottenuta la sua confidenza, magari credendo in perfetta buona fede di farle del bene, riferisce ai suoi dei convegni segreti, anche se nessuno ammette di averla tradita.

Ma è tardi per ogni cautela. Il prezzo della mutua fedeltà è stato pagato. Dovrebbe essere l'inizio di un'epoca totalmente rinnovata, per Antonia, invece è l'inizio della fine.

L'ansiosa attesa e la speranza: la possibilità di realizzare un sogno di maternità. È il momento di far rientrare in scena Cervi, tentare il tutto per tutto. Vuole lui e vuole un bambino da lui – lo dice a suo padre. Egli reagisce come se l'avessero colpito a morte: le ordina di chiudersi nella sua stanza, piange, grida. Manda a Cervi dei testimoni per sfidarlo nuovamente a duello. Per fortuna l'ipotesi del duello non si concretizza. Cervi sa bene che mai quella famiglia lo accoglierà. Il suo amore è una minaccia per il futuro di Antonia; spetta a lui fermare quell'inesausta fonte di sofferenza. Non più speranze.

Ricongiungimento

Se io capissi
quel che vuol dire
non vederti più –

credo che la mia vita
qui – finirebbe.

Ma per me la terra
è soltanto la zolla che calpesto
e l'altra
che calpesti tu:
il resto
è aria
in cui – zattere sciolte – navighiamo
a incontrarci.

Nel cielo limpido infatti
sorgono a volte piccole nubi
fili di lana
o piume – distanti –
e chi guarda di lì a pochi istanti
vede una nuvola sola
che si allontana.

Nella distanza inevitabile, imposta, diventa sempre più ardua l'accettazione di uno stoico progetto di vita. Antonello alterna cedimenti a impennate di orgoglio e l'accusa di non comprendere. A quale futuro si stavano preparando? La via di una consacrazione riconosciuta e accettata da tutti è preclusa. Che resta? La fuga di Antonia? Lui non è in grado di mantenere lei e mantenere una loro famiglia. Una scelta come quella avrebbe implicato problemi gravissimi, tra cui l'ipotesi che Antonia, priva degli agi a cui era abituata, non potesse continuare a studiare e soprattutto lo scandalo per l'età della ragazza, ancora minorenne, la sua provenienza altolocata, le difficoltà dello stesso Cervi ad assumersene per intero la responsabilità morale.

E Antonia avrebbe accettato questa rinuncia al progetto di vita che era il solo a cui avrebbe mai creduto? Come Antigone di fronte al suo supplizio, era decisa a morire piuttosto che cedere.

Quel che appartiene agli altri: una gioia condivisa, fatta di cose possedute con semplicità, «come un coltello nel pane», non sarebbe mai stata sua.

Non sappiamo per certo se la rinuncia alla maternità ha comportato la necessità di un aborto: di sicuro, il risultato, nella carne e nello spirito, era identico a quello di un'interruzione effettiva di gravidanza: il bambino non le sarebbe nato. Nessun Annunzio di vita nuova sarebbe nato dal loro amore: in lei è solo un giardino di fiori morti, di alberi uccisi.

CAPITOLO VIII

«VIVO DELLA POESIA...»

La rinuncia alla vita comune, la vita fatta di desideri soddisfatti, la porta però a ritrovare la sua appartenenza a un diverso destino: essere poeta.

Un giorno, Antonia trova, su un banco di libri usati, le poesie di un giovane poeta dannunziano, Eurialo De Michelis: *Avere vent'anni*. È una mattina azzurra, pallida, con un sole mite. Antonia legge e sottolinea questi versi: «voglio approdare a sera a un nuovo paese, con occhi / azzurri e azzurra l'anima, ricominciare». Si sente l'anima come rinfrescata, ritornando a casa con il libro amato. Le ritornano in mente frammenti di lezione di Cervi, quando parlava del prezioso lavoro degli umanisti. «Fratello dilettissimo, ieri mi avvenne di ritrovare...». L'idea del libro infinito dell'anima la accomuna al nuovo amico, conosciuto attraverso la poesia: Tullio Gadenz. Egli le ha inviato un suo libro di poesia e Antonia se ne è sentita consolata: un'anima fraterna. Il 29 gennaio 1933 gli scrive:

> Perché la poesia, non è vero, ha questo compito sublime: di prendere tutto il dolore che ci spumeggia e ci romba nell'anima e di placarlo, di trasfigurarlo nella suprema calma dell'arte, così come sfociano i fiumi nella vastità celeste del mare.

La poesia è una catarsi del dolore, come l'immensità della morte è una catarsi della vita.

Vede giorni che cadono veloci verso il tramonto; beve, ma con occhi allucinati, l'incanto delle cose, ma non sa più tradurlo in parole. Tutto è stato bruciato, fino all'ultima stilla.

Qualche giorno dopo la partenza di Gadenz, che era giunto a trovarla a Pasturo, Antonia torna da sola ai luoghi della sua poesia. Il Cimon della Pala, cimitero di guerra di San Martino. Intorno ai silenziosi passi attutiti dalla neve che scende rada, leggera, non è che paesaggio di nebbia. Neppure una voce dalla oscura folla degli abeti. Il sentiero intatto. Il cancello ostruito dagli ammassi di neve, Antonia scava con le mani per entrare nel cimitero. Ma poi vede quel manto candido, teso, e non osa imprimere il suo passo sul muto lenzuolo immacolato.

Da un pino raccoglie un ramoscello a forma di croce, lo infila tra le sbarre e poi si allontana, come un capriolo timoroso che tracci piccole orme sulla neve. Le crode sbiancate, «come un volto su cui siano cadute per il male degli occhi le palpebre». Sfiorire, dolente impallidire e dissolversi delle cose... Lei è abituata a sostare ai cancelli, ad attendere inquieta sulle soglie, della vita e della morte, talvolta ammalata di inerzia, come i giunchi trattenuti dal greto ma mossi sempre dall'acqua corrente.

Ancora si aggira per le strade appena illuminate dai fanali: il viale invaso dalla neve fa scomparire anche la massa grigia delle case tra strane fioriture, intessute di bianco. Dura poco quell'assorta bianchezza: il mattino dopo, ai primi passi degli uomini, ecco tutto imbrattato e sudicio, sotto una pioggerella fitta. I canestri delle fioraie tra il fango, coi fiori spaesati, spetalati dal gelo.

Tullio diventa il piccolo principe di un favoloso regno inaccessibile, che ci si accontenta di immaginare per la consolazione dell'anima.

Perché non per astratto ragionamento, ma per un'esperienza che brucia attraverso tutta la mia vita, per una adesione innata, irrevocabile, del più profondo essere, io credo, Tullio, alla poesia. E vivo della poesia come le vene vivono del sangue. Io so che cosa vuol dire raccogliere negli occhi tutta l'anima e bere con quelli l'anima delle cose e le povere cose, torturate nel loro gigantesco silenzio, sentire mute sorelle al nostro dolore.

C'è un'idea del divino che non si separa dalla vita incessante: picchi alti, di fatica e di lotta, in cui le forme stentano a definirsi, plasmabili in parole che ne risolvano la cecità. Gli urti dell'anima, il dolore, consentono lo slancio della poesia. La comunione di sensi nell'amicizia ne permette la continuità. Chiamare le cose perché escano dall'ombra: dare un nome alle cose, evocate con occhi intenti, questo è il senso ultimo del lavoro poetico.

CAPITOLO IX

LA DONNA SENZ'OMBRA

«Maledizione e morte al mortale che sciolga questo cinto, pietra diverrà la mano che farà questo, a meno che non compri alla terra con l'ombra il proprio destino, pietra il corpo a cui appartiene la mano, pietra l'occhio che risplendette in quel corpo; ma dentro, i sensi rimarranno vivi per assaporare la morte eterna con la lingua della vita – il termine è stabilito secondo il corso delle stelle.»

Così era scritto nel talismano che condannò un imperatore amante a diventare pietra.

Un tempo, una principessa del Regno degli Spiriti fu inviata dal padre a cercare la propria ombra mancante nel mondo terreno, pena l'abbandono del proprio amato compagno, che era condannato a diventare di pietra. La moglie di un povero tintore le vendette la sua, ma il dolore del tintore che così non sarebbe mai stato padre (dato che a una donna senz'ombra è negata la maternità) la commosse a tal punto che vi rinunciò, ottenendo poi in premio la maternità desiderata per la sua misericordia.

È col gettare l'ombra che i mortali pagano la loro esistenza, perpetuando la vita. La vita coincide con la caccia all'ombra mancante.[6]

Antonia conosceva senza dubbio questa favola di Hofmannsthal difficile e affascinante, come l'intera opera di lui, che è in grado di leggere in originale. Prediligeva l'inquieto, tormentoso immaginario di questo scrittore che torna sempre sul motivo della ricerca di un'identità tragicamente minacciata dalla complessità del reale.

Non è inopportuno utilizzare allora la tessitura simbolica di questo intreccio e il suo itinerario metaforico, per tentare anche una lettura *del profondo* di questa storia d'amore represso.

Questo perché la vicenda di Antonia, una vita soprattutto di poesia, dunque vissuta con la forza dell'immaginazione, è pur sempre – come indica lei stessa con la silloge *La Vita Sognata* – un teatro del sogno, dominato dai fantasmi del desiderio, ma anche dai sensi di colpa agitati dalle figure parentali, e rappresentato con sofferenza reale. Affrontando i nodi cruciali della vita di Antonia, occorre scavare il più possibile dietro la semplicità del detto e del vissuto, anche dove le fonti non ci aiutano, e, in particolare, in questo caso, quando lei stessa ci chiede di farlo, per rintracciare la complessità della sua esperienza esistenziale, mai convenzionale o prevedibile, e soprattutto mai esclusivamente *sentimentale*.

Antonia può essere in parte identificata nella storia di questa figlia-fata-imperatrice che, per entrare nella vita, avrebbe dovuto accettare la prova imposta dal dio-padre: appropriarsi dell'ombra carpendola agli umani: ma, alla fine, comprende che non può diventare umana per questa via.

L'imperatrice avrebbe ricevuto l'ombra nel momento in cui fosse divenuta reale, cioè avrebbe ricevuto la vita donando la vita. Solo che – per un sotterraneo ritorno di Edipo, per cui la figura paterna si cela evidentemente anche dietro l'amoroso professore – ci troviamo di fronte all'impossibilità di un rinnovamento mediante una nascita. Se la vita viene mantenuta con la fertilità, ma senza la propria identità, allora lei decide di infrangere la regola, si sottrae, non ribellandosi più e finge di ricevere il premio che tocca ai figli prodighi, ai disubbidienti che si sottomettono al padre. Scegliendo alla fine la rinuncia al possesso amoroso dell'imperatore, la principessa-fata recupera la propria identità. Ed è questo ciò che conta in tale estenuante conflitto tra il dovere verso l'altro e verso di sé. La figlia supera la prova contrastando e quindi rifiutando il sistema di valori paterno: dichiarandosi nei fatti ormai diversa. Non è più solo figlia o madre, esprime la propria creatività non in senso biologico, ma nella produzione intellettuale.

Qui la scelta di Antonia si separa nettamente da quella della protagonista della fiaba.

Al di là della tragedia e delle sue maschere, non si è trattato che dei travestimenti che il desiderio ha messo in scena per darsi a conoscere e annunciare il passaggio all'età adulta.

Ma Antonia ha rinunciato a tutto: al padre e alla madre, che credono di averla ricondotta alle regole del conformismo sociale; al figlio, che avrebbe dovuto risarcire Antonio della perdita del fratello, e ad Antonio stesso, allontanato per sempre, anche dal suo abbraccio «materno», nella sua incapacità di oltrepassare blocchi interiori, più rigidi di quelli esterni.

Annunzio muore, dunque, un'altra volta.

E Antonia, per quanto sola e integra, come lei stessa si rappresenta in questa nuova fase, come potrà a lungo sopravvivergli?

CAPITOLO X

UN ESILE SENTIERO

Impossibilitata a incontrare il suo insostituibile professore, Antonia trascorre quasi tutto il giorno nello studio e scrive di getto la *suite* che poi rielabora e intitola emblematicamente *La Vita Sognata.*

Ma una collana di poesie terse e tristi non può adornare la sua esistenza troncata alla soglia di una rinascita. La poesia insegue i momenti sognanti: la gioia del ricongiungimento che segue al terrore della perdita, l'immagine struggente del bambino che gioca sul prato, *Annunzio* di un mutamento che avrebbe portato a tutti una speranza, sepolto ora, come le fonti lontane e i giardini chiusi tra cancelli, come le parole strozzate in gola: fantasmi da un universo limbale che preme invano dalla porta dell'ombra per esistere, ma non ha sbocco né voce.

Inizio della morte

Quando ti diedi
le mie immagini di bimba
mi fosti grato: dicevi che era
come se io volessi
ricominciare la vita
per donartela intera.

Ora nessuno più
trae dall'ombra
la piccola lieve
persona che fu
in una breve
alba – la Pupa bambina:

ora nessuno si china
alla sponda
della mia culla obliata –

Anima –
e tu sei entrata
sulla strada del morire.

Antonia parla e scrive a se stessa, ormai costretta a una solitudine inascoltata. Perché Antonello se n'è andato via – ma con
tanta sofferenza – da ogni possibilità di ricostruzione, di impegno rinnovato. Non vuole più ascoltarla. Si è separato da lei
non si sa se per forza o debolezza, come abbiamo visto, ben
sapendo di consacrarle nella distanza la fedeltà degli anni che
gli restano. E forse non ha compreso, a sua volta, le motivazioni profonde del distacco di lei che egli vive come una presa
di distanza anche dal suo insegnamento morale, dall'area della
sua influenza.

Non si recherà mai più a chiedere udienza nella casa aristocratica che sempre l'ha respinto e che ora lo fa sentire davvero
colpevole. Non susciterà altre illusioni nella ragazza che ha
amato e che ha tutta la vita per ritrovarsi e vivere un amore accettato dal suo ambiente.

Antonia lotta contro l'inevitabile: si scontra quotidianamente contro la durezza del padre, la freddezza della madre.
Ma come lottare da sola, quando anche l'uomo che ha amato
la condanna e non comprende che la rinuncia era l'affermazione di un diritto di libertà?

Anche nelle posizioni di fede, le loro strade divergono irri-
mediabilmente, ormai. Antonia aveva cercato di conciliare il

suo scetticismo esistenziale con il platonismo cristiano di lui, forzandosi a credere e a farsi «buona» secondo principi che la costringevano a una rassegnazione di fondo. Ma ora si delinea con drammatica evidenza la divaricazione anche ideologica. E Antonia raggiunge parole di estrema consapevolezza e lucidità, come in questo frammento non datato, ma collocabile nell'ultimo periodo del loro rapporto:

Io non credo a quello che credi tu, lo sai. E una volta questa disparità mi pareva un abisso terribile. Ma ora non più. Ora non ho più i miei diciassette anni: mi sento molto grigia e quieta. Tutti i miei pensieri sono tranquilli. E sono certa della mia vita senza pensare a Dio. Mi sembra che molta gente viva senza intuizioni artistiche, così si può vivere senza intuizioni religiose. Io non cerco Dio perché non sento il bisogno di cercarlo; perché credo che la mia vita può essere moralissima anche se io faccio le cose per se stesse e non perché Dio lo vuole. Mi sembra che il mio pensiero sia ritornato molto semplice, bambino, quasi: ma diritto, sicuro, calmissimo. Un giorno, se il dolore mi vorrà far pregare, sentirò anch'io il bisogno di Dio e forse lo cercherò. O forse non lo cercherò. Non so. Io so che mai come ora ho sentito la mia vita nelle cose fuori di me: ed è un dissolversi soavissimo.

In questa calma, vedi, io so ora capire ed ammirare più di prima la tua religiosità fervida. E anche davanti al più sacro pensiero ch'io possa avere, davanti al pensiero di una nostra creatura, io mi sento serena. Io saprò insegnarle col più grande amore, col più grande fervore, tutto ciò che tu vorrai che la tua creatura sappia.

Quando sarà grande, sceglierà lei la sua strada. Perché io credo e l'ho provato su di me che è più grave impaccio al pensiero il non aver niente dietro di sé che l'avere una fede. È più facile costruire sulle rovine che costruire nel vuoto.

Ecco, Antonello, ti ho detto le cose più gravi, quelle che più mi rimordeva di averti taciuto.

Ora intravede che il temperamento di Cervi non era fatto per combattere lontano una comune battaglia di verità che avrebbe potuto durare tutta la vita: egli ricade sui suoi studi, sulla sua filosofia pessimista che solo in un platonismo cristiano ritrova la fiducia nell'uomo. Deve lasciarlo, dunque, al suo stanco cammino tra i libri, che l'attitudine pedagogica anima e riscalda, ma senza più slanci, con una rassegnazione anzi alla solitudine che lo condurrà a una precoce vecchiaia.

Per lui, quella dura parola risolutiva, che trasforma il sacrificio in eroismo è la legge morale, che sino alla fine guiderà la sua vita di studio.

Ricordiamo le parole già citate, confidate ad Augusto Guzzo, molti anni dopo: «Perché volesti venire via da Milano? "Rassegnazione e rinuncia" era la risposta».

Saresti stato

Annunzio
saresti stato
di quel che non fummo,
di quello che fummo
e che non siamo più.

In te sarebbero
ritornati i morti
e vissuti i non nati,
sgorgate le acque
sepolte.

La poesia,
da noi amata e non sciolta
dal cuore mai,
tu l'avresti cantata
con gridi di fanciullo.

L'unica spiga
di due zolle confuse
eri tu –
lo stelo
della nostra innocenza
sotto il sole.

Ma sei rimasto laggiù,

con i morti,
con i non nati,
con le acque
sepolte –
alba già spenta al lume
delle ultime stelle:

non occupa ora terra
ma solo
cuore
la tua invisibile bara.

Quando torna a Roma e a Napoli, nell'aprile del 1933, ancora coi suoi, Antonia può soltanto sfiorare i luoghi abitati da
Cervi. La rossa terra del Palatino, fatta «per gli sponsali dell'a-
nima» le appare piuttosto come il giardino cimiteriale del sogno morto. La via Appia «sarebbe un posto da innamorati e
innamorati non ce ne sono». Ma, stagliata nel buio, la «piccola statua di donna logora, scura, appoggiata a una tomba» nella fiammata del cielo crepuscolare.
   «Oh la piccola finestra bassa a fianco del portone – le tende
bianche – tese – i vetri socchiusi.»
   A Caserta, immagina di deporre un fascio di ciclamini sulla
tomba di Annunzio, colui che più di ogni altro aveva influenzato, con la sua presenza fantasmatica, i destini tragici di questo amore. È come se deponesse a quella tomba sotto i cipres-
si, un po' fuori dalla frana delle case diroccate, la sua vita non
vissuta, palpitante nel mondo limbale dov'è il sepolcro di tutti i desideri che non hanno avuto voce e corpo.
   In questo modo, Antonia vuole consegnare al mito una storia altrimenti spezzata nella realtà, per arrivare a una giustificazione anche estetica.
   Il 9 aprile si trova davanti a un luogo consacrato al loro
amore, Santa Maria del Pianto, a Napoli. Non può fermarsi
ed è costretta a restare all'albergo, prigioniera, distesa sul letto
come sulla terra nuda, nel buio fondo. È un ragazzino a varca-

re anche la soglia di casa Cervi. Antonia che aspetta fuori da quella casa, trasmette la sua ansia al messaggero che vola – diventato Hermes – all'adempimento del triste incarico.

Le stelle, indovinate dall'oblò della nave che la conduce in Sicilia, passano nei lenti cammini della notte sul mare. Indicano la meta che era stata nel loro immaginato viaggio di nozze: la Sicilia, Siracusa, la verde valle dell'Anapo che scorre quieto e antico, tra i papiri. Nei loro sogni andavano su una piccola barca presa a nolo, e Cervi le raccontava il mito della sorgente: l'amante infelice Ciane, che conobbe lo stesso destino di Proserpina e l'altro analogo, fascinoso dell'altra fonte, Aretusa, che sfocia in mare, a Ortigia, color rosa conchiglia. Mentre il capo biondo del giovane rematore si muoveva contro il sole, nel cielo dorato dal tramonto. A un certo punto, il barcaiolo strappava un papiro, bianco fluttuante come un fianco di ninfa e lo porgeva a una Antonia sognante. Antonia che tiene chiuso nel ventre il suo sogno morto, il bambino non nato, che è il frutto intatto di questa sorta di immacolata concezione.

L'incubo poi sopraggiunge: essere attirata nel profondo dalle braccia di Annunzio, forti come la sua voce di poeta rabbioso, sofferente, scomparire inghiottita nella tomba di una vita che le si è chiusa intorno.

Le conseguenze sul suo spirito sono immedicabili. Non si volge allo scetticismo, ma a una disperazione che investe e attraversa ogni aspetto del reale.

È la conferma di una solitudine senza scampo, senza redenzione, un vero deserto d'assenza.

Il maggio a Milano ha talvolta bagliori mediterranei: non ci si stupisce che Stendhal l'abbia definita città del Sud, calda e sensuale.

In una di quelle mattine di tarda primavera, l'8 maggio 1933, Antonia esce di casa con una scusa per telefonare come un tempo al suo Antonio lontano. Parlarsi ancora è diventato quasi impossibile, forse inutile. Ma come avrebbero potuto sopportare quella distanza, se fra loro fosse caduta la fiducia, unica forza? Dovrà spiegargli tutto e sarà per l'ultima volta.

Antonia fa il giro del viale che corre intorno al Castello Sforzesco, quindi entra nella grande corte: l'ora, le nuvole, la terra appena prosciugata dal vento, il verde madido, tutto è come nel maggio lontano in cui avevano capito di amarsi. Questa volta lo sente vicino e la sua voce è calma.

Poi gli scrive, quella sera stessa:

Bisogna che moriamo nella carne, nella casa, nell'amore. Dobbiamo credere a questo: che Dio non può non farci rinascere nello spirito. Questa rinuncia fatta per la pace degli altri, la rinuncia della nostra pace, noi la possiamo fare e le nostre forze umane ci consentono di sostenerla solo a un patto: che la facciamo uniti e che nell'atto stesso di rinunciare alla nostra unione sentiamo di esser legati da quella rinuncia. C'è un'altra vita che è come la metà della sua, staccata nello spazio ma indissolubile dalla sua nella più profonda essenza. L'immagine del bambino non nato è il legame invisibile che ci unisce in eterno.

Altri amori prenderanno Antonia nel sogno di un'impossibile assolutezza, ma tutti porteranno sempre incisa questa iniziale impossibilità, che trova riscatto nell'affermazione di un'identità più dolorosa. Scrive nell'ultima lettera a Cervi in nostro possesso, tra l'11 e il 15 febbraio 1934, tentando di ricapitolare la loro storia:

Verso la solitudine si può andare verso la più profonda solitudine, purché si porti con noi qualche cosa d'altro da noi, qualche cosa con cui si possa parlare e pregare, in cui si possa credere oltre noi stessi. Tu sei in me, ancora. L'unica luce, ferma come un altare, che si fa più bianca, quanto più nere sono le macchie che cadono qui intorno.
Non dirmi che non ti ho amato. Avevo sedici anni quando ti vidi. Ne compirò ventidue domani. Ho vissuto solo per te da

allora fino ad oggi. Non puoi negare tutta la vita con una sola parola. Soprattutto non puoi distruggere, in me, quello che è nato solo nel tuo nome, alla luce della tua anima: la mia anima di donna, di mamma. Lasciami dire ancora così, Antonello: anche se la nostra creatura non nascerà, se *nessuna* creatura mi nascerà, *mai*, anche se a te pare che io sola, di mia volontà, abbia ucciso il tuo bambino, tu non sai che nel viso di tutti i bambini io vedo soltanto *quel* viso e *quelle* manine, tu non sai quello che sento – solo una donna può capire – ma ti giuro che io so di non profanare niente di sacro quando dico dentro di me, come una preghiera, il nome che *lui* doveva avere.

Ma se mi dici che non mi hai mai creduta, se dici che tutta la mia vita è stata falsa, vedi, è come se uno per tanti anni portasse fiori a una tomba credendola di sua madre, e poi gli dicessero che sua madre non è lì, è sepolta lontano. Allora, vedi: non è soltanto l'essersi sbagliati in una cosa. Ma su quella cosa era intessuta tutta una vita, tutto un mondo. E se crolla, c'è un grande buio e non si può dire quello che succede.

Ora vedo da lontano tante cose che non vedevo quando ero tra le tue braccia. Ho questo solo dolore: di averti dato così poco di me, la parte più misera e cieca; di non poterti dare oggi la mia anima più ampia, meno indegna di te. Ma so che quanto più passeranno gli anni, quanto più si addenseranno, qui intorno, le rovine e le tristezze, tanto più forte risuonerà il tuo nome.

E questo forse non sarà più amore: sarà forse più che l'amore, la comprensione di Dio dentro la vita.

E non è vero che tu non mi credi. Forse ti basterebbe pensare a un mattino di giugno e ad una distesa di papaveri, per *sentire* che non è vero che non mi credi.

Quando ti dissi che avrei voluto *donargli* tutta la luce, con i miei pensieri, prima che nascesse, *non erano* solo parole.

Non è una parola, ora *il peso* della sua «invisibile bara». *Non è* una parola, se ti dico che c'è, in quel *peso*, per sempre, il bene e il male, il *senso* di tutta la mia vita.

Cervi continua e continuerà a pensare ad Antonia, con una strenua fedeltà che a molti oggi parrebbe assurda, incredibile, ma che incorona di segreta grandezza il resto dei suoi giorni dedicati agli amici, ai libri e alla inestinguibile passione didattica. Spesso i visitatori della tomba di Antonia a Pasturo potevano trovare i suoi semplici fiori, raccolti tra i campi e il suo raffinato messaggio di fedeltà. Questi versi, tratti dall'*Antologia palatina*, ne sono anche l'epigrafe: «Ma io te supplico in ginocchio, o Terra che tutti nutri, lei che è tutta un pianto, dolcemente nel tuo seno avvolgila, o madre».

La nuova identità di Antonia sembra fissarla, in un deserto d'assenza, come una maschera tragica, come un'estranea finalmente consapevole del male nel mondo e, per questo, testimone di verità in un mondo ignoto e inumano.

Il volto nuovo

Che un giorno io avessi
un riso
di primavera – è certo;
e non soltanto lo vedevi tu, lo specchiavi
nella tua gioia:
anch'io, senza vederlo, sentivo
quel riso mio
come un lume caldo
sul volto.

Poi fu la notte
e mi toccò esser fuori
nella bufera:
il lume del mio riso
morì.

Mi trovò l'alba
come una lampada spenta:
stupirono le cose
scoprendo
in mezzo a loro
il mio volto freddato.

Mi vollero donare
un volto nuovo.

Come davanti a un quadro di chiesa
che è stato mutato
nessuna vecchia più vuole
inginocchiarsi a pregare
perché non ravvisa le care
sembianze della Madonna
e questa le pare
quasi una donna
perduta –

così oggi il mio cuore
davanti alla mia maschera
sconosciuta.

PARTE SECONDA

LA GIOVINEZZA
CHE NON TROVA SCAMPO

CAPITOLO I

UNA GENERAZIONE
IN CRISI E IN MOVIMENTO

Tra il 1930 e il 1936 una singolare generazione s'incontrò tra i porticati delle università milanesi e si formò tra studi e discorsi.[1] Tra quei giovani, Vittorio Sereni, Enzo Paci, Dino Formaggio, Remo Cantoni, Ottavia e Clelia Abate, Giancarlo Vigorelli, Luigi Rognoni, Giulio Preti, Guido Morselli, Daria Menicanti, Maria Adalgisa Denti, Giovanni Maria Bertin. Nomi noti a chi abbia qualche dimestichezza con la storia italiana del secolo appena tramontato: intellettuali e promotori di cultura che hanno attraversato le esperienze fondamentali del Novecento: le due guerre mondiali, il fascismo, la resistenza.

Un'ansia di conoscenza li pervade; per gusto, per intelligenza, prima ancora che per una decisa scelta ideologica cui alcuni approderanno poco dopo, si oppongono alla vuota retorica del regime.

In un tessuto sociale in cui l'élite intellettuale veniva considerata con rispetto e dispetto e cercava di affermarsi, questi giovani sentono che la redenzione dalla tragedia personale e collettiva della Storia sarebbe venuta dall'operare del loro pensiero. Bisogna seguire l'imperativo «aderire alla vita» per giocare l'ultima carta della sopravvivenza intellettuale e morale e aggrapparsi a qualcosa che «stia e resista» nella tempesta.

Lo scenario della loro maturazione culturale e civile è ancora una volta una Milano come grande porta aperta sull'Europa che sta cambiando anche nel suo assetto urbanistico.

La copertura dei Navigli, infatti, voluta in quegli anni, in applicazione del piano regolatore per permettere una più snella circolazione, tagliava i legami profondi della città con le sue vie d'acqua. Tra le città di pianura, Milano è l'unica che non ha un vero fiume e il suo legame con l'acqua è dunque profondo e segreto, come già aveva raccontato Cattaneo. Fin dal Medioevo gli abitanti avevano tracciato canali navigabili per facilitare incontri e scambi per combattere l'isolamento socio-economico e culturale a cui la natura avrebbe condannato la città. Questa iniziativa prelude alla cultura di traffici e commerci che improntano la mentalità progettuale e organizzativa milanese.

Milano in questi anni continua a essere protagonista dello sperimentalismo artistico come dell'imprenditoria editoriale. Alla crisi dei Treves, connessa anche al loro tragico destino di esuli e perseguitati politici, fa però seguito l'ascesa dei Bompiani, Mondadori, Rizzoli, editori di libri e periodici. Sventagliano nella luce grigia delle biblioteche i dorsi colorati delle nuove collane dense di novità elettrizzanti: «I Classici», «Le Scie», «La Medusa». Si comincia a differenziare una produzione di consumo da una di qualità, riducendosi il divario tra i nuovi fruitori, che vogliono essere sempre più colti e informati, e il mercato librario che distribuisce i suoi prodotti con una aggiornata conoscenza delle diverse esigenze dei lettori.

Accanto ai grandi editori esiste una produzione minore, un importante patrimonio riservato a lettori dai gusti sofisticati: per esempio Dall'Oglio, in proprio o con la sigla di Corbaccio, pubblica Svevo, il Mann della *Montagna incantata*, il Döblin di *Berlin Alexanderplatz*, il Joyce dei *Dublinesi*, il Lawrence di *Figli e amanti*, curati e tradotti da studiosi spesso invisi al regime. Tutti libri che facevano parte della biblioteca di Antonia, che li prestava agli amici non in grado di procurarseli.

Quel carattere pragmatico e bonario che Stendhal aveva amato, unitamente all'arguzia della conversazione pur riservata e garbata, animava i salotti milanesi, ma in essi cominciava a serpeggiare anche la tentazione dell'intolleranza che aveva fatto orrore a Parini, a Beccaria o a Foscolo, i padri della cultura civile non solo milanese.

A Milano, città trainante il capitalismo italiano, accanto alle attività produttive, si è sempre cercato di incrementare il commercio e lo scambio, da parte di una borghesia dominante capace di avviare uno sviluppo che pur garantiva la conservazione.

Affermatosi il regime, la classe alto e medio borghese, unita a un'aristocrazia colta e illuminata, spesso rivolta a iniziative culturali e benefiche, si colloca sotto l'ombra protettrice della dittatura per difendere i propri interessi economico-sociali, senza avviare un'opposizione politica diffusa e radicale, in modo da non precludersi i profitti nella mutata situazione.

L'atteggiamento liberale tenta ancora qualche equilibrio di compromesso: la posizione eclettica che vuole comprendere in maniera critica la modernità, tenta di assimilare anche alcuni aspetti del regime che più fanno comodo alle coscienze spaventate di ogni cambiamento in senso democratico.

Gli istituti accademici cambiano in questo periodo di sede o vengono ristrutturati. Il Politecnico lascia piazza Cavour per estendersi in modo tentacolare a Città Studi; la Cattolica, inaugurata nel dicembre 1921, si trasferisce nel 1931 da via Santa Agnese al Chiostro Bramantesco di Sant'Ambrogio, come una trionfale affermazione del Concordato del 1929; nel 1924 nasce l'Università Statale, che assorbe come Facoltà di lettere e filosofia la gloriosa Accademia scientifico-letteraria.

Ma sulla vita accademica si fa sempre più stretto il controllo del regime fascista, che soffoca la libera manifestazione del pensiero. Ricorda Piovene che un convegno di filosofia promosso da Piero Martinetti nel 1926 aveva urtato talmente gli organi politici da essere sospeso con la forza, con l'occupazione da parte dei carabinieri dell'aula dove si svolgeva.

Nel 1931 Martinetti doveva lasciare l'università e poco dopo, nello stesso anno, anche Giuseppe Antonio Borgese, una delle voci critiche più limpide dei primi anni del secolo, dopo una serie di azioni intimidatorie viene costretto ad abbandonare la cattedra di estetica. Elvira, amica di Antonia e allieva prediletta di Borgese, viene chiamata a testimoniare davanti al tribunale di controllo sull'attività antifascista del suo professore e trattata con estremo disprezzo dagli inquisitori. I sospetti sono trasformati in accuse e all'autore di *Rubè* non è più permesso di svolgere le indimenticabili lezioni alla presenza dei giovani e degli intellettuali più brillanti della città. Borgese ha rappresentato, prima di Banfi, il ponte tra l'editoria, il giornalismo e l'attività accademica. La sua forzata rinuncia dava un colpo vivissimo alle coscienze giovanili, inducendole di colpo a «risvegliarsi» e comprendere ciò che stava accadendo in Italia al libero pensiero. Non era più possibile volgere altrove lo sguardo per non vedere e, di conseguenza, non assumersi la responsabilità delle proprie posizioni.

Antonio Banfi subentra a Borgese e Martinetti nel ruolo importante in quegli anni di pensatore libero e controcorrente, propulsore di nuovi cammini del pensiero filosofico del tutto avulsi e in contrasto con la vuota retorica del regime o il monolitismo autoritario dell'idealista Gentile. Gli vengono assegnate – cosa mai successa prima – due materie: storia della filosofia ed estetica: cattedra unica in Italia, a quei tempi.

Una concezione, la sua, in cui nulla doveva godere di aprioristica supremazia, in cui erano abolite le concezioni gerarchiche e dogmatiche del sapere, per cui viene superato anche il concetto di «fine dell'arte», per orientarsi su una responsabilità più sottile e meno arbitraria del fruitore rispetto all'opera.

Un'esacerbata coscienza della *crisi*, in questa palestra di idee coraggiose e antagoniste, conduce alla disperata accettazione di un destino deviante. Anche Antonia sente il «vizio assurdo» e insidioso nella propria natura, uno scollamento della parte più salda di sé, una discesa *à rebours* nell'insonne materialità della vita, che poi studierà immergendosi nell'opera di Huxley. Si lascia indietro ogni fantasticheria alla Bovary per infliggersi piuttosto il tormento dell'artista moderno, se l'arte possa essere la vocazione ineludibile che impone la rinuncia ai beni comuni della vita. Conosce l'impossibilità di essere normale, e le sue relazioni hanno una forte impronta letteraria: lei, Antonia, è il polo negativo; è *Tonio*, come amava farsi chiamare, dal *Tonio Kröger* di Thomas Mann: l'artista che non è in grado di vivere la vita ma solo di rappresentarla.

All'Università Statale di Milano, allora in corso Roma (l'odierno corso di Porta Romana), si incontrano, dunque, studenti che contrassegnano coi loro nomi, con la fama delle loro opere, un'intera stagione della cultura italiana. Hanno tutti, per obbligo, la tessera del GUF (Gruppo universitario fascista), partecipano ai littoriali e a tutte le altre manifestazioni messe in atto dal ministero della Cultura per irreggimentare i giovani, ma leggono Rilke e Dostoevskij, hanno la testa dentro le cose della politica più che altro per dileggiare il cattivo gusto del regime: dalle adunate oceaniche alle sfilate in fez e camicia nera. Libro e moschetto? Non per gli studenti che seguono le lezioni di Borgese, Baratono, Terracini, D'Ancona, Monteverdi, Castiglioni, Banfi, tutt'altro che conformisti. L'educazione idealista ricevuta si scontra con le restrizioni autoritarie del regime. Abituati a una cultura umanistica che comunque rivendica la libertà e la dignità autonoma della ricerca e del pensiero, difficilmente i giovani si sarebbero rassegnati al supino omaggio al principio totalitario. Eppure, non si può dire che ci sia un dissenso organizzato: lo scontento e la ribellione serpeggiano sotterranei, presto configurandosi in direzioni precise di pensiero, guidate dai *maîtres-à-penser*.

Le lezioni di Vincenzo Errante su Rainer Maria Rilke, per esempio, vanno schiudendo nuovi mondi di pensiero e nuove strategie nell'interpretazione della letteratura tedesca come fondamentale tramite con il mondo culturale mitteleuropeo. Oggi difficilmente si possono provare le emozioni che provavano i ragazzi di allora, chiusi in qualche grande aula ad anfiteatro ad ascoltare le affascinanti lezioni di alcuni di questi docenti magnetici, da cui la vita del pensiero scorreva suscitando progetti e riflessioni concatenate.

Le minacce belliche stringono l'umanità da vicino, dall'Etiopia alla Spagna: il compromesso politico poteva forse essere nobilitato dall'impegno culturale, con iniziative partite dalla sede stessa del GUF, dove, per esempio Gian Luigi Manzi, uno tra i più brillanti studenti di Banfi, su suggerimento di Enzo Paci, espone con caldo e corposo linguaggio i contenuti della sua tesi su Thomas Mann, con uno slancio rapinoso che coinvolge tutti i presenti. Su Mann, Manzi aveva chiesto la tesi nel 1935, ma, all'indomani della conferenza di presentazione del suo importante lavoro, si uccide, costituendo anche per Antonia un'emblematica testimonianza del disagio della sua generazione.

Ma dal GUF partono anche le iniziative teatrali di Paolo Grassi, poi fondatore del Piccolo Teatro di Milano, di Alberto Lattuada e Nelo e Dino Risi nella cinematografia sperimentale; per non dire del ribollente magma della progettualità artistica che porterà ai capolavori dell'espressionismo in arte e del razionalismo nella progettazione architettonica e nel primo *design*.

Tra questi giovani spiccano le personalità di Antonia e di Vittorio Sereni, i più timidi «poeti» del gruppo. Di Sereni, Leone Piccioni ricorda il «modo schivo di confidarsi, il suo rossore improvviso, per cose che lo tocchino a fondo o per intuizioni improvvise».[2]

Antonia e Vittorio camminano per le stesse strade, ascoltando le stesse voci, e si fanno interpreti, nella loro poesia, di quello stato di diffusa minaccia, di angoscia esistenziale e di bisogno di fuga nell'incanto amoroso che costituiva la vita di un giovane intellettuale d'anteguerra. Spesso discutono di poesia tornando dall'università alle loro case, Antonia in via Mascheroni e Sereni in via Pagano. Entrambi sono timidi e sono soliti trattenere l'emotività, ma sono buoni parlatori. Anceschi così racconta il «mito» dell'apparizione di Sereni nel gruppo: «capitò tra noi sotto i calmi loggiati e nelle docili e chiare luci lombarde tra i vetri colorati delle biblioteche. Aveva un'aria gentile, e un poco lunare. (...) Nel nostro gruppo egli portò una sua ilare malinconia e un'aria di discrezione assorta, in un tempo vero di immagini».[3]

Con un celebre verso di una poesia composta nel '36, Sereni condensa il senso di un'esperienza, spiegandola poi in un volume di saggi dedicato a «Corrente di vita giovanile».[4]

> Il verso finale di una mia poesia del '36, dunque precedente alla fondazione del periodico, presume oggi di condensare il senso preciso, rispetto a quello vago che allora aveva in me, del nostro modo di essere in quegli anni: *la giovinezza che non trova scampo*. Più realisticamente e meno letterariamente si dovrebbe dire: che non trova sfogo. Non trova sbocco, non trova appigli, non sa a che cosa applicarsi, a che cosa tendere.

Sereni diventa presto popolare tra i compagni interessati alla poesia: ottiene il secondo posto, dopo Leonardo Sinisgalli, a un concorso organizzato nell'ambito dei Littoriali della cultura, insieme a colui che diventerà uno dei suoi migliori amici, Giosue Bonfanti. Con altri letterati e poeti, tra cui Giancarlo Vigorelli, Giansiro Ferrata, Sergio Solmi, Roberto Rebora, Alberto Vigevani, Carlo Bo, si riuniscono in alcuni famosi caffè milanesi. Se per caso si trovano al Savini, vi incontrano di sicuro anche il geniale Alberto Savinio e Salvatore Quasimodo, da poco immigrato a Milano con l'incarico di ispettore minerario in val Masino. Anche Alfonso Gatto, come era in voga nei caffè parigini, era abituato a scrivere i suoi testi al tavolino del Savini, quando non era distratto dalle chiacchiere dei numerosi amici e degli artisti di passaggio.

Rievoca Bonfanti, citando Vigevani:

> Ricordo la piccola accademia che si riuniva nel bar-tabacchi di piazza Sant'Alessandro, tra l'omonima chiesa e palazzo Brivio. Era per diritto presieduta da Luciano Anceschi (...) più anziano non soltanto di me (...) ma di tutti: Sereni, Giosue Bonfanti, Giuliano Carta... Chiamavamo il bar-tabacchi «Baccanino», nome dato da Sereni che veniva fresco da Brescia dove, dal vicino dialetto veneto *bacan* o *baccano* significa «osteria di basso rango» (il nostro «trani»).[5]

Molto stretto anche il sodalizio artistico e intellettuale con il gruppo di «Corrente», guidato dall'artista Ernesto Treccani, dal quale deriva la rivista «Vita giovanile», divenuta poi «Corrente di vita giovanile». Al movimento partecipano attivamente gli allievi di Banfi già citati, oltre a Raffaele De Grada, proponendo, anche nel dibattito filosofico, le più avanzate direzioni di pensiero. (Il 10 giugno 1940, il giorno dell'entrata in guerra dell'Italia, la rivista fu soppressa da Mussolini.)

Le prime poesie di Sereni passano di mano in mano ancora «calde di ispirazione», come ricorda Luciano Anceschi. Anch'egli, infatti, anima con il suo spirito garbato le conversazioni, insieme a Bonfanti e De Grada che discutono scherzosamente con Paci. Si poteva sentirli disputare con esemplare spirito dialettico del passo in cui Banfi vede Nietzsche come filosofo organico della «crisi». Ma che ne è di quella idea moderna dell'umanità? E come davvero la soluzione potrà essere immanente alla vita? Discutevano di Kierkegaard, Marx, Dostoevskij, Nietzsche e delle verità del mondo attraverso la crisi che ne ribalta i valori. Proseguivano i colloqui mattutini, spegnendo montagne di sigarette e lasciando i bicchieri vuoti nel caffè di piazza Sant'Alessandro.

Come tutti i giovani, Sereni e gli altri giovani «poeti» s'innamorano anche per desiderio di conoscenza, ma la loro concezione dell'amore è neoplatonica, come se la donna fosse anche presenza numinosa e visione sempre da recuperare alla realtà fenomenica.

Il tema dell'opposizione tra arte e vita, posto dal *Tonio Kröger*, in una continua tensione, sarà interpretato singolarmente nell'intero percorso lirico di Sereni: che affianca alla «mitologia negativa», cara ai poeti della crisi esistenziale, un continuo ricorso alle ragioni del cuore, ai luoghi topici che ricompongono la personalità lacerata nell'accoglimento antico della terra e della memoria.

Ma anch'egli, al pari dell'amica, ancora sofferente della rinuncia all'amore con il professor Cervi, ha l'impressione d'inseguire fantasmi più che persone reali e alimentare passioni costruite con l'immaginazione e che non colmano mai la vita, come un calco di sogno non concreta il desiderio.

Entrambi avrebbero dovuto gettarsi nella vita, ma la mediazione intellettuale e il neoplatonismo letterario impedivano di accettare il magma non decantato della realtà, confusa, volgare.

Vittorio Sereni, nato a Luino, sul lago Maggiore, al confine con la Svizzera, è poeta «di frontiera». È il tema appunto della *Frontiera*, che torna, nella sua prima raccolta, legato a significati anche metaforici. Mentre la madre era anch'essa di famiglia luinese, il padre, di origine campana, impiegato alle Dogane, aveva aderito al fascismo, per uscirne dopo il delitto Matteotti. Sereni segue nelle scuole private le elementari; compie invece gli studi medi e liceali a Brescia, dove era stato trasferito il padre. Si iscrive nel 1933 all'Università Statale di Milano, prima alla Facoltà di giurisprudenza, passando poi a quella di lettere. Con Banfi si laurea nel 1936, con una tesi su Gozzano rifiutata dal professor Galletti, titolare della cattedra di letteratura italiana, perché considerata «troppo moderna», cosa che gli impedisce di ottenere la lode (decisione che suscitò un vero scandalo tra i compagni) ma non lo induce certo a rinunciare a candidarsi come assistente volontario.

CAPITOLO II

LE RAGIONI DELLA MEMORIA

A ntonio Banfi è colui che diffonde più di ogni altro i principi di una cultura libera e antidogmatica, vera erede dell'illuminismo europeo e di un razionalismo colto fondato su un concetto antinichilista della «crisi» come portatrice di impegno attivo.

«La filosofia di Banfi» scrive Cantoni, insistendo giustamente sugli aspetti di *cultura della vita* «è una filosofia d'intonazione razionale e critica ma è *eo ipso* una filosofia della vita, una filosofia dell'esperienza, una filosofia della cultura, una filosofia che illumina la trama della storia e prepara un umanesimo energico e fiducioso. L'*ethos* originario da cui parte la filosofia di Banfi e in cui si radica la sua stessa personalità, è un *amor vitae* che coincide con una *meditatio vitae,* una ricerca della realtà nella varietà dei suoi piani e dei suoi aspetti.»[6]

Del tutto inadeguata quindi e tendenziosa è l'opinione di coloro che vedono in Banfi un «maestro di morte», attribuendogli la responsabilità della frequenza dei suicidi tra i suoi allievi e seguaci.

Fare filosofia, secondo Banfi, non è *insegnare a morire* come diceva Montaigne, ma appartenere alla morte e alla vita con un atto di continua e sempre incompiuta ricerca: un gesto socratico che si compie attraverso una continua purificazione e liberazione dell'atto intellettuale da tutte le incrostazioni dei pregiudizi e le sovrapposizioni imposte dai dogmi.

L'insegnamento di accettare integralmente la vita, la realtà, la storia, la natura, che egli deriva da Spinoza, da Hegel, da Goethe, non vuole dire accettare indiscriminatamente ogni aspetto di essa, ma fronteggiarne la totalità anche nelle sue dimensioni più contraddittorie. Anche la lezione di Goethe si conclude in una pacificata accettazione della vita, nella distanza dalla vana immaginazione in nome di una fantasia ragionata che liberi la realtà dagli idoli.

L'*amor vitae* di Banfi, insomma, non ha a che fare con i disordini dell'irrazionalismo, ma con la convergenza tra vita e ragione.

Nel gruppo degli studenti di Banfi, le ragazze sono vivacemente presenti, ma relegate a un ruolo secondario, malgrado l'eccezionalità della loro intelligenza e cultura. Maria Adalgisa Denti, per esempio, è generosissima nell'organizzare iniziative culturali; fonda poi una piccola casa editrice che darà alle stampe alcuni libri importanti della letteratura e del pensiero contemporanei: citiamo, per tutti, la prima edizione italiana delle *Poesie* di Emily Dickinson (tradotte da Marta Bini), prima conosciute solo attraverso sporadiche traduzioni su riviste specialistiche.

Clelia Abate, sorella di Ottavia (entrambe, poi, insegneranno storia e filosofia nei licei) resterà accanto al filosofo per trent'anni, condividendo una stupenda e segreta storia d'amore e un grande sodalizio intellettuale, politico e culturale che li vedrà uniti in tante battaglie, ma di cui la famiglia di Banfi, per la riservatezza di entrambi, non riconoscerà mai la centralità nella vita del filosofo. Clelia, poi, dal carattere combattivo ma estremamente pudico e ostile al risalto pubblico, non

vorrà mai, fino alla morte, avvenuta recentemente, far conoscere l'importanza di questo legame nell'evoluzione dell'uomo
Banfi, opponendosi alla pubblicazione delle sue lettere, scritte
quotidianamente, dagli anni del magistero milanese alla poltrona di palazzo Madama.

Lei che, in seguito, ha voluto dedicare le superstiti energie
della giovinezza alla lotta antifascista e alla ricostruzione del
dopoguerra è stata la vivente testimonianza della generosità di
questa generazione.

Antonia si iscrive nel 1930 alla Facoltà di lettere e filosofia.
Molto stimata, desta pure qualche diffidenza: per l'eleganza
più imposta che scelta, con il comportamento libero, anti-
conformista, mescolato alla timidezza che la induce a nascondere maldestramente gli eccessi emotivi. Antonia incute timore
tra gli amici e attira sospetti per il contrasto tra la sua riservatezza e la naturalezza con cui vive appieno i rapporti affettivi.

È Antonia a prestare i suoi introvabili libri di letteratura
straniera contemporanea, ordinati o acquistati direttamente
nelle librerie di Parigi, Berlino, Londra, mostrando agli amici
i suoi privilegi con l'aria di vergognarsene e, per questo, mettendo tutto il suo patrimonio a disposizione, come fosse un
bene necessariamente da condividere.

Banfi è «il maestro» anche per lei, ma egli non la capisce del
tutto, diffida un po' della sua irruenza passionale, della sua
ricca attitudine poetica che a lui sembra pericolosamente
compensatoria delle lacune affettive. Antonia sente questo implicito «rifiuto», che non sa cogliere le sue ragioni intime, la
sua inesauribile fame intellettuale, e si ritira per difesa in se
stessa, desiderando certo mostrargli la sua parte più vera,
profonda, a cui tiene di più, che rappresenta il suo nucleo esistenziale, ma preferendo poi nascondersi proprio in quel personaggio che gli altri vogliono che sia, per non doverne affrontare le complessità.

Si chiede Thomas Mann all'inizio delle *Considerazioni di un impolitico*: «Non ha forse ragione Georg Simmel quando afferma che con Nietzsche la *vita* è diventata il concetto chiave di ogni moderna visione del mondo?». Da questa affermazione si comprende come la filosofia della vita fosse diventata una corrente fondamentale nel pensiero del Novecento.

Questo legame tra Mann, Simmel e Nietzsche costituisce il nodo risolutivo della cosiddetta poetica della «crisi» di quegli anni e in particolare del tentativo di superarla attraverso la scelta della poesia da parte di Antonia, che quasi, nella carne della sua vita, sembra anticipare certe posizioni di Heidegger sulla poesia salvifica.

Il rapporto tra arte e vita – anzi, tra «estetismo» e «borghesia» – è al centro dell'opera di Mann, dai *Buddenbrook* al *Tristano*, da *Tonio Kröger* alla *Morte a Venezia*, dal *Doktor Faustus* al *Felix Krull*; ed è un concetto che Mann lega proprio al rapporto tra forma e vita nella teoria di Simmel.

C'è un'altra predilezione che costituisce un momento analogamente importante nella vita di Antonia, quella per Stefan George, il propugnatore in poesia della tendenza dell'*art pour l'art*, con il motto di «scelta, misura, accordo». Da qui parte Simmel ragionando dell'autonomia dell'arte: «L'opera deve essere un cosmo basato assolutamente su se stesso...». Ma in Mann, la perfezione dell'arte non può essere separata dalla totalità delle forme viventi. Ogni grande artista, secondo Simmel, ha anche vissuto intensamente la vita. Dunque la vita è per l'arte come l'arte per la vita. Aprirsi al mondo dell'arte fa scoprire una dimensione al di là della vita, ma grazie al controllo dei mezzi espressivi.

È nella personalità artistica che si può trovare il ponte di raccordo tra arte e vita: la personalità non viene ricavata da dati biografici esterni ma dall'opera in cui è oggettivata.

Secondo Simmel la vita è *più vita* – secondo l'espressione già usata da Nietzsche – quando trascende la sua forma attuale, e *più che vita* («vita che va verso la forma dell'arte») quando va oltre quel piano di contenuti logici che ha prodotto e che da essa si sono staccati.

Banfi aveva conosciuto Simmel all'Università di Berlino nel 1910. Ebbe modo di assimilarne l'impostazione antidogmatica e un nuovo orizzonte di intuizioni critiche. Poi, giunto alla cattedra di storia della filosofia dell'Università di Milano, tiene in quella sede nel 1933-34 il suo corso su Nietzsche, evidentemente influenzato da queste linee di pensiero.

Presentando il corso, Banfi dice che due ragioni l'hanno spinto a dedicare il corso alla filosofia nietzschiana: la prima, di carattere personale, nasceva dal desiderio di rendere omaggio al pensatore che in anni di ricerche «condotte fino alla nausea» (testuali parole), l'aveva «ricondotto con nuovo amore e interesse agli studi filosofici»; la seconda, di carattere culturale, derivava dalla particolare posizione storica di Nietzsche, come colui che aveva aperto le porte al sapere del ventesimo secolo.

Ma la ragione più importante, che stava dietro anche alle altre, sta nella forza antidogmatica di quel pensiero, che fa saltare tutte le vecchie strutture metafisiche e ontologiche su cui si era basato l'antico sistema del sapere.

Ma allora, le tensioni culturali ingabbiate tra le maglie del regime lasciano presagire soltanto, senza che possa essere espressa, la possibilità di un totale rivolgimento del pensiero critico. La posizione di Banfi è estremamente coraggiosa e anticipatrice.

Per Banfi, Nietzsche rivaluta la forza della spontaneità creatrice ma oltrepassando l'idealismo romantico, come afferma la positività assoluta della vita nel mito di Zarathustra. Anche dal punto di vista morale, la coscienza e il reale possono essere riunificati nel flusso danzante della vita sentita.

Fino ad allora era prevalsa una lettura influenzata dall'idealismo romantico e alimentata dalla stessa tragica esistenza del filosofo oppure da un certo nichilismo estetistico altoborghese, che avrebbe portato alle degenerazioni razziste della fuorviante interpretazione del Superuomo.

Tanto più meritevole lo sforzo di interpretazione oggettiva e razionalistica tentata in quegli anni da Banfi e offerta esemplarmente ai suoi allievi come metodo critico. Nietzsche solitario e incompreso, costretto dalla follia al definitivo silenzio, presenta il modello di un pensatore disancorato, inattuale, ma anche il senso della rinascita filosofica dopo la morte di Dio che ritrova, tra i meandri della finitudine tragica della storia, il volto gioioso della vita che cresce e si riforma a ogni istante.

Dunque Banfi individua in Nietzsche una delle espressioni più alte della coscienza filosofica di una crisi esistenziale e culturale del mondo contemporaneo. In quei tormentati anni Trenta in cui tiene il suo corso su Nietzsche egli ha una coscienza profonda e lucidissima delle problematiche della crisi. Nietzsche diventa, con Kierkegaard, Marx, Dostoevskij, uno dei più grandi e naturalmente diversissimi interpreti della crisi dei valori che aveva investito l'Europa.

Si richiedeva alla coscienza del singolo la capacità di attraversare la rinuncia e la disperazione per trarre dalla vita comunque una gioiosa certezza, una gioia che aveva l'amarezza dell'«allegria di naufragi», che aveva la lacerante consapevolezza della irrimediabile solitudine che Rilke trasmette come insegnamento morale ed estetico nelle *Lettere a un giovane poeta*.

Per cui Banfi vede, in questi orizzonti – entro i quali gli individui cercano e sperimentano il fatto che «nel loro dolore e nella loro tragedia è la misteriosa verità del mondo, la sua certezza e consacrazione positiva» – la figura di Nietzsche come quella che delinea «la più grande ed organica critica della cultura» (la soluzione è dunque vitale, resa possibile da un atto di vita che trascende la vita stessa, anche se non in senso religioso).

Questa concezione della vita soccorre tanto più in un'ambizione biografica: «Ciascuno» dice Banfi «rappresenta una direzione inconfondibile della vita; ciò che noi vogliamo essere potrà paragonarsi alle aspirazioni altrui o analoghe ma la *direzione del nostro io*, che forma la sua storia, è strettamente individuale». La personalità è solo in parte forgiata dalla situazione sociale e temporale: la realtà di ognuno è ciò che la persona ha potuto e può essere, la direzione essenziale della sua vita intima.

> Tutta la vita di ognuno non è che una perpetua tensione tra ciò che egli vuole essere e la potenzialità del suo spirito, e questa potenzialità cerchiamo di afferrare nella speranza che giustifichi i nostri ideali. Nello stesso tempo, la scoperta di questa spinta interiore assoluta ci pone al di là di ogni valutazione fissa, ci restituisce la tranquillità di fronte ad ogni vicissitudine: tutti i fatti, dei quali siamo attori e spettatori insieme, assumono il valore generico di esperienze atte a corroborare la nostra vita nel suo cammino, nella sua direzione, che è veramente al di là del bene e del male.[7]

Antonia va raccogliendo i suoi appunti, e continua a riflettere sulle complessità di quel pensiero e a confrontarle con quelle che riteneva le contraddizioni del suo spirito. Se non si affrontano gli aspetti di tensione vitale proposti dagli autori citati che lei va studiando in quegli anni, risulta molto difficile comprendere certi atteggiamenti culturali di Antonia nel periodo della sua formazione.

Dal suo quaderno inedito di appunti universitari:

23-2-31

Qual è il problema della vita?
Anatomizzare opere d'arte viventi è difficile. Qual è l'atteggiamento del romantico di fronte alla vita? Di fronte alla realtà determinata che limita l'uomo in sé, l'uomo sente una forza personale di ringiovanimento, un divino racchiuso nell'animo, un'ansia inappagata verso ideali che non si raggiungono. Ribellione del divino alla determinazione della vita. Quando l'uomo è uomo fra uomini sente la divinità nel mondo, lotta tra finito ed infinito che sono ora nell'io ora nel mondo.

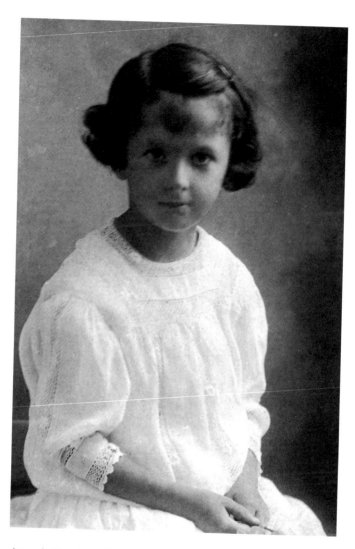

Antonia Pozzi bambina (1916).

Champoluc, ottobre 1937.
Antonia descrive così questa foto inviandola con dedica a Dino Formaggio: "È l'immagine più cara che ho di me, dove sembro più un ragazzetto che una donna e ho addosso e intorno tutte le cose che più amo: i miei scarponi, il cappellaccio a fungo, la bella neve bianca, le pietre, il legno; qui è l'essenza, il midollo, la fibra viva e contrattile della mia vita".

Sopra, Antonia a Madonna di Campiglio (gennaio 1935).

Sotto sul pennone della nave Oceania durante la crociera dell'a-prile 1934.

A Santa Margherita Ligure (giugno 1929).

Antonio Maria Cervi.

Annunzio Cervi.

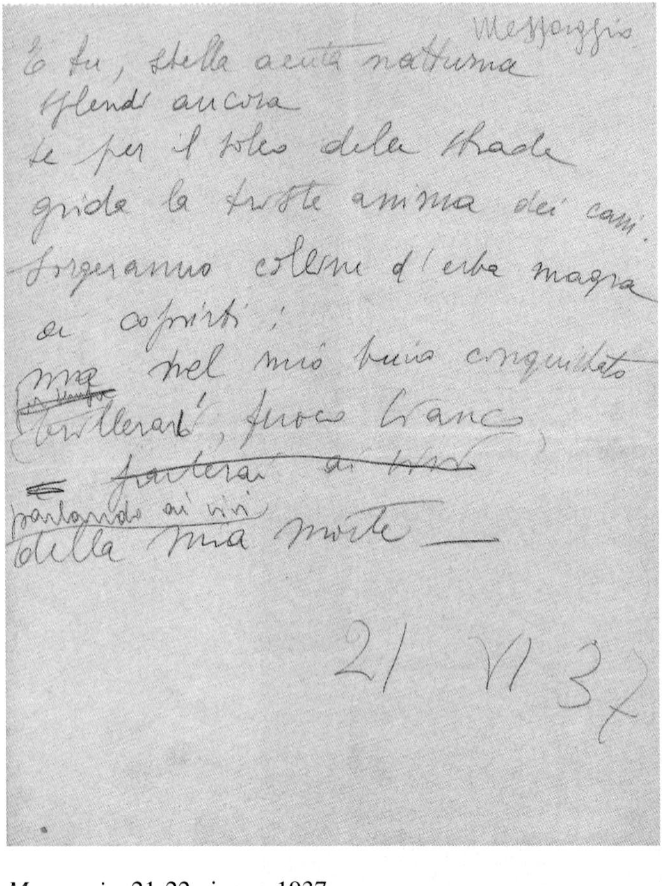

Messaggio

E tu, stella acuta notturna
splendi ancora
se per il solco della strada
guida la triste anima dei cani.
Sorgeranno colline d'erba magra
ai coprirti;
ma nel mio buio conquistato
brillerai, fuoco bianco
~~farterai ai vivi~~
parlando ai vivi
della mia morte —

21 VI 37

Messaggio, 21-22 giugno 1937.

Studio di Antonia a Pasturo.

Antonia con il padre al tennis di Pasturo (1928).

A destra, sopra: Antonia con la nonna a Pavia nel 1937.

Sotto: alla Zelada di Bereguardo con (a partire da sinistra) la madre, la nonna, il padre e le zie (1935 circa).

Quattro fotografie di Antonia.
Il portalettere (1938).

Flora alpina (1937).

Il silenzio (1938).

Strada a San Frut-tuoso (1938).

Il gruppo di Banfi: da sinistra a destra, in secondo piano: Vittorio Sereni, Antonia Pozzi, Remo Cantoni, Alberto Mondadori, Enzo Paci, Antonio Banfi; in prima fila, tra Ottavia e Clelia Abate, Isa Buzzone, un'amica di Barzio (Pasturo, estate 1935).

Da sinistra: Vittorio Sereni, Antonia Pozzi, Remo Cantoni; sotto: Alba Binda (Milano, febbraio 1935).

Remo Cantoni a Pasturo (estate 1935).

Antonia nel 1937.

Con i suoi alunni della I H inferiore, Regio Istituto Tecnico Schiaparelli, anno scolastico 1937-38.

Antonia nel 1937.

A Casorate Sempione nel maggio 1937.

Quando l'uomo vuole essere superuomo ed imporsi all'umanità e nell'umanità semplice comune dalla quale nessuno ha il diritto di sottrarsi. Ecco l'insoddisfazione continua.

Insoddisfazione della realtà, la verità, l'albero della scienza che per 2 secoli ha rappresentato l'ultima speranza, l'ultimo desiderio umano, come è povero.

Il pensiero vuole riunire Dio all'uomo, ma ogni verità che definisce il mondo o la mia personalità indefinibile è falsa. È la vita, la meta, non la verità. Ma che vita? Qualunque essere vivente noi raggiungiamo è inferiore e con esso esce la nostra inferiorità. Non è che l'animalità della vita che esce. Ecco il travaglio dell'umanità che sbocca nel suicidio: due concetti affiorano di essa. 1) liberazione negativa della problematica della vita, ogni soluzione di essa ci sfugge. È un'amarezza troppo grande questa delusione continua. Non c'è mai una bontà calma e serena che regna tra noi ma una malvagità continua. 2) valore positivo. Cessare di morire lentamente, nulla si perde e si dissolve, si ritorna in grembo al divino, alla vita generale. L'ora della morte non è un oscuramento ma una partecipazione alla vita totale del tutto, la fine del nostro isolamento.

L'amore è l'inizio della morte in quanto è il perdersi di un'anima in un'altra, nel momento che l'anima ha perso la propria individualità ha riempito la realtà del suo amore – lo stesso avviene con la morte.

L'invito è a meditare su Goethe, sul dissidio romantico tra l'anima e il mondo, sull'impossibilità di una conciliazione che attende come una tragica sconfitta l'artista romantico.

Giovane Werther. Non parliamo della tragica efficacia sul mondo, ma del motivo intimo e profondo che lo caratterizza. Egli è un poeta anche se non scrive poesie di fronte al mondo mediocre che lo circonda. L'impaccio della gioventù vera del poeta desideroso di gloria di fronte al mondo povero, miserabile. Ma il mondo tutto si trasfigura di fronte alla primavera dell'anima del giovane. Primavera come sensibilità di vita, di tutto il mondo che tutto si muove e si agita. Qui il paesaggio è tutto percorso da vita non sfondo a Werther ma da lui pervaso e dalla sua giovinezza. Come il mondo della natura è il mondo degli uomini: la trasformazione del mondo ha il suo centro in Carlotta. Goethe ce l'ha data come l'ha veduta Werther.

Tutta l'umanità gretta è dimenticata, non abbiamo di fronte a noi che la freschezza dell'amore. La donna ha la sua realtà nel mondo, i sogni dell'amore vi urtano contro e con questa realtà risorgono tutte le altre miserie reali del mondo e a Werther si rivelano quando si è spezzato il centro del sogno del suo amore. E quanto più la donna amata si toglie alla speranza del giovane di una promessa d'amore e di sogno senza realtà, tanto più tutto il mondo si rivela ostile e gelido.

Così si arriva al suicidio, ma esso non è un fuggire ai fastidi del mondo ma un raggiungere quella vera vita che l'illusione del tuo cuore aveva creduto di trovare nel mondo.

La ribellione in lui di fronte alla realtà, il desiderio di superare le determinazioni delle cose è appunto il desiderio del suicidio, il richiamo dell'animo verso ciò che non sarà mai determinato e che non inganna mai.

La scommessa di Faust, la conquista dell'attimo, non sarà che un ribadire ancora una volta la sofferenza di accettare il male e il limite del reale, ma l'impulso demiurgico a superarlo si trasforma in tragedia dell'impossibilità.

Tali saranno i frutti in Antonia del razionalismo critico banfiano. Del resto, secondo il suo pensiero, la filosofia non è metafisica, ma sapere della vita profonda, molteplice e armonica, sapere non dell'essenza ma dell'esistenza, non dell'ideale ma del reale. Scrive Banfi:

> La realtà è vita appunto perché realizza e vive nelle sue forme ideali la trascendenza ad ogni suo aspetto della propria unità, del proprio profondo significato, perché questo non è mai raggiunto come una forma sistematica dell'essere, ma celebrato in piani ideali di creazione in cui la sua potenza non si esaurisce ma si feconda. La tensione tra trascendenza e immanenza che nessuna forma dello spirito può annullare in sé, sembra potersi liberare dall'assurdità dell'interna opposizione, solo sollevandosi nella filosofia a forma ideale della vita dello spirito, in cui questa diviene (...) sempre più vita, anzi più che vita.[8]

L'idealità di ogni momento dell'esperienza non è mai atto puro, definitivo, risolutivo della realtà: è il senso unitario, il principio di vita e di movimento di un mondo di creazione spirituale. Nessuna opera d'arte realizza totalmente in sé la sua bellezza, ma in infiniti gesti dell'esperienza sempre parziale e relativa. La razionalità, dunque, si configura come sistemazione all'interno del contenuto del conoscere, capace di ordinarlo e di connettere i vari piani di intuizione senza consumarsi in una prospettiva particolare, ma coinvolgendole tutte in sé, nessuna come definitiva.

Antonia entra nella stanza di Banfi, piccola e austera, che contrassegna la presenza di un uomo che alle cose dedica solo un'attenzione distratta. Librerie nere, un'acquaforte della Sistina, una stampa dello studio di Faust davanti alla scrivania. Dà su un cortiletto e sui rossi comignoli di Milano. Nulla stupisce più di quei fiori di celluloide rosa infissi in un vaso: una stonatura inaccettabile in quell'ordine sobrio.

Banfi sta seguendo il lavoro di tesi che Antonia dedica alla formazione letteraria di Flaubert. Egli pensa che a quella ragazza intelligente, ma ancora confusa nel progetto esistenziale e morale, sarebbe stato utile concentrarsi sul passaggio all'oggettività di uno scrittore che al dramma tra vita e sogno aveva dedicato il suo più importante romanzo. In cuor suo Banfi non ha mai smesso di ritenere Antonia una specie di Emma Bovary, ammalata della forza irrealizzabile dei suoi sogni.

Anche adesso, che la osserva muoversi con estrema circospezione e timidezza tra cose solide e poco delicate, è commosso dalla sua fragilità, ma non riesce a comprendere la fonte profonda della sua insicurezza.

Dopo alcune osservazioni sulla prosecuzione, lenta ma meticolosa, del lavoro e il rendiconto del viaggio compiuto per consultare a Parigi i manoscritti originali alla Bibliothèque Nationale (non un giorno di più per respirare l'atmosfera eccitante della capitale, ma solo lavoro e lavoro sotto una fioca lampada), Banfi sembra desideroso di trattenerla ancora a parlare. È affabile, estremamente gentile, persino un poco incuriosito.

Antonia rammenta i suggerimenti di Sereni: parlagli della tua poesia, esci dalle incertezze sul suo valore oggettivo.

«Oh, sì, mi porti qualche saggio dei suoi versi» le dice Banfi, con gli occhi sinceramente illuminati di interesse.

Dunque, la sua poesia: prima solo rifugio e sfogo lirico, questa sua poesia laboratorio di vita, iniziata per sperimentare i propri mezzi, avrebbe dovuto essere letta da Banfi: egli stesso glielo richiedeva. Avrebbe dovuto farla uscire dal limbo dell'inconsapevolezza o dell'emozione sregolata, per farla divenire impegno di vita e disciplina di stile.

Gli ha detto che scrive versi... Non era per giustificare la sua inerzia, la difficoltà di concentrazione: forse solo per aprire una breccia nel sé, fornirgli una prova della sua originalità, della sua difficoltà a essere oggettiva, controllata.

Ma Antonia vede chiari i limiti della sua volontà di espressione e vuole ritrovare un nucleo forte, anche etico, attorno a cui rafforzare le proprie energie creative.

«Utile è già il fare in sé, significativo è il lavoro» le dice Banfi (come lei scrive sul diario il 4 febbraio 1935). Nel creare si trova una soluzione alla vita: «l'evasione dal reale nel fantastico è lecita solo quando venga scontata con la pena attiva dell'espressione».

Riflette sui giorni della *Vita Sognata*, sul senso di quel sacrificio. Quell'esperienza poteva essere solo riscattata dalla poesia: quei dieci fogli in cui racconta la triste parabola dell'amore per Cervi.

Il dubbio sulla validità del proprio lavoro la tormenta. Ma non è dai giovani amici che si considerano già esperti che potrà avere incoraggiamento o consigli davvero attenti al suo valore.

In genere, accadeva che consegnasse a qualche amico i suoi scritti di poesia come pegno del suo bene, come dono di una parte intima di sé, ma raramente li aveva dati nella speranza di avere anche un consiglio, un parere. È accaduto con Enzo Paci, il dostoevskiano, colui che si avviava a diventare l'iniziatore dell'esistenzialismo italiano, forse il più determinato tra loro a compiere il cammino di studioso senza incertezze o rimpianti per la rinuncia a una vita comune.

Torvo, bizzarro, affascinante Paci: il più ossessionato dai temi della morte e del male. Nel suo pessimismo cosmico il più pronto all'esplorazione di nuovi universi interiori e il più lucido a registrarne il limite.

Questa sua stagione torbida si riflette anche nelle sue esperienze sentimentali. La continua riflessione di vita e morte lo porta a tentarne una congiunzione attraverso l'esperienza amorosa. Fare l'amore in una bara fasciata di raso non è neppure un cerimoniale perverso, ma un gioco cerebrale per chi altrove tenta una risoluzione degli enigmi esistenziali.

Antonia gli fa leggere le sue poesie. Il suo giudizio suona quanto meno equivoco, anche se il giovane filosofo alludeva senz'altro all'essenzialità e alla rarefazione necessaria all'ispirazione lirica: «Scrivi il meno possibile». Il colpo è durissimo per Antonia, perché giunge come la riprova dei suoi dubbi più profondi e agisce sulla sua stanchezza esistenziale come un veleno di inerzia. Se Paci intendeva suggerire ad Antonia di scrivere solo nella rarità dei momenti d'eccezione e senza perdere il controllo dell'effusione lirica, farà poi ammenda di questa affrettata osservazione, tra l'altro facile da scambiare per un rifiuto, in occasione del necrologio rimasto famoso. Riflettendo su questa e altre incomprensioni, Paci scriverà, dopo la morte di lei:

> Avrebbe potuto con troppa facilità trovare conferme: volle invece giocare se stessa con la sincerità e la follia dei puri. In fondo disprezzava tutto ciò che non diventava un momento del suo dramma: poteva smarrirsi in un atteggiamento, ma

nel fondo sapeva accostarsi all'intimità tragica del suo limite, della sua circoscritta esistenza. E parlo così di lei perché so che se fosse qui lo vorrebbe. Mi sembra di udire la sua voce, la sua nobiltà, così comprensiva per la mia maleducata analisi. In questo momento l'eco dei nostri colloqui è in me viva: come aveva saputo in Flaubert rendere libera ed umana quell'antinomia tra «Geist» e «Leben» che io ero solo capace di vedere nella sua astrattezza e nella sua tensione intellettualistica![9]

Finora la poesia è stata l'attività che salvaguardava la sua sensibilità e la sua coscienza, ma non era ancora stata un dovere di elevazione creativa e intellettuale. Per portare avanti questo progetto, Antonia avrebbe dovuto credere nella sua originalità.

Una consolazione alle incertezze esistenziali Antonia la trova immancabile nella compagnia intelligente di Olga Treves, la madre di Piero e Paolo, suoi amici fin dall'infanzia: una famiglia costretta a una tensione permanente e già perseguitata dalla polizia fascista. Dopo uno screzio, Antonia si era allontanata con dispiacere da quella casa, ma ora torna per essere accolta da chi veramente la conosce. Piero Treves per incoraggiarla le recita i versi di Goethe: «Quando il mulino del poeta va, non volerlo fermare. Chi una volta ha compreso, ancora saprà perdonarti».

Eppure, è Antonia a non sapersi perdonare e ad aver l'impressione di tutto intorbidare con la dicotomia del suo comportamento, diviso tra autocontrollo e abbandono agli impulsi.

CAPITOLO III

LUNGO IL DANUBIO, SANGUE
DELLA MITTELEUROPA

Andando incontro alla sua vocazione e ai suoi gusti culturali, Antonia parte per un viaggio che la porterà in Austria: prima a Vienna, poi a Gmunden, sul lago di Traun, per frequentare un corso universitario per stranieri che durerà quasi due mesi (durante i quali seguirà anche il Festival di Salisburgo, assistendo, tra le altre, a una rappresentazione integrale del *Faust*).

Da Vienna, invia a Lucia Bozzi una delle migliori lettere di viaggio del suo epistolario:

Vienna, 1 giugno 1933

(...) Avrei voluto scriverti subito, dopo il mio arrivo, per raccontarti delle mie ore veneziane, così insperatamente dolci, e delle ore di viaggio pure, così dense di pensieri diversi. Ma il tuffo nella città nuova mi ha distratta. Stasera, al di là della durezza e del grigiore di qui, vorrei tanto poter risuscitare per te la luce e la pace di Venezia primaverile: perché mi sembra che, in fondo al cuore, l'eco più durevole sia quella, e leggera e buona come uno stropiccio di passi infantili lungo le fondamenta erbose di un canale. Io non credevo, sai, che Venezia potesse fiorire così, ad ogni svolto; che le vecchie case, le vecchie finestre sapessero ridere così, sull'acqua. Mi ricordavo dell'ottobre, uggioso, nebbioso; delle gondole incappucciate, infreddolite; dello sciacquio gelido contro le pietre nere – ora trovavo una Venezia chiara e quieta, tutta silenzi ariosi, azzurrini; le gondole lievi e liete, tra il verde dei giardini e la trasparenza dell'acqua – e c'era un sole che si sfaceva in un gran fiotto d'oro per tutto il cielo – e nessun urto al silenzio, mai – ed un tale silenzio, da illudersi di dover sentire il tocco delle zampine di un passero su un davanzale vicino. Così, al tramonto, quando ripartimmo, io avevo, dentro, una pace tacita, lieve, fatta di nulla, come una nuvola rosa al posto del cuore; e un po' mi sentivo anche triste, come tristi paiono essere le nubi per il loro interminabile andare. Guardavo le praterie arrossate dai papaveri, le boscaglie di robinie, il greto azzurro dei fiumi; volti di cose, di persone, di cielo coglievo e amavo d'un tratto – e la corsa così verso la notte imminente. Poi, qui. Cose estranee, dure, diverse – orrore della prima sera – disgusto e pena delle strade notturne, popolate di povere creature, ragazzette scarmigliate, dagli occhi accesi, che lo fanno per fame – e tutte le altre, tutte le altre infinite orribili donne – tante, da non sapere dove posare gli occhi per lavarseli, purificarli, guarirli. E poi, tutte queste ombre di grandezza annerite dalla miseria: strade belle, palazzi, giardini, sì; ma tutto fermo dagli anni della guerra in qua, tutto troncato lì, finito. Non una casa nuova, non una miglioria: il personale negli uffici vestito come i facchini della stazione. Tutto strozzato, soffocato, ucciso. E sotto la chiesa dei Cappuccini, nella cripta bianca e nuda, allineati come bagagli in un deposito, al buio, i sarcofaghi degli Asburgo: Francesco Giuseppe, solo, tra la moglie assassinata e il figlio suicida, e Massimiliano fucilato e Ferdinando ucciso a Sarajevo – dopo averli veduti sembra che un alito di tragedia vapori come un incubo sulla città, che fuori, come un ramo stroncato, si dissecca. E a Schönbrünn ti mostrano la stanza dove morì il figlio di Napoleone: e ti rinasce la commozione che da anni avevi sepolta, perché troppo somigliano queste gelide stanze alla gelida cella dove anch'egli è sepolto; e pensarlo di sangue latino è veramente come vedere un fiore schiacciato sotto una pietra. Però ieri sera, entrando in S. Stefano, che è l'unica cosa antica e quindi sacra e quindi veneranda della città, ebbi la fortuna di sentire l'inizio di un grande concerto d'organo. Tutta la chiesa ormai buia, sai: le altissime volte tutte gonfie di suono e i Santi, con le mani protese, come a lavarsele nelle invisibili onde. A poco a poco io mi sentivo tornare verso il profondo di me: ed ogni eco dura cadeva nel fluire di tutti i ricordi. Pensavo alle cose compiute, all'amore al dolore vissuti, a tutti i lontani: e niente era concreto come quello che io, col mio cuore, avevo creato; niente era vero ed eterno come la vita della mia anima. (...)

L'8 luglio, appena arrivata a Gmunden, scrive una lettera alla mamma descrivendo la nuova affascinante sistemazione:

Carissima mamma,
non sono ancora le otto di mattina e sono qui davanti alla finestra aperta a scrivere. Non vedo il lago, perché le tre uniche stanze a un letto che esistono nel castello guardano dietro, sul giardino, che è verdissimo e quieto. La stanza non è grande, anzi è piuttosto piccola, ma ho acqua corrente calda e fredda, nonché una straordinaria abbondanza di armadi, dove tutta la mia roba ha trovato comodamente posto. Non so ancora se quello che ho portato vada bene o no; certo per ora mi servono solo i vestiti leggeri, perché qui fa abbastanza caldo. Non si capisce bene che clima sia: aria un po' molla, in ogni modo, e a certe ore fisse una bella brezza, come sui nostri laghi.
Ma adesso bisogna che cominci con un po' di ordine a raccontarti tutto sin dal principio. Il viaggio è stato ottimo: ho dormito fin quasi a Fortezza, dove ho cambiato vagone e sono andata a piombare in mezzo a un gruppetto di belle e giovani mamme tedesche con splendidi bambini dirette a Garmisch. La dogana si è svolta con la massima facilità: hanno caricato sul bagagliaio dello stesso treno il mio baule e lì me l'hanno aperto per pura formalità. La strada dal Brennero a Innsbruck, l'altra mattina, era uno splendore: quei pini, quelle rocce ancora chiazzate di neve, quell'aria frizzante mi facevano rinascere vivissimo il mio amore per la montagna e avrei voluto saltare giù dal treno per cogliere i fiori. A Innsbruck, naturalmente, la prima cosa che mi ha colpita sono stati i buffissimi pantaloncini degli uomini e i magnifici cappellini con pennacchio delle donne, tanto che avrei voluto

comprarmene uno di paglia anch'io, ma non sapevo dove metterlo e ho rinunciato. Ho comperato invece uno splendido fazzoletto di cotone a fondo nero stampato a edelweiss, rododendri e genziane, che adesso mi serve come tappeto sul tavolino dove scrivo.

Da Innsbruck a Salzburg ha cominciato a fare un caldo tremendo: la colazione in wagon-restaurant è stata buona e le ore sono passate in fretta, grazie alla compagnia di due ragazzini austriaci reduci dal collegio, coi quali ho cominciato a fare esercizio di tedesco.

All'arrivo qui, dopo un indispensabile bagno, ho subito fatto un giro d'ispezione: al parco, che è bellissimo, al lago, che è molto grande, circa come il lago di Lecco, al «maniero», che è arredato molto all'antica, con «boiseries» intagliate che arrivano fino al soffitto, ma che ha terrazzoni per il sole, poltrone in abbondanza e un'ottima radio, cioè il segreto per essere felici... Fra sabato e domenica arriveranno più di 60 studenti e lunedì, alla presenza del ministro dell'istruzione, con canti e danze in costume che mi riprometto di cinematografare, avremo l'inaugurazione dei corsi. Io approfitto di queste giornate di poco movimento per acclimatarmi.

Ieri mattina siamo state alla spiaggia, che è veramente bellissima; ho preso il sole, ho nuotato e poi remato per una buona oretta, facendomi venire un gran appetito.

Gli studenti vengono lasciati liberi di programmarsi i compiti e così Antonia, tra una nuotata nel lago, le cavalcate sui vecchi ronzini del collegio, il tennis e finalmente le appassionanti lezioni sulla letteratura della *felix Austria*, trascorre giorni relativamente sereni. Il corso è molto impegnativo: conferenze, lezioni di lingua, letture e conversazione coi professori. Antonia si guarda intorno incantata, conquistata da tutto ciò che può raccogliere nello sguardo: dal paesaggio fiabesco, all'ambiente umano in cui si riuniscono le più varie nazionalità: i cecoslovacchi miti e «soavi», gli svedesi, i finlandesi, gli americani... Inoltre, la scoperta di certi personaggi folcloristici che Antonia tratteggia con humour goliardico come questo tale Mr Tomkinson di Oxford, preso deliziosamente di mira dalla sapida scrittrice:

Ha vent'anni, una lunga schiena curva, due orecchie che sembrano fettoni di barbabietola e gli occhiali; i suoi gesti abituali sono: mettersi le dita in un orecchio, nel naso e poi in bocca fino alla prima falange; quando poi l'imbarazzo è più grave, allora non resta che, o grattarsi furiosamente la pera come se lo mordessero mille pidocchi o, siccome ha la bella usanza di girare con un paio di luride pantofole, pizzicarsi la pianta dei piedi.

E questo sarebbe il principale rappresentante dell'Inghilterra! Capisci che con nemici simili non c'è neanche gusto a sollevare questioni politiche.

C'è un nutrito gruppetto di italiani: due ragazze di Lugo, studentesse all'Università di Firenze, «una madre e una figlia, tipiche rappresentanti della razza Margherita Rebora o giù di lì (molta blague, molte *toilettes*, Ciano di qua e Riccione di là)» e una professoressa di Torino, con cui Antonia conversa volentieri.

Il personaggio chiave è l'«ineffabile» Friedrich, insegnante sportivo, guida alpina, esperto di sci, che la sera li intrattiene tutti quanti cantando *jodler* tirolesi.

Ma è la lingua tedesca la grande conquista. Scrive a Lucia, il 24 agosto:

> ... questa lingua tedesca, la più splendente, più spietata costruzione razionale geometrica che si veda sulla terra. E nelle poesie e nelle fiabe dolce come un rumore di foglie. Io ne sono innamorata; vorrei parlarla e leggerla dal mattino alla sera e più difficoltà incontro, più mi ostino a cercare di vincerle.

La esaltano le lezioni di un professore dell'Università di Vienna sul *Faust* e su Hugo von Hofmannsthal: «sono felice, perché ormai riesco ad afferrare tutto e l'elevatezza di queste lezioni mi riporta nel cuore dei miei studi preferiti».

Il corso comprende anche l'esercizio delle attività sportive: equitazione, anche se su vecchi ronzini, e canottaggio sul profondo lago di Traun.

Oltre alla inseparabile macchina fotografica, si diverte a riprendere con la cinepresa.

Scrive alla mamma il 16 luglio:

> Solo stasera riesco a prendere la penna, perché qui le occupazioni da una parte e le distrazioni da un'altra sono tante e poi tante che non arrivo più in tempo a star da sola un momento.
>
> Adesso è il tramonto di una bellissima giornata e sono fuori, sulla terrazza che guarda il lago: ci sono decine di piccole vele bianche sullo specchio tranquillo e, in alto, le rocce del Traunstein e la cresta che qui chiamano, per il suo profilo, la Greca dormente, sono ancora illuminate dal sole. Siamo tornati adesso da una gita collettiva a Bad-Ischl e ad Hallstadt, dove ci sono delle celebri miniere di salgemma, che abbiamo visitate, inoltrandoci per chilometri nella montagna, vestite di buffissime tuniche bianche e copricapo inverosimili. Ma come sono belli tutti questi paesi: con le casine che sembrano tutte quelle di Hänsel e Gretel, fiori alle finestre, le imposte con gli intagli a forma di cuore, i bambini biondi in costume. Ieri nel pomeriggio, non avendo lezione, sono rimasta fino all'ora di pranzo alla spiaggia, dopo aver fatto un bagno delizioso, in un'acqua relativamente caldina.

Organizza in agosto un viaggio per i suoi (in realtà sarà raggiunta solo dalla mamma) che, da Milano li porti a Salisburgo, per poi, di lì ripartire alla volta della Germania meridionale: Monaco, Ratisbona, Norimberga, Rothenburg, Francoforte, Magonza, Heidelberg, fino ad arrivare a Strasburgo e poi, dalla Svizzera, il rientro in Italia.

CAPITOLO IV

IL TEMPO CHE TORNA

Anni di viaggio, questi, e di conquiste culturali ed esistenziali. Sono anche gli anni delle grandi scalate alle montagne delle Dolomiti e del Cadore. Cosa accomuna la fatica dello scalatore a quella dello scrittore che si confronta con la propria opera con una lotta incessante per la conquista dell'espressione esatta?

Scriveva Flaubert nel 1853 (e Antonia si appunta questa riflessione durante le ricerche per la tesi di laurea):

> Non è forse della vita d'artista, o piuttosto di un'Opera d'arte che si deve compiere, come di una grande montagna da scalare? Duro viaggio, e che domanda una volontà accanita!... A ciascun rialzo della strada, la cima ingigantisce, l'orizzonte si allontana, si va attraverso i precipizi, le voragini e gli scoraggiamenti... Qualche volta, tuttavia, un colpo di vento arriva dai cieli e svela al vostro stupore delle prospettive innumerevoli, infinite, meravigliose... Poi, la nebbia ricade e si continua a tastoni, a tastoni, scorticandosi le unghie sulle rocce e piangendo nella solitudine. Non importa! Moriamo nella neve, periamo nel bianco dolore del nostro desiderio, al murmure dei torrenti dello Spirito e col viso rivolto verso il sole![10]

Risponderà Antonia, in totale sintonia:

> Che cosa crea, all'interno dell'opera, quell'incessante tensione trattenuta che la colloca come in un'atmosfera vibrata di vetta, di spigolo, dove ogni passo è una conquista esatta e la fatica si rastrema in levità attenta, come per un gioco mortale? È che qui tutto è impegnato e la stesura di una pagina non implica soltanto la risoluzione di un problema letterario, ma rappresenta di per se stessa la risoluzione vivente di un problema di vita.

La scelta del linguaggio non può essere intesa che come esperienza di culmine, che esalti la forza dello spirito concentrandolo nella tensione che precede lo slancio dell'ascesa.

La stagione dell'effusività è trascorsa: ora la parola, concentrata in un drammatico nodo di esperienze, vuole essere rappresentata dalla verità delle cose ed esistere come realtà nel mondo illusorio delle apparenze. La parola diventa sintesi organica di coscienza.

Così la scalata come elevazione spirituale e progressiva purificazione mentale, si lega alla pratica della montagna. A Misurina, nel gennaio 1934, insieme a Lucia, Antonia prende lezioni di sci da Emilio Comici, che diventa suo compagno di indimenticabili ascensioni, prima di morire sulla montagna due anni dopo la scomparsa di lei.

Antonia conosce personalmente anche Guido Rey, compiendo con lui tante scalate. Rey, celebre guida valdostana, è banditore del concetto di montagna come *itinerarium mentis in natura* (un'idea che ha lontane radici nel pensiero di sant'Agostino e Petrarca, e, per fare un salto considerevole, è stata recentemente ripresa dalle nuove scuole di alpinismo e dallo scrittore e cineasta Werner Herzog nel suo *Grido di pietra*). Nella biblioteca di Pasturo troviamo il libro di Guido Rey, *Il tempo che torna*.[11] Dall'introduzione di Adolfo Balliano prendiamo questa riflessione:

L'alpinismo, oggi, manca di spiritualità, è divenuto una cosa meccanica, una fatica o una gioia del tutto corporale. La massa degli scalatori non insegue un sogno di poesia, non cerca un superamento spirituale, un perché trascendente l'azione muscolare. È una massa oscura e non bastano ad illuminarla quei pochi che la fiamma brucia dentro e li sospinge verso gli alti silenzi e gli orizzonti infiniti in cerca di sé medesimi sulla traccia d'Iddio. Composta di egotisti e di immemori, persa nel non senso del difficile per il difficile, riduce l'ascensione alpina al livello di una partita a pugni o del gioco del calcio. Bisogna ricondurla alle origini, bisogna rieducarla; fare in modo che il meraviglioso sviluppo preso dall'alpinismo non tradisca le ragioni stesse della sua esistenza, perché la bellezza e la santità dell'alpe non possono e non debbono essere messe da banda come inutili ingombri. Bisogna non tradire il pensiero e l'azione di quelli che seppero per primi andare, vedere e sentire perché noi siamo alpinisti soltanto in quanto essi lo furono e ci indicarono la via. E con essi, quel vero signore della montagna, verso cui oggi si ostenta alquanto disprezzo, ch'è la guida.

Queste sono le posizioni «atletico-filosofiche» che Antonia fa sue e che corrispondono pienamente alla sua ansia di altezze:

Attacco

Come
chi avanti l'alba
da un rifugio montano esca
nell'ombra fredda – e si metta per l'erta
cullando col passo il penoso
sonno – fin che in cima alle ghiaie
la guida sciolga
dalla spalla la corda ed additi
sulla roccia – l'attacco –

gioia e sgomento
allora – ed il sole che sorge
lo colgono insieme –

così
quando sul tuo
cammino s'apra
una siepe – ed al cuore s'affacci
la strada nuova.

26 settembre 1933

Scrive Guido Rey, in tono ispirato, contemplando il panorama dalla Cresta di Vofrède, della catena del Breuil:

> Da quasi tre ore siamo in marcia, e ci troviamo già in alto, quando all'improvviso siamo avvolti da una luce misteriosa. Ci volgiamo a guardare: il cielo si è fatto limpido; un soffio di vento ha rinfrescato l'aria e in un attimo tutta la valle si è scoperta; le nubi grigie sono scomparse, come per incanto, ed al lume di luna ci appare l'intiera cerchia delle vette attorno a Breuil; nel mezzo torreggia una forma bruna, altissima, il Cervino, e proprio sul capo gli sfavilla una stella fulgidissima, come gemma sulla corona del re. (...)
> In questo mio ritorno alle vette amate, provavo sensazioni fresche e nuove, emozioni così intense come solo ne avevo provato quando le prime volte ero venuto fra i monti.
> Stavo a bocca aperta, tutto ripreso dal fascino della montagna.
> Ma era in me qualcosa di mutato; mi accorgevo che il godimento dello spirito si era fatto più intenso, più riflessivo: si sprigionava una forza di desiderio lungamente repressa; mi sembrava di avere facoltà di osservazione più acute; guardavo di più come se volessi guardare il tempo perduto. Avevo tante cose da dire a quei monti pei quali accumulavo da anni i miei pensieri migliori!

Alcuni testi fondamentali della letteratura da lei più amata, quella in lingua tedesca, dalla Mitteleuropa madre della modernità, la soccorrono in questa idea e visione della montagna rigeneratrice, ove si svolgono esperienze iniziatiche, talvolta di transito alla morte, talvolta prefiguratrici di un nuovo destino. Penso alla *Signorina Else* di Schnitzler, alla *Passeggiata* di Robert Walser, ma soprattutto ai romanzi di Thomas Mann, in particolare *La montagna incantata*, lettura fondamentale per l'apprendistato letterario ed estetico di quella generazione.

Anche certi compiacimenti relativi alla malattia e la «posa» di artista *degenerato* sono parte integrante della maturazione intellettuale e dell'ansia provocatoria di differenziarsi dalla triviale assimilazione alla vita salutista delle truppe dei nati-morti, che si lega al disprezzo della malattia dell'ideologia nazista.

Poco importa se il viaggio indefinito di Hans Castorp lo porterà alla meta ultima tra le vette eternamente innevate del Cantone dei Grigioni, dove, 2000 metri sopra le lacerazioni della pianura, vive la comunità del Sanatorio che è perfetta quasi come un falansterio di Fourier, utopia di una società futura. È lì, a Davos, che il personaggio avrà la sua iniziazione che ha a che fare con il mistero dell'esistenza. «Hans Castorp» afferma Mann nella conferenza sulla *Montagna incantata* tenuta nel 1939, durante l'esilio, agli studenti di Princeton «è colui che abbraccia, fin troppo volontariamente, la malattia e la morte, perché già il primo contatto con essa gli promette una comprensione straordinaria, un avventuroso progresso…»

La montagna è il luogo della sua formazione culturale, non diversamente che per Wilhelm Meister, il personaggio autobiografico in cui Goethe rappresenta la sua sete giovanile di eccellenza e di libertà. *La montagna incantata* diventa così il romanzo dell'avventura ideologica e culturale per più di una generazione.

Ma anche il ritmo delle vicende si snoda con tempi diversi a queste altitudini rispetto a quello che avrebbe avuto in pianura. Il tempo si fa relativo e stranamente flessibile, accorciato e allungato per magie bergsoniane, determinato dalla vitalità morente o crescente, dagli ingorghi dell'anima, ma soprattutto dalle sue sospensioni tra cielo e terra. Come la natura di Giordano Bruno, grande filosofo e *mago* rinascimentale, *natura naturans*, la montagna di Davos è incantata e incantante, con accensioni subitanee di vita, rappresentate dagli incontri con l'amore.

Sono questi ritmi che Antonia coglie nella sua sensibilità, queste improvvise accensioni di senso e il bisogno di altezza sempre amalgamato con inquietudini sessuali e terrestri.

Ma la riservatezza di Antonia, la necessità del rifugio solitario e silenzioso, fanno venire in mente *Ehrengard*, una novella di Karen Blixen che conserva il fascino fiabesco della letteratura nordica che Antonia prediligeva. Ehrengard è una meravigliosa vergine guerriera, con un cuore di diamante, puro e assoluto; la sua generosità è senza limiti come il suo coraggio. Ma ha un pregio misterioso che si trasforma in pericolo, ed è il suo pudore, selvaggio come quello di un'Artemide. Un pittore vuole profanarne il riserbo, seducendola, senza neppure sfiorarla, ma facendola arrossire di complicità, nel rivelargli qualcosa di più intimo della sua stessa nudità. Alla fine a essere sedotto sarà lo stesso seduttore.

La descrizione che fa la Blixen dell'incantevole rossore della ragazza si connette splendidamente all'*Alpenglühen*, cioè allo straordinario effetto di luce sulle cime delle montagne appena dopo il tramonto: «Dopo di che spariscono e non si può immaginare nulla di più drammatico: hanno tradito la loro più intima essenza e ormai non possono che annientarsi».

Non si può non pensare, leggendo questo passo, all'anima di Antonia, alla «lieve offerta» che fu tratto generoso di una vita, allo svelarsi lento, cauto, ma poi totale, assoluto della passione nella sua poesia. Ma soprattutto induce a riflettere sull'oscurità che sopraggiunge, inevitabile, come una volontà di occultamento, un'eclisse, dopo l'espressione delle tinte più accese e intime.

La montagna, per Antonia, è stata il teatro di questa rivelazione profonda, che, mentre si volge all'altro, cerca in se stessa la conferma della propria forza interiore.

CAPITOLO V

LE RAGIONI DEL CUORE

Antonia conosce Remo Cantoni ai corsi di filosofia di Banfi, ma diventeranno amici solo nel '34.

Cantoni è il giovane intellettuale cui arride ogni tipo di successo e che ha saputo dare ordine e creatività alla prosa della vita.

Partecipa da un'angolazione tutta sua al dibattito dei giovani sui grandi temi aperti da Banfi alla filosofia contemporanea. Già dal 1932, a diciotto anni, aveva fondato una rivista culturale con altri giovani amici che si chiamavano Federico Curato, Alberto Lattuada, Luciano Anceschi, Alberto Mondadori. Si chiamava «Camminare» (in omaggio a Thoreau) e insieme all'altro giornale giovanile «Cantiere», soprattutto frequentato da romani, voleva essere un programmatico passo in avanti per la rinascita culturale di questi giovani pensatori stritolati nella morsa sempre più stretta del regime.

Ma la rivista più importante per la formazione di questi giovani diventerà «Corrente di vita giovanile» di Ernesto Treccani, a cui Cantoni collaborerà con tre articoli comparsi nel 1939, mentre Antonia, come vedremo, vi pubblicherà solo il saggio sul romanzo di Aldous Huxley *Eyeless in Gaza*.

Tra il 1934 e il 1936, si vive in Italia un periodo di estrema tensione politico-militare: il fascismo sta preparando gli italiani alla mossa suicida della guerra, la cui necessità viene propugnata da Mussolini con una confusa mescolanza di ideologie: dalle spinte nazionaliste della prima ora sulla «guerra sola igiene del mondo» (già parola d'ordine dei futuristi negli anni Dieci), alla parodia imperialista e razzista del superomismo nietzschiano, secondo la volgarizzazione dannunziana, oltre al superamento della dialettica di Hegel nell'idealismo egotista di Giovanni Gentile.

È comune a questi giovani un'opposizione di gusto, di cultura, prima ancora che di pensiero politico, al regime. Anche Cantoni, insieme ad Antonia, è sì alla ricerca di fondamenti reali al pensiero, ma in direzione dell'autenticità e della lotta contro l'oscuramento. Il disprezzo nei confronti della mediocrità e del conformismo borghesi, non è mai interpretato in nome di una supposta e rivendicata eccezionalità dell'intellettuale e dell'artista, ma solo nella radicalità del conflitto generazionale e per la necessità di una posizione avanzata del pensiero.

Cantoni, Antonia e i loro amici hanno in mente il mondo, l'investigazione infinita del vivente, il tumulto delle città moderne, l'impegno a essere liberi e responsabili nell'esercizio della libertà. Cominciano dalla lettura di Goethe, del *Wilhelm Meister*, per esempio. Si apre l'avventura dell'iniziazione letteraria. Con Goethe inizia anche una nuova riflessione sulla vita e sulla natura, che non si contrappone alla vita, ma ne esprime esemplarmente la legge. La libertà è l'implicita regola del creare e questa verità permette anche di accettare la solitudine dell'artista.

Essi amano soprattutto gli scrittori che presentano la realtà nella sua concretezza, senza sfondi immaginari che la deformino o trasfigurino. La descrizione delle cose «così come sono» e, ancor di più, così come appaiono, rende ancora più drammatico il senso di tragedia implicito nella vita.

Da qui nascerà anche quella particolare corrente di poesia – ma anche di pittura – definita dal suo teorico Anceschi «Linea lombarda». Allontanandosi dall'ermetismo, questi giovani poeti preferiscono piuttosto affidarsi a una via della poesia che sia poesia della vita.

Le predilette geografie lacustri, gli sguardi distesi su pianure nebbiose, apparentano questi autori nel comune progetto di un nuovo realismo poetico, sull'esempio degli scrittori più capaci di trasmettere il dramma implicito delle cose.

Di uno dei suoi autori più amati, John Dos Passos, Cantoni scrive che i suoi sono occhi «che s'aprono al mondo e vogliono vedere tutto quanto»: sono gli stessi occhi, onnivori, voraci che dispongono Antonia alla conoscenza del mondo senza infingimenti o edulcorate mediazioni.

Della generazione di Pavese, questi giovani intellettuali sanno anche loro che è una grande opportunità della cultura contemporanea quella di far entrare la vita nel romanzo e oltrepassare così il binomio romantico «io e mondo», i fortilizi battuti dalle tempeste che i romantici avevano descritto. Non è sempre dall'introspezione che può nascere un concetto della vita, ma spesso esso scaturisce con immediatezza drammatica dalla rappresentazione della vita stessa.

Alcuni di loro, più di Cantoni, indulgono alla contemplazione della propria anima ulcerata, astraendone immagini essenziali di dolore; egli preferisce riferirsi all'onesta lezione dell'oggettività, ove, semmai, immergere la propria storia «al pari» di quella degli altri, rifuggendo da ogni compiacimento.

Certo questa generazione soffre della mistificazione culturale operata dal fascismo in tutti i campi del sapere. Essi sentono il bisogno di una svolta radicale, che investa l'esperienza individuale interrelata con quella oggettiva, in un nuovo progetto politico che avrà grande seguito nel futuro impegno degli intellettuali. Per ottenere questo, devono ampliare i propri confini di conoscenza e investigare territori sempre più ampi e sconosciuti.

Molto spesso, il paesaggio culturale in trasformazione è rappresentato in forma frammentaria: è il caso degli scritti giovanili di Cantoni che poi confluiranno nella sua prima grande opera, *Il pensiero dei primitivi*, o delle pagine autobiografiche di Antonia, non a caso meno rade in questi anni – almeno quelle che ci sono pervenute – e più attente all'inchiesta sui rapporti tra la conoscenza personale del mondo e la sua rappresentazione necessariamente oggettiva tramite la coscienza.

Alcune questioni su cui questi giovani «insonni» si interrogano riguardano proprio i rapporti tra la coscienza e il mondo dell'esperienza, secondo modalità di rigore autoanalitico che anticipano i dubbi dell'esistenzialismo.

Essi sentono il proprio ego come calato nelle cose, interrelate agli scenari fenomenologici sempre mutevoli, di cui il pensiero è cosciente e che condizionano anche l'approccio culturale. Essi però sanno che ogni gesto consapevole del pensiero è ormai tradito dalle nuove regole della discriminazione e della violenza fasciste.

Alcuni di loro, come appunto Cantoni, sono ebrei e presto saranno condannati a un'esistenza di fughe e di persecuzioni, per molti senza salvezza. Peraltro egli è anche per metà tedesco: sua madre, Katherine Planert, è berlinese, e la sua cultura è permeata della letteratura e del pensiero germanici. Ma il comportamento acquiescente e indifferente dei tedeschi, sotto il comando del forsennato imbianchino austriaco, non può non discordare da tutti gli esempi di sublime grandezza che lo spirito tedesco ha dato all'umanità nel passato.

Dopo la parentesi fragile della repubblica di Weimar, destinata a infrangersi per la violenza incivile di coloro che si fanno strada usando comunque la forza bruta di un'ignoranza consapevole, il destino dell'umanità e della vita stessa nel suo futuro cammino sembra essere sempre più segnato dalla tragica provvisorietà. L'instabilità contraddistingue non solo i fatti della storia che precipitano inesorabili, ma anche i comportamenti, le speranze, i progetti che continuamente si interrom-

pono e cambiano fisionomia in relazione all'incessante modificarsi dell'esperienza. «Il mondo vuole imbestialire nuovamente» scrive Cantoni a Banfi, il 13 agosto 1935, da Mittenwald, ai confini tra Baviera e Tirolo.[12]

Si tende a intellettualizzare il male diffuso, come «parte di
un cielo che incomincia a pesare come una cappa di piombo».
Questa condizione di disagio generazionale è stata ben rappresentata da Jacob Wassermann, che in un suo celebre romanzo del 1928, *Il caso Maurizius*, racconta di un giovane che
si ribella al padre. La forza di questa opposizione, che riecheg-
gia polemicamente anche nella *Lettera al padre* di Kafka e si
riverbera nell'opposizione giovanile sempre più netta all'autoritarismo borghese dei padri bismarckiani, innerva le nuove
coscienze di un bisogno radicale di innovazione. In più, carica
gli spiriti di una disperazione senza via di scampo, perché non
può essere intesa, in questo caso, come rovescio del narcisismo
ferito di un'élite vitalistica, ma come ripiegamento definitivo
sul fallimento dell'azione utile. Da qui quella «nostalgia devia-
ta dell'autorità» ben colta da Wassermann, da qui quella coscienza pessimista come radice del senso del «male» e di «vuoto» che spinge questi giovani «dannati» ad azioni qualche volta impulsive – «a mille cose senza riflettere», come Cantoni
scrive a Banfi – mossi dal bisogno di realizzazione della propria vita. È la condizione degli «uomini vuoti» di una poesia
di T. S. Eliot:

> Siamo gli uomini vuoti
> Siamo gli uomini impagliati
> Che appoggiano l'un l'altro
> La testa piena di paglia. Ahimè!
> Le nostre voci secche, quando noi
> Insieme mormoriamo
> Sono quiete e senza senso
> Come vento nell'erba rinsecchita
> O come zampe di topo sopra vetri infranti
> Nella nostra arida cantina

Figura senza forma, ombra senza colore,
Forza paralizzata, gesto privo di moto;

Coloro che han traghettato
Con occhi diritti, all'altro regno della morte
Ci ricordano – se pure lo fanno – non come anime
Perdute e violente, ma solo
Come gli uomini vuoti
Gli uomini impagliati.[13]

È un testo che ben rappresenta la crisi delle coscienze che in questo periodo cercano di affermare i propri ideali culturali ed etici, in una ribellione sorda e profonda a quelli promossi dal regime.

Con Antonia, Cantoni stringe una bella intesa intellettuale. A differenza delle altre ragazze, del cui fascino cade preda senza coinvolgimenti mentali, Antonia gli piace per la precisione e il nitore delle idee, che deve ancora imparare a districare dall'emotività ch'egli trova così palesemente femminile.

Antonia si dona un'altra volta, senza riserve. Apprezza la sincerità dell'amico, ascolta i suoi consigli che certo non diminuiscono la sua insicurezza. È abituata a guardarsi dentro e questo nuovo amore senza compiacimenti decadenti e culto del sacrificio, ma tutto votato a gioia e completezza, la induce a sperare in un cambiamento totale della sua vita.

È per Remo che scrive questa poesia, l'annuncio di una vera e propria rinascita, dopo l'allontanamento da Cervi che sembrava identificarsi con una rinuncia completa all'amore. Per questo, anche se contrassegnata da una continua altalena di sentimenti, da distacchi e riconciliazioni e soprattutto da un tormentoso squilibrio nella reciprocità del desiderio, la relazione con Remo è così importante per Antonia e per la sua maturazione affettiva.

Secondo amore

Piansi bambina, per un mondo
più grande del mio cuore,
dentro il mio cuore
rinchiuso – morto;
piansi con occhi giovani,
penosamente arsi arrossati –
e sola vicina alla terra
domandavo agli oggetti muti,
alle radici dei fiori divelti,
alle ali degli insetti caduti,
il perché
del morire.

Mi rispondeva la terra, fedele,
prima ancora che fosse
primavera colma,
da anni e secoli – sotto un arbusto
con una pallida primula
rifiorita.
E in essa era la linfa,
era il respiro – di tutte
le primavere perdute,
in ogni fiore vivo la bellezza
degli innumeri fiori
spenti.

Oh grazia – ora dico –
del secondo amore,
giovinezza profonda intessuta
di vinte vecchiezze, di esistenze percorse –
ed ogni esistenza, una ricchezza
conquisa, ogni pianto deterso
un sorriso più lungo imparato,
ogni percossa, una carezza più lieve
che si vorrebbe donare –
oh benedetto il mio pianto
– ora dico –
benedetti i miei occhi
di bimba, arrossati riarsi –
benedetto il soffrire, il morire

di tutti i mondi che portai nel cuore –
se dalla morte si rinasce
un giorno,
se dalla morte io rinasco
oggi – per te,
me stessa offrendo
alle tue mani – come
una corolla
di dissepolte vite.

4 dicembre 1934

Le dice Remo: «Io penso che tu sei molto intelligente ma molto disordinata». Lei gli risponde: «Del mio disordine mentale non mi importa, il più grave è il mio disordine morale». Eppure non è questo il suo pensiero. Il disordine intellettuale le importa moltissimo e quello «morale» è una cosa detta per sentirsi smentire: per provare il grado di obiettività dell'interlocutore. Invece Remo, con la sua osservazione, finisce per rimarcare ancor più questa instabilità.

«Bisogna avere più volontà» le dice. «E del resto la volontà è come un muscolo: basta esercitarla.»

Antonia s'interroga, si ausculta, con spietata lucidità.

4 febbraio 1935

Il mio disordine. È in questo: che ogni cosa per me è una ferita attraverso cui la mia personalità vorrebbe sgorgare per donarsi. Ma donarsi è un atto di vita che implica una realtà effettiva al di là di noi e invece ogni cosa che mi chiama ha realtà soltanto attraverso i miei occhi e, cercando di uscire da me, di risolvere in quella i miei limiti, me la trovo davanti diversa e ostile.

Perché l'altro giorno ho pianto quando Banfi ha parlato dell'Angelico? Anche in me gli schemi si dissolvono e nasce il realismo umano. O piuttosto vorrebbe nascere e non può, in nessuna forma della realtà può esprimersi, come un pianto che non trova gli occhi per cui sgorgare, un sorriso che non ha volto in cui aprirsi.

Rifiuti, da tutta la realtà, ad ogni passo. E ad ogni passo, nuove ricerche per una realtà che non esiste.

E che non deve esistere.

Di questo la coscienza mi avvisa. Donarsi è abdicare alla propria personalità.

«Io non voglio che tu ti perda davanti a me, io voglio che tu rimanga te stessa» mi ha detto Remo una sera. E non era lui solo a rifiutarmi, ma tutto il mondo nella sua voce mi rimetteva sulle spalle la responsabilità di me stessa. Stasera, in fondo a una strada di asfalto terso, al di sopra di un muro c'era un immenso cielo di tramonto, in mezzo il campanile di una chiesa, quadrato come una torre. Ma nemmeno quel cielo mi voleva, anche quel cielo non risolveva niente, e non era né mio, né io sua. Mio sarebbe solo se lo potessi eternare attraverso la mia persona, assorbire e riesprimere da me, nutrito del mio sangue umano per andare fra gli uomini.

«Utile è già il fare in sé, significativo è il lavoro» mi ha detto Banfi stamattina. Anche Flaubert la soluzione della vita la trovava solo nello spasimo e nel sacrificio della creazione e poi, dinnanzi alla sua opera compiuta, tornava a sentirsi «Madame Bovary».

L'evasione dal reale nel fantastico è lecita solo quando venga scontata con la pena attiva dell'espressione. Per questo, della mia vita sognata, resta moralmente valida solo «La vita sognata», quei dieci fogli che sono riuscita a buttare fuori da me.

Tortura è stata la mia maternità immaginaria, valida fino a che ci fu al mio fianco un essere che condivideva questo anelito di salvazione di una vita in un'altra vita, valida finché fu non illusione, ma speranza, e speranza di bene non soltanto per me; ma quando si riconobbe illusione e divenne soltanto dolore mio, si isterilì, si schematizzò. Feci del mio dolore un'astrazione, un'armatura su cui appoggiare, scaricare la responsabilità della mia vita. Da quel momento il mio dolore non ebbe più ragione, più diritto di esistere. Compiuta la rinuncia, io avrei dovuto ricominciare a vivere, non fare di quello una teoria per sostenere la negatività della mia vita. Come se quella che era stata la mia vita morale, giustificasse la mia vita amorale della giornata. Amorale perché subita, coscientemente subita come uno smembramento della personalità, un lasciarsi andare, disperdersi fra le cose, le anime, i gesti irriflessi, senza un nocciolo interno, una mano che raduni le fila, che sprema l'uva perché ne coli il mosto.

Desiderare di donarsi non può non essere la suprema delle

aspirazioni di una creatura; ma volersi ad ogni costo donare quando del rifiuto delle cose si ha già coscienza, è uno sconfinare illecito, un proiettarsi in gigantesche fantasie che non hanno più realtà di un'ombra nera sul muro.

Dalla sua posizione di insicurezza e massima ricettività, Antonia è grata ai suoi amici, ne ricerca l'approvazione persino nel contesto dei suoi drammi di identità. Osserva sul diario, sempre il 4 febbraio 1935:

> Da che ho conosciuto Remo e gli altri ho ricominciato a vivere spiritualmente. Gli schemi della mia personalità si sono rotti a contatto con le loro personalità forti. Mi hanno fatto molto bene, perché non hanno avuto nessuna pietà. E sono indulgenti solo quando in realtà me lo merito, non quando immagino di meritarmelo. Sono delle realtà vive che mi rispondono, non si prestano ad essere visioni.

In quel mese, l'amica Lucia le comunica di voler entrare in convento. Nel continuo rivivere del suo sacrificio, pensa che il divino si manifesti in lei, nell'affermazione reiterata della sua scelta. Scrive Antonia sul diario, il 6 febbraio.

> Ma come potrà sfuggire all'abitudine, alla ripetizione di se stessa? La Grazia, lei dice. E qui, naturalmente non posso capirla più. Per me il divino, la divina vita – o la vita semplicemente – scaturisce solo dalle reazioni continue tra soggetto e oggetto, io e mondo (Fichte?). Tagliare via da sé la possibilità di questo perenne rinfrescarsi nelle cose è come uccidersi vivi. Il più terribile pensiero è questo: che io alla sera potrò ancora andare in un prato sotto le stelle libere e lei starà, per tutte le sere della sua vita, in un dormitorio, vicino a dodici letti di bambine sconosciute. Ed il suo scomparire lascerà una traccia indistruttibile: e sarà, davanti a tutte le cose belle a lei tolte, la mia gioia di goderne e nello stesso tempo il rimpianto di lei lontana, che non ne godrà mai più.
> Godere per due è altrettanto pesante – forse più pesante – che soffrire per due.

Dunque Antonia si ricava con sforzo una posizione filosofica, del tutto lontana dallo spiritualismo cattolico dell'amica, in parte desunta dall'idealismo, in parte dall'esistenzialismo fenomenologico. Ma questa accettazione totale della vita, che Banfi propugna e che attraversa Nietzsche per oltrepassarlo andando verso Simmel e la filosofia della vita, risulta sempre più difficile per chi non ne ha potuto avere che un amaro assaggio.

Partendo da una riflessione di Paci che più degli altri innerva il suo pensiero di un pessimismo nichilista, Antonia si interroga sulle responsabilità morali di quella posizione e sulle scelte pratiche dei giovani che ne sono influenzati. Basti leggere una osservazione di Antonia appuntata a margine del diario, che è la prova comunque del distacco critico:

> Paci. Dostojevschiano anche lui. E anche lui sente, acutamente, che una visione filosofica come quella di Banfi applicata alla vita di un giovane porta a spaventose conseguenze pratiche. Comprendere tutto, giustificare tutto. L'assassino, l'idiota, il santo. Ma allora anche noi possiamo farci assassini, pur di non rifiutare nessuna esperienza?

In realtà, questa, come mi faceva osservare Clelia Abate, è un'osservazione che si riferisce al pessimismo pre-esistenzialista di Paci, allievo eterodosso, piuttosto che allo stesso Banfi.

Ciò che sembra turbare Antonia in questo periodo di frequentazione dell'ambiente banfiano è proprio il rapporto tra vita e lavoro filosofico, che all'interno del gruppo si vive con assoluta determinazione.

Il fatto è che il «disordine» che viene rimproverato ad Antonia costituisce uno stadio di sviluppo di un'ipotesi filosofica come quella di Paci, anche se la giovane poetessa non avrà il tempo di portarla alle sue conseguenze teoriche. Infatti, l'idea centrale della filosofia di Paci, nella fase matura, sarà che ogni situazione data è, nella sua configurazione, il risultato di un equilibrio provvisorio tra i bisogni e la loro soddisfazione, tra i problemi e la loro soluzione. Il sistema è sempre in equilibrio precario: il mutamento è sempre incombente. Questo è il fondamentale punto di *crisi*, la sospensione che porta a un nuovo ordine che continuamente modifica col nuovo l'assetto precedente. Per Paci il *processo* è tutto. E in questa continua trasformazione dei dati dell'esperienza, osservando la molteplicità delle forme di vita, il filosofo pone domande, anche *indiscrete*. Quel che interessa sono gli spazi vuoti e le pagine bianche. Lì può essere annidata un'immagine della verità.

Il limite sta nell'orientamento verso il futuro e questo impegno si connette con un senso di responsabilità civile della filosofia, che Paci sente forse più di tutti gli altri.

CAPITOLO VI

TONIA KRÖGER

In quest'ottica, risulta forse meno arduo comprendere il tentativo dei giovani in quegli anni di far interagire le proprie intime motivazioni ed esperienze con un atteggiamento filosofico intrecciato ai dilemmi della vita, in una maniera che anticipa certi tratti dell'esistenzialismo.

Antonia va cercando nei suoi amici l'essenzialità e intensità di un'accensione di vita che si accompagni a una ricerca insonne sulle ragioni della vita stessa. E trova in loro rispondenza certo, ma anche un egocentrismo che li porta a valutare le cose da un esclusivo punto di vista maschile. Le amiche non hanno molto spazio in questa zona di esperienza: cercano la loro approvazione, piuttosto che sollecitare originali direzioni e autonomia di scelte.

Antonia è per troppi ancora la studentessa intelligente e colta, ma facilitata dalla sua alta posizione sociale, protetta comunque da una famiglia che le impedisce una diretta esperienza delle amare cose del mondo. Il sogno di una vita mancata, a cui talvolta allude con malcelata sofferenza, sembra a molti un'espressione di bovarismo deteriore, confermato dalle proiezioni che andava facendo sulla sua tesi, nell'attesa di altre conferme, che tardavano, dall'esistenza stessa da cui si sentiva tradita.

12 marzo 1935

Sono andata da Remo: per ritrovare quello che si era perduto tra noi, il tono alto, l'atmosfera rara in cui solo possono vivere i nostri rapporti non comuni.

Mi ha letto due sue novelle: lui nel suo modo più profondo di essere, di guardare le cose con i suoi occhi buoni.

Tentativi di penetrare la realtà triste della vita con una tale onestà, con una tale semplicità sgombra di artifizi e di «occhiali» che se ne resta commossi. E si vorrebbe buttar via questa vecchia personalità angusta, aver di nuovo vent'anni, cominciare da capo. E non aver lasciato cadere nel vuoto tutti i pensieri: tentar di radunare le fila di noi stessi, fermarle in pochi nodi saldi.

Essere Tonio Kröger sta bene: ma non devo dimenticare che T. K. non viveva, ma per creare.

Non vivere e non creare sarebbe da impotenti, da minorati. La nostra vita deve essere la creazione. Ci vuole un seguito a T. K., o per lo meno bisognerebbe vederne l'altra faccia: la rivincita sulla vita, sul ritmo a tre tempi, dolce e volgare della vita. La rivincita ottenuta col lavoro preciso, assiduo, vivificatore: con l'arte che dell'oggetto che fu vivo e che dovette morire rifà una cosa vivente.

T. K. nella tempesta, quando il suo cuore batte all'unisono con le onde sconvolte, non sa formulare nessun canto. Saprà cantare – sebbene T. M. non ce lo dica – solo da riva, quando la tempesta sarà solo un ricordo ed egli la contemplerà oggettivata nella sua immaginazione.

Il contrasto tra Geist e Leben non va inteso nel senso che l'artista è colui che non arriva alla vita, ma colui che va oltre la vita. Infatti, come potrebbe comprendere, veder chiaro, riflettere su ciò che non ha vissuto? Io vorrei dire questo, in ogni modo: che la luminosa vita di Hans e di Inge può essere materia all'arte di T. K. solo in quanto egli vive dolorosamente il distacco da essa e la vede attraverso il suo rimpianto. Ma non nel momento in cui il rimpianto gli duole potrà farne materia d'arte: bensì quando anche questa vita del suo cuore gli starà davanti, come un oggetto. A Tonio Kröger mancano le pagine della ricostruzione, della gioia creatrice, della fertilità operosa. Ma queste T. M. non ce le voleva dare: egli ha voluto oggettivare in un racconto la sua pena di borghese sborghesizzato, la sua bohème spirituale.

Ha voluto mostrare a costo di che sangue ci si fa chiamare poeti: e l'errore di chi crede che si possa – cogliere una fogliolina sola dell'alloro dell'arte – «sans la payer de sa vie» – Mercoledì notte – a casa di Alberto – c'erano due T. K.: Vittorio ed io. Lui a guardare la meravigliosa e pura bellezza di M.T. spiegazzata, gualcita dalle tante mani di miopi Hansen. Io a sentirmi nascere e crollarmi dentro mondi di sensazioni: lì, muta, come se avessi ai miei piedi il mio corpo lacerato e potessi guardarlo. Poi, all'alba, nel mio letto, dopo tanto inutile cieco patire, dopo la mortificazione di quella gelosia tutta fisica, di quello strazio illecito, mi venne l'idea candida che mi ricondusse il sonno: andare nella sua casa, respirare la sua aria, tacere davanti a lui, lasciar cadere nel fondo di me tutti i subbugli torbidi: cercare di rimediare anche materialmente al mio smarrimento materiale. E se sono le cose, se è il mondo che ci rende lontani e mi fa cattiva, poterlo riavere per me lontano dalle cose e dal mondo.

Ed oggi sono andata e uscita nel tramonto fresco con tutto il cuore lavato e greve della commozione recente: con tanti propositi di forza e di lavoro. E ancora una volta devo dire che Remo è la persona che mi ha fatto più bene al mondo: perché è il solo che non ha avuto pietà di me. Forse stasera sono al di là della vita, al di là della tempesta, che ormai può cantare e padroneggiare la tempesta nel canto.

Era una serata davvero particolare, questa da Alberto Mondadori, il giovane intelligente rampollo della potente dinastia editoriale, in cui si erano ritrovati tutti gli amici. La confusione era grande e gli invitati eterogenei: c'erano gli amici dell'università, ma anche esponenti del mondo culturale e uno stuolo di belle ragazze delle più diverse provenienze invitate solo per la loro fisica esuberanza. Cerchiamo di ricostruire la scena, fondendo le pagine del diario con quelle di un abbozzo di romanzo ancora inedito, in cui compare una situazione molto simile a quella descritta.

Antonia, intimidita dalla situazione, si tiene accanto a Vittorio Sereni, contemplando la serata più che partecipandovi. Remo saluta questa e quella, come se conoscesse tutte. Poi, notando l'arrivo di Antonia, subito le si fa incontro, lasciando di stucco tre signorine di buona famiglia e di ottimo aspetto che egli, impeccabile nel suo completo grigio scuro ma con la cravatta un po' sciolta e dai colori discordanti da intellettuale distratto, stava intrattenendo sugli autori di moda in Germania. Remo le viene incontro, col suo passo delle grandi occasioni, che sembra ignorare ogni presenza quasi fossero fantasmi e non belle ragazze, per piantarsi lì di fronte a lei, con un piccolo inchino scherzoso e la mano tesa al saluto.

«Cara Antonia, allora ti sei decisa a venire?» le dice, affabile, irresistibile come sempre.

E a Sereni: «Se non era per te dovevano andare a prelevarla con la forza dal suo eremo di Pasturo».

«Vuoi venire che ti presento qualche amico? C'è un mio compagno dalla Germania che scrive poesie degne di Stefan George. Vieni, te lo faccio conoscere.»

«Più tardi, Remo, grazie. Lascia che mi adegui all'ambiente. Se poi mi metto a balbettare che figura ci fai?»

In quel momento, al braccio di Alberto entra lei. Fende la piccola folla degli invitati neppure consapevole di non avere rivali. La sua bellezza eclissa tutte. Gli occhi di Remo scintillano e Antonia lo lascia libero, allontanandosi da lui e da Sereni con una scusa.

È stupenda: ha un volto radioso e un portamento elegante nella sua estrema semplicità, ha una bellezza che non sa nascondere, anche se non fa nulla per esibirla.

Quando Antonia si volta, li vede stretti in una danza perfetta, talmente adatti l'uno all'altra, speculari, armoniosi, che sembrano mostrare agli occhi del mondo che la bellezza è il solo segreto della pienezza d'esistenza.

Non abbiamo potuto identificare la M.T. cui si riferisce l'emozione di Antonia e di Vittorio Sereni, ma sappiamo che il turbamento di Antonia è anche legato al successo personale di Cantoni tra le ragazze del gruppo: corteggiato, circondato, strappato alle sue timide attenzioni, lo vede perduto al suo amore sofferto, preso in un vortice di grazia mondana e di vanità che glielo sottrae inevitabilmente.

Si stringe a Sereni, al suo fratello a cui l'accomuna la sofferenza intellettuale. Anche Sereni è innamorato di quella creatura sottile, del suo fascino delicato, ma sta imparando a rinunciare a lei, perseguendo altri progetti d'amore, più vivibili e concreti.

Sono così vicini che sembra quasi stiano abbracciati. Nella loro esperienza, l'amore non è lo sbocco inevitabile della vitalità emotiva, ma una dolorosa illuminazione intellettuale, un'esperienza complessa tra istinto e ragione. Stretti l'uno all'altra, fermi, tesi nel piacere dello sguardo, paiono prefigurare tutto ciò che a loro, poeti, sarebbe sempre mancato: la vita leggera e non tragica, il ritmo dell'esserci in quanto apparire.

E la filosofia insegna a non sperare e a non disperare. Dove può essere fondato l'essere? Solo in una realtà continuamente mutevole, così anche le speranze non hanno alcuna certezza al di fuori di questa fluidità.

21 marzo 1935

Attesa. Qualunque cosa Remo mi dirà, mi sembra di aver scoperto in tutte le cose un principio di corruzione, un verme nascosto. Io ho sempre teorizzato, simbolizzato, divinizzato le contingenze particolari, proiettato in ischemi quelle che erano solo delle esperienze individuali. Ognuna delle posizioni momentanee mi pareva la missione di tutta la vita. E invece la vita cambia ad ogni istante, ogni forma dell'essere nasce con un principio di morte, l'eterno è in tutte le cose, è nell'incessante variare di tutte le cose, ma nessuna cosa è l'eterno.

In primavera, Antonia torna a Pasturo, riapre la dimora che è stata chiusa per mesi. Questi ritorni hanno un sapore rituale, che annuncia, col rinnovarsi della stagione, la sua reiterata speranza di ripresa vitale. Scrive a Remo:

Pasturo, 14 aprile 1935

(...) ti scrivo dal mio vecchio tavolo, dalla mia vecchia cara stanza.

Fuori sta già venendo sera. Guardo dalla finestra bassa e larga le cime dei pini contro il cielo pallido: erano tre, qui davanti, fino all'anno passato; ma poi uno ammalò e gli dovemmo tagliare tutta la punta. Adesso, a vederlo così monco, fa malinconia.

Dunque sono qui, dopo tanti mesi d'inverno, dopo tanta vita. Qui, a questo tavolo che io chiamo il mio porto. Ho trovato sopra una sedia un giornale del 15 ottobre 1934 («L'assassino di Re Alessandro sarebbe certo Georgiev?»). Che silenzio, qua dentro, da allora. E io via, proprio come una nave da carico per i mari, a raccogliere merci in tutti i paesi; e poi una mattina, finalmente, torna a vedere la sua baia, la sua terra, si accosta al molo, apre tutte le stive. Anch'io apro la stiva, calo giù grossi uncini, scarico la mia merce sulla banchina: la roba buona si tiene, la cattiva si butta a mare. E tutti gli anni è così: quando rientro in questa stanza e guardo i rami dei fiori disegnati sulla tappezzeria e respiro questo odore speciale dei mobili, dello zoccolo di legno, istintivamente, in un attimo, mi faccio come un esame di coscienza: tutto quello che ho vissuto fuori di qui, quello che ho aggiunto alla mia anima e che queste pareti non sanno ancora, mi si riassume così nitidamente nel pensiero, come se qui qualcuno mi domandasse ragione della mia vita. Quando dico che qui sono le mie radici non faccio solo un'immagine poetica. Perché ad ogni ritorno fra questi muri, fra queste cose fedeli e uguali, di volta in volta ho deposto e chiarificato a me stessa i miei pensieri, i miei sentimenti più veri. E queste pareti se ne sono fatte custodi, così che, quando rientro qui, tutto il mio passato, tutto quello che sono stata, per cui sono – oggi – quella che sono, mi balza incontro ed io ritrovo la più completa me stessa. Qui non sono solo raccolte tangibilmente tutte le immagini delle persone care, dei luoghi amati e non più veduti, delle cose d'arte predilette, ma l'aria stessa è come se conservasse l'uso delle voci, l'ombra dei volti, il senso delle ore vissute.

Ho tanta voglia che anche tu venga qui. Sempre, tutte le persone a cui ho voluto più bene, ho desiderato che venissero qui; perché vederle qui è come una consacrazione, una benedizione dell'affetto che mi lega a loro e mi sembra che poi non potrò mai veramente perderle, che qui potrò sempre ritrovarle vive, anche quando saranno lontane e mi avranno dimenticata.

Oggi ho fatto una breve passeggiata fino a un bosco vicino. Fa ancora freddo, gli alberi sono completamente nudi. Ma nei prati ci sono moltissimi fiori: le viole, le primule, i giacinti, l'erica rossa sotto i castani. Le miosotidi sono piccole e chiuse: in maggio diventano alte, i prati sono tutti azzurri. Quando verrai, ci saranno più fiori che erba. A pensare che tu vedrai questo mio paese, queste cose umili, tutto mi sembra così angusto, misero, brullo: vorrei raccomandare alle cose di farsi il meno brutte possibile, all'aria di essere dolce, al sole d'essere chiaro, sapendo che tu vieni.

Stamattina un uomo del paese, un vecchio, s'è fermato al cancello: ha voluto che portassi alla mamma un pezzo del ramo d'ulivo che aveva preso in chiesa. Mi ha tanto commosso. Qui non c'è che gente taciturna, rozza: ma io penso che se un giorno resterò sola e verrò a vivere qui, il saluto di questi vecchi baffuti, di queste donne sdentate, il sorriso dei bambini sudici che mi vengono nelle gambe, mi consolerà molto...

E Remo verrà, ospite dei Pozzi in una lunga convalescenza. Ammalatosi ai polmoni viene infatti curato e ospitato a Pasturo, nell'estate 1935.

Remo ha il cervello geniale e turbinoso e il carattere mutevole: bello di una bellezza «maledetta», appassionato, avventuroso, ma amico leale e devoto.

Anch'egli dovrà tante volte prendere in pugno la sua esistenza di studioso, affrontarla con coraggio e difenderla dalle aggressioni perturbanti delle infelici vicende private, come dimostra lo sviluppo tumultuoso del suo lavoro, estesosi negli anni a investigazioni culturali sempre più vaste e diversificate.

Egli, che si forma nell'ambito della filosofia banfiana, sviluppa la sua ricerca intorno alla concezione etica del problema della conoscenza, giungendo a posizioni originali riconducibi-li a un esistenzialismo critico e, finalmente, all'antropologia filosofica.

Osserviamo le foto scattate da Antonia relative a quel sog-giorno: Remo ha trovato il suo sorriso più affascinante mentre la guarda con le gambe accavallate sulla poltrona della veran-da. In quel sorriso c'è tutta la consapevolezza del successo per-sonale, ma anche l'ironia di intenderne la relatività di fronte a tutto, di fronte all'amore, per esempio. Oppure mentre vuole farsi ritrarre nella scompigliata posa dell'intellettuale intento solo a se stesso e ai propri libri.

Antonia l'ha presentato in casa ed è piaciuto subito ai geni-tori: finalmente un coetaneo di Antonia, di famiglia rispetta-bile, di ottima educazione e sicuro talento. I genitori accolgo-no con piacere il giovane nella loro casa, si occupano della sua salute, interessandosi alle visite mediche e ai farmaci necessari. Più avanti, l'avvocato Pozzi lo aiuterà anche nella ricerca di la-voro.

Ma ancora una volta, dopo le iniziali speranze, è impossibile l'abbandono all'amore appagante, ricambiato: il suo slancio si scontra con un altro limite. Cantoni non è innamorato di An-tonia, almeno, non nel senso che lei vorrebbe. Le offre un'a-micizia intensa che non esclude un'intesa fisica, in momenti episodici, strappati al caso e al bisogno di lei, ma senza un ve-ro coinvolgimento erotico.

L'esperienza con Remo le fa sentire l'inadeguatezza del suo modo di essere al mondo, della tensione dei desideri impossi-bili.

In presenza di lui e della sua indifferenza amicale, Antonia è costretta ancora una volta a chiudersi, a credersi e farsi cre-dere torbida, piuttosto che mostrare la propria chiarezza intel-lettuale e morale; ed è ancora così insicura, così vulnerabile. In assenza di lui può contemplare la propria seconda disfatta, sentendosene persino straniata, ormai, nel fondo, consapevole della propria irriducibile diversità.

Vittorio Sereni è l'unico confidente, tra gli amici del gruppo universitario, ma anch'egli soffre per la difficoltà di far convivere, nella vita reale, autenticità e continuità del sentimento. Le presta ascolto, ma non può aiutarla.

A lui, quando Remo, ormai completamente ristabilito, torna per qualche giorno a Milano, può raccontare il disincanto subentrato dopo quella esperienza quotidiana. Ma Sereni non le può più fare le visite consuete che tanto la confortavano: è richiamato a Brescia, dove insegna. Antonia, circondata dalla solitudine, può riflettere sull'incertezza di una relazione esaltante, confusa e, in fondo, avvilente per l'implicito squilibrio del sentimento. Dunque prende la penna e scrive all'amico lontano.[14]

Pasturo, 20 giugno 1935

(...) Non so: da tutti questi giorni che ho vissuti non riesco a trarre nessun senso. Sono, qui, in questa pausa di silenzio, come un velo d'acqua sospeso su di un masso in mezzo alla cascata, che aspetta di precipitare ancora. È come se avessi tagliato tutti i legami col mondo di fuori, a beneficio di un mondo che ha già la sua data di morte, che forse non esiste neppure come mondo a sé, ma è solo il morire di tutto un lungo spazio di vita. Non sai che cosa spietata è la convivenza quotidiana: quell'essere giorno per giorno di fronte, a misurare le proprie diversità sul metro delle piccole realtà materiali, come sminuzza i sentimenti, come seppellisce i concetti idealizzati. Che grande prova del fuoco. Benefica – sai: e benedetta, se serve a smantellare gli idoli. Ma che urto contro la terra.
Quanti spaventosi abissi, fra Remo e me. Di gusti, di sensibilità; di moralità, soprattutto. E questo soprattutto è terribile: la mia assoluta inadattabilità alla vita pratica, il frantumarsi di tutta la mia unità di vita quando mi si porti fuori dell'atmosfera irreale in cui m'ha cresciuta la solitudine. Ma io non so quanta ragione abbia Remo dicendo che vuol fare di me una vera donna: io credo e temo che una vera donna

non sarò mai, che anzi, cercando malamente di esserlo, finirei col perdere la parte più vera e meno banale di me. Forse il mio destino sarà davvero di scrivere dei bei libri di fiabe per i bambini che non avrò avuti...

Mi sento più che mai Tonia Kröger, come mi chiamava il povero Manzi, come ci siamo sentiti – insieme – quella sera da Alberto. Ti ricordi, Vittorio? Io quella sera ho resistito solo perché avevo te vicino e fin che vivrò mi ricorderò di quello che mi sei stato in quelle ore. Ma tu un giorno mi hai detto una cosa che oggi mi rimorde terribilmente: mi hai detto che io sono molto nobile, che non so che cosa sia la volgarità. Se mi vedessi oggi, Vittorio: che spacco tremendo è avvenuto in me, che crollo. Da una parte l'Antonia delle poesie e dei buoni principi, dall'altra un essere senza volontà e senza centro, che ascolta senza reagire i discorsi più brutali e quando gli occhi che ha di fronte diventano cinici – non più fraterni né pietosi – non si alza, non va via, ma resta come ipnotizzata ad aspettare quelle carezze che sa che le vengono date – non per pietà – ma per gioco, uno stupido gioco che non costa nulla e può costare una vita.

Vittorio, tu sei la sola persona a cui oso confidare questa vergogna. E non so quello che succederà. Questa lettera mi sembra quasi il testamento dell'Antonia che hai conosciuta tu, il grido dell'acqua prima di cadere. E poi no, certamente no. Perché io sono troppo vile per andare fino in fondo. E chi gioca è in fondo troppo serio per volere che sia un gioco mortale. Ma è questo decadere di tutta me stessa, questo franare senz'argini che mi atterrisce e non vedo nessuna salvezza. Forse se potessimo essere ancora vicini, credere insieme a tante cose che ci sono care in comune, sarebbe diverso. Hai letto *Bisogno di una sorella* di Civinini? Ecco, tu sei stato così per me: quell'essere di sesso diverso, così vicino che pare abbia nelle vene lo stesso tuo sangue, che puoi guardare negli occhi senza turbamento, che non ti è né di sopra né di fronte, ma a lato, e cammina con te per la stessa pianura. Con te ho vissuto la morte del povero Gianni, una sera; abbiamo cullato in un treno domenicale le nostre malinconie simili e diverse; un giorno abbiamo ascoltato *June in January* e le tue poesie mi hanno fatto piangere, non forse per quello che dicevano, ma per il mondo di battiti che mi facevano nascere dentro e quella certezza, che solo la tua poesia sapeva crearmi quel mondo e solo quel mondo era la mia vera e più pura vita.

Vitto caro, adesso tu hai i tuoi esami ed io non oso doman-
darti di rispondermi: avrei tanto bisogno che mi si parlasse
del mondo di fuori, per salvarmi da questo mondo insidioso
ed effimero che mi porta via da me stessa con braccia violente. Ma forse la settimana ventura verrò a Milano per un giorno e potremo vederci. Se prima di allora puoi scrivermi una
riga – anche solo una riga – te ne sarei così grata: ho tanto bisogno della tua amicizia, caro Vittorio. Perdonami se mi ag-
grappo così. Raccontami di te, di Milano, di Brescia: mandami quello che hai fatto, anche se non finito. Io non ho scritto
più niente. Sono proprio Tonio Kröger nella tempesta.
Addio, Vittorio. Salutami tanto la tua mamma e non dimen-
ticarmi.
Io ti abbraccio con grande affetto.

Con Sereni, non solo Antonia scambia i libri di Ungaretti,
Montale, Eliot, Saba, non solo discute di Musil o Mann. Il
segreto che li unisce e li distacca dagli altri amici come una
nuvola omerica è la poesia. Entrambi condividono una visione della realtà nuda e incantata, priva di compiacimenti o
tautologie retoriche, ammirati della scavata interiorità di Ungaretti, più che dalle ricercatezze della «Ronda». Non a caso,
quando Antonia andrà a morire in quella gelida mattina di
dicembre, avrà con sé il testo di Sereni, più volte citato, *Diana*, che rievoca un'altra figura di ragazza prematuramente
scomparsa, vergato accuratamente a matita su un foglio con
le sue ultime parole: «Addio Vittorio, caro – mio caro fratello. Ti ricorderai di me insieme con Maria». E non a caso, Sereni scriverà per lei un solo testo, ma straordinario, *3 dicembre*, poi pubblicato nella prima raccolta, *Frontiera*, a rievocare
quel giorno della perdita.

Ma a testimoniare lo scambio incessante ci sono tanti altri
testi: alcuni di lui persino rintracciati tra le carte di Antonia,
nei suoi quaderni d'appunti, come *Temporale*, e indicativi non
solo dell'affinità di tendenza e di gusto poetico, ma anche delle emozioni sottese a una generazione sempre più sofferente, a
«una giovinezza che non trova scampo».

Bisogna dunque incamminarsi con loro su questa via, non sempre sgombra e aperta, di verità sommesse e anche taciute, di cui spesso, per il suo modo riservato di porsi, Sereni ci comunica solo gli «immediati dintorni».

È il tema del silenzio a tornare instancabile nell'intreccio di queste vite. Alleato della fedeltà agli accadimenti vissuti, alla memoria che si concede lacune nel tempo, accuratamente custodite negli spazi bianchi delle pagine in cui scompaiono inghiottiti i fantasmi degli incontri e degli amori. È il tema di *Concerto in giardino*, poi confluito in *Frontiera*, il volume più intimamente legato agli anni giovanili e del suo sodalizio con Antonia.

Già affiora in queste prove, come in quelle coeve dell'amica, una nuova urgenza stilistica: «io in poesia sono per le cose» (scriverà nel '41) e cioè la «scoperta» di un nuovo realismo lombardo dato dalla voce dei poeti. Un universo nativo di segni, fatto di paesaggi brumosi, di pianure interminate, definisce un'intera stagione di vita, in una cornice reale e con una tenuta quasi di racconto.

Ecco il sentimento della frontiera: soprattutto ombra invadente di un futuro minaccioso, «tensione verso ciò che sta oltre, verso un mondo più grande»: è già quasi il mito pionieristico americano.

È l'elegia della giovinezza, per entrambi, che affonda nella certezza umile delle cose.

La giovinezza, per loro, è slancio apparente e può riguardare un'ossessione di morte. È ancora e sarà sempre «il sorriso limpido e funesto» che coinvolge col brivido della consapevolezza tutto l'osservabile.

La maturità come linea d'ombra li raggiunge ben presto entrambi, diversificando però i loro destini.

Per Sereni «l'ingresso nella vita, nella storia», per Antonia un percorso che l'amico poeta vedrà sempre come un viaggio alla ricerca di una Persefone rapita agli inferi, perseguitato dall'apparizione di quella giovinezza troncata, mai assimilata pacificamente, ma sempre congiungendo luoghi anche lontani, con una domanda insoddisfatta.

Quello stesso 20 giugno 1935 in cui aveva scritto a Sereni, Antonia si sofferma a riflettere, in solitudine, su questo periodo di stretta vicinanza che le ha fatto perdere il senso delle cose mentre ne ritrova l'entusiasmo. Remo si lascia dietro le tracce indelebili del suo passaggio. Antonia si convince che questo rapporto stringe un nodo importante nella sua vita che riguarda anche i mutamenti della sua personalità. Mutamenti che deve capire e accettare per poter poi avere rapporti più equilibrati con le persone. Così descrive all'amica Alba Binda la complessità di quel momento:

> Mi sembra che quel sentimento che mi ha riempita durante un lungo inverno sia andato giorno per giorno disfacendosi, al di sotto di tante piccole cure materiali e come sminuzzandosi in tante discussioni che continuamente svelano nuove diversità e nuovi abissi. Di modo che, forse, l'esser venuti a questa prova, se ha un po' logorato il mio sistema nervoso, in certo senso non è però stato un male, perché mi ha aiutata – come dici tu – a liberarmi dagli idoli e a vedere in faccia la realtà. Credo che ora della fine potrò dire di conoscere la vita molto meglio di quel che la conoscessi prima: e questo, anche se distrugge molto idealismo e molta poesia, può sempre servire.
>
> Mia cara cara Alba, io mi sento più che mai Tonia Kröger, come diceva il povero Manzi, e queste mie montagne sono le uniche cose mute e fedeli con le quali so intessere delle misteriose trame di affetto. (...) Tuffarmi nella realtà sarebbe un perdere il meglio di me stessa e smarrire completamente il senso della mia vita. Sulla porta del mio studio ho affisso un battente che avevo comperato in Inghilterra (i giorni di Londra! Non è stato quel sogno la mia vera realtà?): è un buffo orsacchiotto vicino alla sua casina ed io penso che sia il mio ritratto e il simbolo della mia natura.
>
> Quando verrai nella tana dell'orso, Buzzi? C'è pronta la stan-

za per te, su proprio vicino alla tana, col soffitto nuovo di legno e la tappezzeria a fiori: quando verrai?

Alba è un'amica fedele, che ha sempre cercato di trasmetterle una visione non pessimistica della vita, compagna di gite, di viaggi, di feste. Si sposerà nel 1938 e partirà per il Sudamerica. Un'amica che sa ascoltare senza esprimere giudizi, aperta e leale, che illumina i giorni inquieti di Antonia col suo radioso sorriso di eterna ragazzina. Ha curato un bel profilo dell'amica per una rivista letteraria argentina: tiene giustamente a ritrarla come lei l'ha vista: animata da un'energia superiore che, costretta a rientrare in se stessa per impossibilità di sfogo, è diventata pericolosa per l'equilibrio psicologico ed esistenziale.

Antonia non si sente più dentro la durezza cristallina della volontà. Si riconosce divisa persino nell'interiorità e la vita le appare sempre più incompatibile con la poesia.

Accettando l'affetto di Remo, dato per prodigalità più che per distrazione, per impulsività più che per pietà, le sembra di essere fuori luogo, comunque. Si sente «franare senza argini», al di là di ogni possibile salvezza. Ma «chi gioca è in fondo troppo serio per volere che sia un gioco mortale».

Tonio Kröger, nella tempesta, è approdato a una riva con un'esperienza che non sa ancora tradurre in parole, eppure è proprio della riva conquistata che vorrebbe cantare.

Tuttavia, Antonia tenta di distrarsi, organizzando e partecipando alle riunioni con gli amici.

Mentre Cantoni era ancora suo ospite, un giorno vengono a trovarla Alberto Mondadori e Mario Monicelli. Mondadori ha voglia di giocare a football, ma per non sporcarsi i sandali chiede in prestito le scarpe al papà di Antonia. Aveva fatto amicizia con lui: trovandosi negli stessi giorni al Lido di Venezia, Alberto gli aveva confidato il suo amore per una biondina vistosa, una certa Lolli, e l'andava seguendo dappertutto filmandola con la cinepresa dell'avvocato.

Tra questi giovani sperimentatori stavano nascendo nuove possibilità di espressione: Monicelli, Mondadori e Lattuada si occupano di cinema, all'inizio all'interno del GUF e poi autonomamente.

In casa Mondadori si proiettavano gli esperimenti cinematografici di Monicelli, tra cui suggestivi documentari naturalistici, che Antonia ammirava grazie anche alla sua competenza tecnica. Sta infatti sviluppando in questi anni, oltre all'interesse per la fotografia, un'affine curiosità per le tecniche di ripresa. Alle proiezioni viene dato un certo lustro di ufficialità: vi partecipavano Barzini, Ramperti e diversi altri esponenti del regime. Antonia si limita a nominarli, nelle lettere, ma senza fare alcun commento. La posizione del padre, nominato podestà di Pasturo, e sostenitore del fascismo, non le permetteva di esprimere un dissenso che andava crescendo sotterraneamente.

Un giorno il gruppo degli studenti di Banfi organizza una gita al lago di Monate, con una visita alla casa di Pasturo.

La giornata – che Antonia avrebbe voluto risolutiva per chiarire le intenzioni di Remo – si rivela difficile per tutti i partecipanti, nessuno escluso.

In quel periodo, a corteggiare Cantoni c'è anche Isa Buzzone, una ragazza in vacanza a Barzio che non c'entra nulla con il gruppo di Banfi, perché non è universitaria, ma cerca in ogni modo di legarsi a quei giovani affascinanti e irrequieti, per l'attrazione che prova verso il loro mondo brillante e i discorsi intellettuali.

Remo non può certo negarsi a un gradito corteggiamento e comincia a frequentare Isa, mentre Antonia sorveglia ansiosamente la crescente intimità tra i due.

Antonia sente di non dover accettare la rassegnazione: ma finisce per arroccarsi nella sua solitudine morale, rispetto alla libertà di comportamento di Remo.

Non avrebbe dovuto isolarsi, ma tentare di fare scaturire da quel contatto una scintilla non momentanea, che portasse un fuoco durevole, utile per illuminare l'oscurità in cui entrambi diversamente vivevano. Racconta a Sereni, in una lettera del 16 agosto 1935:

La cosa cambiò, di colpo, una decina di giorni prima che Remo partisse. Fino a quel momento i nostri rapporti erano stati quelli non di due, ma di quattro persone. Ossia: c'erano due bravi ragazzi, in noi, che si stimavano molto reciprocamente ed erano capaci di una certa vicinanza spirituale; poi ce n'erano altri due, niente affatto bravi, legati da una specie di complicità fatta di piccole e meschine debolezze. Una sera, d'improvviso, le quattro persone divennero due. Capisci? Voglio dire che d'un tratto ci sentimmo tutti interi l'uno di fronte all'altro ed io non avevo più da vergognarmi di quello che facevo con tutta me stessa, ad occhi chiusi invece che a occhi aperti, ed era una cosa necessaria e bella. In me era esistito fino a quel giorno un tremendo dualismo, da cristiano primitivo, tra l'anima e il corpo: la mia scarsa e disgraziata esperienza non aveva fatto che esasperarlo. Ero troppo debole, d'altra parte, ed inconsciamente desiderosa di una vita completa, per rinunciare decisamente all'uno o all'altro aspetto di me: e continuavo così, a tentoni, pronta a urlare d'orrore al minimo urto con la realtà.
Remo ha rappresentato per me un momento che credo raro nella vita di una persona: la conciliazione di me con me, la pacificazione degli spaventi, il paradiso e la terra – vorrei dire. Per questo, per il senso di unicità di questo momento e d'infinita innocenza e limpidità, di diritto che sentivo di fronte alla vita, avrei voluto che la cosa fosse completa: per dare di me qualche cosa che equivalesse a quello che quel momento rappresentava. Non è stato così, ed anche questo è stato giusto: perché non basta lo stato d'animo di uno solo a giustificare gli atti di due persone. E le basi del sentimento di Remo erano una gran compassione e una gran tenerezza che, sommate, non si possono chiamare amore; benché bastino, come uomo, ad assolverlo dal suo atteggiamento verso di me. Di un'altra cosa sono contenta (e in principio mi sembrava una menomazione della mia dignità, mentre ora mi pare invece una forma

di dignità superiore): che io mi rendo benissimo conto della relatività della mia posizione di fronte a lui. In altre parole: ciascuna delle donne che va con lui crede o pretende o finge a se stessa di essere la sola, ha bisogno delle bugie per sostenere la sua posizione. Io no: io so di rappresentare per lui solo un aspetto – e un aspetto non grande – della vita. So che, con la sua partenza da qui, quel momento di completezza è finito, ch'egli desidera di mantenere solo un'amicizia e non altro: ma non gliene faccio rimprovero. Se lui è stato ed è ancora l'assoluto per me, non posso pretendere di essere l'assoluto per lui. Gli sono grata di quello che mi ha dato. Non domando niente: so che non ho il diritto di domandare niente. Ecco tutto.

Dopo l'accettazione disincantata del proprio fallimento, Antonia si ripiega su di sé e ritorna alla poesia, ma in un modo nuovo.

In questa pagina di diario, rivolge a se stessa parole di ammonimento, che si pongono come un tragico *aut aut*:

17 ottobre 1935

Adesso tornerai a scrivere poesie.
Dici, parli, ma ha ragione Tonio Kröger.
Impara a vivere sola – dentro di te.
Costruisciti.
– Qui, o si muore o si comincia una tremenda vita. Io non devo morire, perché la mamma, sentendo il tonfo del mio corpo sulla terrazza del piano terreno, griderebbe «cosa c'è», si affaccerebbe e la porterebbero morta anche lei nel suo letto. Io sono una donna, ma devo essere più forte del povero Manzi che si è ammazzato per una ragione uguale alla mia –

Io lavorerò, Flaubert m'insegni. Ho il dovere di essere più forte del mio dolore, perché il dolore nasce sempre da uno sbaglio. Io ho sbagliato. Faccio ammenda. Pago del mio.
– Orgoglio, aiutami –

Bisogna nascere una seconda volta.

Cantoni sembra essere stata la persona che l'ha più aiutata in questo periodo, come lei sostiene, forse perché ha sferzato la sua volontà, inducendola a ricostruirsi, pur senza avere nei suoi confronti atteggiamenti protettivi e assolutori.

Lavorare, come già le aveva suggerito Banfi, può forse essere un modo per indirizzare le scelte esistenziali verso esiti creativi, anche se Antonia sente acutamente di non poter risolvere del tutto così le contraddizioni della sua posizione morale.

In fondo alla sua anima rimane sempre più lucidamente la presenza di un dualismo irrisolto, «da cristiano primitivo, tra l'anima e il corpo». In questa prospettiva, confida a Vittorio Sereni, anche la delusione diventa fonte di rinnovata consapevolezza: «Remo ha rappresentato per me un momento che credo raro nella vita di una persona: la conciliazione di me con me, la pacificazione degli spaventi, il paradiso e la terra», insomma, l'aspirazione a un'unicità che si possa realizzare anche in un rapporto umano («se lui è stato ed è ancora l'assoluto per me, non posso pretendere di essere l'assoluto per lui»: dunque, ancora una scelta *soggettiva*).

Nel settembre scrive una importante lettera a Banfi, a proposito della sua tesi, in cui sintetizza la particolarità del suo cammino di ricerca. La lettera, finora inedita, è conservata all'Istituto Banfi di Reggio Emilia.

Milano, 25 settembre 1935

Gentilissimo Professore,
devo chiederLe infinitamente perdono se soltanto ora mi faccio viva per darLe notizie della mia tesi. La verità è che, strada facendo, sono intervenuti tali e tanti mutamenti nel piano primitivo del mio lavoro, che non so parlarne per iscritto. D'altra parte, mi sembra ora di essermi messa su una via che mi persuade di più, di aver raggiunto un angolo di visuale veramente mio e di star facendo (incredibile a dirsi) un lavoro non fatto prima da altri.
Prima che cominciassi a scrivere, Ella mi aveva avvertita di un rischio: quello di cadere nell'analitico e nel diffuso, esa-

minando le opere giovanili di Flaubert. Devo confessarLe che in parte sono proprio caduta in questa tendenza, che però non vorrei chiamare errore, dato che ho cercato di non accumulare una congerie di particolari eterogenei, ma di tenere sempre presenti le due direzioni fondamentali della personalità flaubertiana, la fantastico-romantica e la critico-realistica, dal cui attrito scaturisce il valore essenziale di un'estetica che è anche la soluzione di una vita. Poiché il nodo della storia spirituale di Flaubert consiste in un superamento interiore, mi è sembrato che fosse di grande interesse seguire passo per passo, fin da principio e in modo organico, lo svolgersi di questi aspetti, avendo sempre in vista, come effetto finale, il maturarsi del problema artistico. Il quale, nella prima *Education*, è già nitidamente posto: ma la soluzione è ancora tutta schematica, astratta, le manca il contenuto umano, quella tensione intima in virtù della quale l'opera flaubertiana si salva dal pericolo del tecnicismo e resta librata in un'atmosfera di equilibrio estremo, a cui concorrono non solo tutte le forze di una personalità, ma, simbolicamente riassunte in questa, anche le forze di tutta una cultura. Questo contenuto non potrà farsi strada, mettersi a circolare col sangue stesso dello scrittore, che durante gli anni della «grande prova», gli anni di pena della Bovary. Allora le cose, le cose alle quali egli al principio della sua fatica si rivolge perché gli creino, gli animino quei fantocci buttatigli per caso davanti da una parola degli amici, le cose penetrano lentamente in lui, gli costruiscono all'interno dell'anima, l'anima della Bovary; ed egli diventa «la donna e l'amante, i cavalli ed il muschio del bosco».

Mi pare che alla fine di una simile analisi, condotta coi raffronti continui della *Correspondance*, il quadro della estetica flaubertiana sia sufficientemente delineato e che non occorra aggiungere un'esposizione teorica della stessa.

Il Flaubert delle opere successive può considerarsi, su per giù, sistemato. Le basi del suo realismo storico erano già gettate al tempo del viaggio in Oriente («l'âme humaine n'est point partout la même») e anche di questo aspetto ho già potuto parlare. Mi parrebbe quindi che l'aver studiato la risoluzione del problema anziché il problema risolto non costituisca un'amputazione del lavoro, anche fermando le ricerche all'anno 1857.

Però lo studio resta condotto con andamento prevalentemente storico e per questo non so se si confaccia alle esigenze di una tesi.

Io aspetto di sentire da Lei, Professore, al Suo ritorno a Milano, un giudizio sul lavoro compiuto.

Se Lei giudicherà di poterlo accettare e mi consiglierà di presentarlo in questa sessione, io Le domanderò il permesso di poterlo irregolarmente presentare entro il 10 ottobre: se invece ci sarà da rifare, rifarò e rinvierò.

Mi perdoni, La prego, il lungo silenzio e la libertà di ora. Mi perdoni anche di non averLe mai saputo dire grazie per tutta la bontà che Lei ha avuto per me, per il bene di cui un giorno Le parlerò, che mi è venuto da Lei in questi anni.

Creda alla mia devozione fedele.

Sua Antonia Pozzi

In novembre Antonia discute la sua tesi col titolo *Flaubert. La formazione letteraria*.[15] L'aula dell'università è gremita: c'è molta attesa intorno all'evento. Malgrado la sua ritrosia, Antonia, colta, riservata e intellettualmente generosa, è popolare tra i compagni.

Inizia a parlare con paralizzante timidezza e rossa in volto; poi, a poco a poco, mentre l'attenzione intorno si fa sempre più viva, acquista sicurezza e la dissertazione prosegue sciolta, mentre i professori la ascoltano con distaccato rispetto.

Quel suo Flaubert che le era costato mesi di concentrazione e perfezionamento, andava di pari passo alla rieducazione della sua anima.

In Francia ha radunato materiale documentario in un lungo lavoro di raccolta e poi ha dovuto dipanare i fili intrecciati e complicati per individuare il centro dell'analisi: il nucleo profondo del pensiero che si legava all'opera.

I dubbi sulla sua vocazione poetica e gli interrogativi sul rapporto tra tecnica e contenuti si erano chiariti mentre andava interpretando le grandi tematiche di Flaubert, dal romanticismo al naturalismo.

La sua poesia voleva infatti «scontare» col lavoro assiduo,

con «la pena attiva dell'espressione», «l'evasione del reale nel fantastico», superando il dilemma romantico tra vita e sogno della Bovary.

CAPITOLO VII

«MADAME BOVARY C'EST MOI...»

Il percorso compiuto da Antonia intorno all'opera di Flaubert si identifica a poco a poco con l'evoluzione della sua stessa vita: a cominciare dalle lusinghe del sogno verso l'affermazione di un nuovo sguardo sulla realtà, che include una nuova responsabilità del poeta, un'uscita dal solipsismo verso la vita di tutti.

Questa sua tesi, concepita anch'essa come il libro di un'anima, segue il modificarsi della posizione estetica dell'autore in relazione allo svolgersi della sua esperienza esistenziale e affettiva.

Dietro tutto c'è la fiducia incessante verso l'affermazione di uno stile, come conquista di essenzialità, rigore e pulizia formali.

Molti hanno rimproverato ad Antonia (lo stesso Banfi, che considera con una certa diffidenza questo lavoro in cui intravede la personalità tormentata dell'allieva) un'identificazione fatale con Emma Bovary. Ma chi coglie davvero la complessità del suo profilo esistenziale, potrà accettarla solo con l'ironica adesione del suo stesso creatore: «*Madame Bovary c'est moi*».

Nell'infelice storia della signora sognatrice oppressa nelle meschinità dell'ambiente provinciale e alla ricerca di un'evasione in ingannevoli speranze d'amore, non possiamo riconoscere alcuna delle delusioni patite da Antonia, se non un analogo scarto della realtà rispetto all'idealismo ingenuo nel bisogno giovanile di esaltazione vitale.

Dopo un lungo percorso letterario ed esistenziale, Flaubert arriva ad abbracciare la realtà e trasferirvi oggettivamente le risorse dell'immaginario: il dissidio romantico tra realtà e sogno viene superato nello slancio superiore dell'arte.

Flaubert, verso la maturità, trasforma il suo disagio da sentimentale a intellettuale: l'opera d'arte viene intesa come opera di attiva contemplazione, disciplina e imbrigliato grido di sfida all'inesprimibile. Alla fine, Flaubert giunge a formulare la tesi dell'unità inscindibile di forma e di pensiero: la forma deve rappresentare compiutamente il pensiero, non solo ospitarlo.

Questo intellettualizzarsi della passione interessa enormemente Antonia, perché nello sforzo di equilibrio tra cuore e intelletto tentato dal giovane Flaubert, ella ritrova la sua vocazione artistica in cui «l'idée chante et la passion rêve»: cioè le creazioni dell'immaginazione sono caricate di intensità sentimentale, ma col distacco che ci deve essere tra la mente e il sogno.

«Se la Bovary vale qualche cosa» scriveva Flaubert «questo libro non mancherà di cuore.»[16] Questo presuppone però un superamento dell'autobiografismo verso «l'ampio abbraccio di un cielo imparziale». «No, no, la poesia non deve essere la schiuma del cuore» (1854) e gli fa eco più precisamente Baudelaire: «L'imagination seule contient la poésie».

La sofferenza è connaturata a questa ricerca della felicità e del bello intellettuale, come chiarificazione della pesantezza sensibile. «Se volete cercare insieme la felicità e il bello, non raggiungerete né l'uno né l'altro, poiché il secondo non si concede che a prezzo del sacrificio. L'arte, come il Dio degli Ebrei, si pasce di olocausti» scrive ancora Flaubert nel '53.[17]

Della vita ha detto: «noi siamo fatti per dipingerla e niente

193

di più». Commenta Antonia: «la rinuncia alla vita è già decisa, e duole, sottilmente, così come la nostalgia di Tonio Kröger verso le creature solari dai capelli biondi e dagli occhi azzurri, Ingeborg e Hans che sanno ballare e ridere bene».

«Bisogna essere morto per essere veramente un creatore» sostiene amaramente Tonio Kröger.

Ed è questa, anche per Antonia, la possibilità di riscatto, non solo, come per Flaubert, da un passato letterario vicino alla posizione romantica, ma anche da certi stagnanti sentimentalismi insiti nella sua natura. Avrebbe voluto che la vita dell'intelletto si convertisse in movimento del cuore e viceversa, ma le esperienze le hanno impedito questo riequilibrio continuo da vasi comunicanti.

Gli «aspri lavori» dell'arte sono ciò a cui tende lo spirito che vuole liberarsi dal caos delle passioni soggettive. Eppure permane quella che Antonia chiama «la malattia del desiderio, quell'anelito all'evasione», diciamo pure il bovarismo che si rifugia nel ritmo intimo delle esperienze e commisura a esso la realtà oggettiva. E così gli uomini e le cose acquistano una potenza allusiva, che oltrepassa i limiti a loro assegnati per estendersi a significato universale.

Tutto in Antonia anela a ritrovare la sua più vera personalità, salvata in un mondo che «non è più rifugio per gli abbandoni lirici, ma cantiere per la fatica attiva».

Scrive Flaubert: «Ciò che sembra, a me, la cosa più alta in arte (e la più difficile), non è di far ridere, né di far piangere, né di mettere in fregola e in furore, ma di agire a imitazione della natura, ossia di *far sognare*. Le opere molto belle hanno questo carattere. Sono serene d'aspetto e incomprensibili...».[18] E commenta Antonia:

Ebbene *Madame Bovary* non è né serena d'aspetto, né incomprensibile; *Madame Bovary* non fa sempre solo sognare (intendendo per sogno la pura commozione dell'intelletto); *Madame Bovary* fa anche piangere... Ciononostante è molto bella. Anzi la sua bellezza, per noi, sta proprio in quella vita che si insinua in lei ad insaputa, a dispetto quasi, del suo creatore; e proprio quella vita urgente e repressa, irruente e segreta salva lei e il suo creatore dall'inaridimento intellettualistico a cui inevitabilmente portava la direzione estetica imposta come draconiano rimedio da Flaubert ai propri eccessi sentimentali. (...)

Flaubert ha chiuso il cuore, ma ha aperto gli occhi e, dietro gli occhi, il cervello, che manda rami di sé in tutto l'essere, anche più penetranti delle vene del cuore... finché un giorno deve alzarsi dal tavolo, spalancare la finestra, colto quasi dallo stesso attacco nervoso di cui sente colpita la sua «piccola donna»...

In questa simbiosi, in questo «scambio di fluidi vitali» è il segreto di questa adesione. Le creature dell'immaginazione entrano in lui, lo alimentano della loro sostanza impalpabile... «le nostre gioie, come i nostri dolori, devono assorbirsi nella nostra opera».

Il male del sogno, l'accanito amore del male del sogno, il bovarismo insomma, che nasce da Emma, è alle radici dell'anima di Flaubert.

Antonia conclude il suo lavoro evidenziando la distanza da Flaubert, che cercava nella bellezza la salvezza dai problemi dell'epoca, dalla complessità novecentesca.

La prosa ha una missione aderendo sempre più liberamente e concretamente ai multiformi aspetti del reale, ed è qui che possono essere anche superate le crisi d'incompatibilità tra arte e vita sofferte da Tonio Kröger. Anche lo stile, lungi dall'essere «un modo assoluto di vedere le cose», è una visione relativa di una parte limitata di mondo, che sia vicino «alla mischia delle cose stesse e le lasci parlare al di là dei linguaggi particolari». Nessuna opera contemporanea aspira ormai a rappresentare la cristallizzazione definitiva di un unico aspetto della cultura: «Oggi tutto vuol essere mobile, convertibile, aperto: siamo come in una matassa di fili sciolti e intersecantisi che vanno, certamente, verso una meta compatta, un gomitolo sodo; ma nessuno può e vuole vedere dove esso sia».

Secondo Flaubert, l'artista trova nella ricerca della bellezza la risoluzione suprema dell'esistenza: «L'Arte può occupare *tutto* un uomo».[19] «L'uomo, oggi, anche l'uomo artista» soggiunge Antonia «vuole, deve vivere tutta la vita, se vuole che la sua arte sbocchi finalmente su di una via concreta e feconda, né muoia nelle angustie dell'impotenza individuale.»

È una posizione questa sua che corrisponde al rinnovato slancio della fedeltà al proprio destino, da quella distanza di solitudine (affine a quella che Rilke raccomandava al suo giovane poeta) che è necessaria al lavoro creativo.

Antonia chiude la tesi con una riflessione che prefigura il suo stesso destino:

> Per chi non riesce, per una sua posizione a lottare; per chi non è capace di sacrificarsi abbastanza devotamente a un compito; per chi non sa formulare, davanti al proprio destino, una propria preghiera, saranno eternamente ammonitrici queste parole, che dicono un destino e sono una preghiera:
>
> «Noi siamo soli. Soli come il Beduino nel deserto. Bisogna che ci copriamo il viso, che ci stringiamo nei mantelli e che ci gettiamo a testa bassa nell'uragano – e sempre, incessantemente – fino alla nostra ultima goccia d'acqua, fino all'ultimo battito del nostro cuore. Quando moriremo, avremo questa consolazione di aver fatto della strada e di aver navigato nel Grande».

CAPITOLO VIII

TRISTANA

Dissolta la tensione per la prova di laurea, Antonia si trova di nuovo di fronte all'*impasse* Remo.

Deve rassegnarsi a guardarlo vivere, a osservarlo agire nella vita culturale con l'acume del suo ingegno e nella vita affettiva con la sua disinvoltura morale.

Torna in scena Isa Buzzone: è una di quelle persone, abituate a frequentare ambienti raffinati ma insipidi, a cui piace intrufolarsi, più per curiosità che per vero interesse, tra i giovani intellettuali in cerca di emozioni non solo libresche. Comincia a frequentare assiduamente il campo da tennis dei Pozzi, naturalmente per incontrare Remo.

È carina, malgrado il volto spigoloso dal mento eccessivamente pronunciato, e pare non dispiacere a Remo la sua vivacità intrigante. Come è diversa Antonia che, se dimenticata, diventa ombrosa e non combatte, ma si ritira, ferita a morte.

A Isa dispiace vederla così abbattuta, così palesemente innamorata di Remo da apparire svagata, goffa, timidissima davanti a lui quando ci sarebbe voluta più grazia e *savoir faire* per farlo capitolare.

Ma Isa sa anche, malgrado la gelosia, di piacere non solo a

Remo, ma anche ad Antonia. Questa ragazza così raffinata e bisognosa di protezione, tanto fragile e insieme disincantata, l'attrae al pari dei suoi compagni, loquaci e arroganti. Le piace giocare con entrambi: sedurre Remo con la sensualità e la disponibilità senza pretese affettive e incantare anche la sua rivale a cui mostra un interesse ardente, quasi fosse lei a piacerle più dell'altro.

Diventa sempre più difficile mantenere il clima sereno delle relazioni d'amicizia: si insinuano la tensione del desiderio, l'insicurezza e la speranza smodata.

Antonia ne scrive a Sereni, confessandogli quella strana attrazione:

Pasturo, 20 settembre 1936

Caro Vittorio,
torno a scriverti questa sera con un po' di calma per dirti che oggi, giù al tennis, ho visto la Isa e che con mia somma gioia ho visto riconfermati tutti i migliori giudizi che io ho dato su di lei. È veramente una cara ragazza intelligente e bisogna proprio perdonarle alcuni brevi «errori di recitazione» e qualche atteggiamento sbagliato. Sostanzialmente, è una personalità molto interessante, direi quasi eccezionale, e mi sembra di volerle sempre più bene. Sai che della vostra passeggiata, senza che io dicessi una parola, mi ha dato la stessa precisa versione che mi hai dato tu? Impossibilità di creare artificiosamente un'atmosfera – o meglio – di sostenere un'atmosfera creata artificiosamente – ritrovarsi delusi e smontati di fronte alla realtà dopo il lavoro d'immaginazione. Non abbiamo potuto dire di più. Ma mercoledì passerò tutto il pomeriggio da lei e potremo parlare... Ma la cosa sensazionale è questa: sai che cosa è venuta fuori a dirmi, spontaneamente, mezza ridendo mezza nascondendosi in quella sua strana faccia ambigua? Che fra me e lei non si può parlare di amicizia e che per lei è un po' come se fosse innamorata di me! Non è lo stesso discorso che ebbi a farti io a questo proposito? Ti assicuro che questa reciprocità, trattandosi di un sentimento tanto strano, mi ha molto colpita. Mi ha perfino detto che, quando mi vede, le viene una gran voglia che io la baci: e ti confesso che

per me è lo stesso, cioè l'inverso: mi viene una gran voglia di baciarla. Dì quello che vuoi: non mi è mai capitata una faccenda simile e ti assicuro che non ci capisco niente. Tanto più che, per quanto ambigua possa sembrare a raccontarla, la cosa non ha, nella mia intimità, niente di morboso: forse, per me, è proprio come ti dicevo – l'idea che sia stata l'amica di Remo. Ma per lei, come si spiega? Con questi problemi di complicata psicologia femminile, ti lascio. Ti scriverò ancora presto, caro Vitto, e cercherò di tenerti un po' di compagnia con le mie chiacchiere.

Tu mandami presto notizie tue e della tesi e sta' in gamba.

Ti abbraccio con tanta tenerezza.

Antonia

È il tempo dei turbamenti, delle tentazioni. E la sensibilità di Antonia, intimamente libera, dopo le prime emozioni adolescenziali, trova naturale sbocco anche in un'attrazione omosessuale.

Isa è molto simpatica, e anche se gioca sia con Remo sia con Antonia, non vuole che il suo abile destreggiarsi faccia del male a qualcuno, tanto meno ad Antonia.

Un giorno, Antonia, quasi per scherzo, le dichiara di essere innamorata di lei e allora decidono per qualche tempo di recitare la parte delle fidanzate, tenendosi per mano e sbaciucchiandosi sulla bocca, come ragazzine. Si divertono un mondo. È una stagione breve, perché Isa non può che essere un momentaneo sollievo al tormento per Remo.

«Com'è diverso tra donne» pensa Antonia. Non c'è la preoccupazione della rivalità intellettuale come con un maschio, che non è in realtà capace di trattare una donna sullo stesso piano. Una donna è un'altra te stessa che viene alla luce, una continua scoperta. E poi è soprattutto emotività, sensualità a fior di pelle, complicità terribilmente affascinante.

A dicembre, con quel gruppo di amici, trascorrono alcune belle giornate in montagna, a Reale, vicino al lago Maggiore.

Antonia si fa ritrarre in mezzo a loro con più insistenza del solito. Sembra che voglia essere fotografata più che fotografare: Isa dal sorriso sicuro e l'aspetto disinvolto, da *garçon maudit*, i fratelli Cantoni affettuosamente stretti all'amica e in particolare Ralph, dal sorriso intrigante sotto i baffetti elegantemente disegnati, con cui Antonia posa in un abbraccio non si sa se atteso, sognato o vissuto appieno, al di là dell'ironia che le fa poi disegnare sotto un cuore trafitto.

Nel febbraio 1937, decide di ripartire alla volta della Germania, di nuovo passando dall'Austria, ed è sempre più affascinata dalla letteratura tedesca. Legge i classici in lingua: Goethe, Rilke, i romantici, in un'appassionata riscoperta delle radici antiche della lingua. Scrivendo appunti, chiosando i libri con parole tradotte o commenti, a dimostrazione della costanza quasi perfezionista del suo lavoro, della disciplina a cui si sottopone per conseguire i migliori risultati.

Da Innsbruck va a Mittenwald, la strada è incorniciata dalle fitte pinete, illuminate dai fari di un trenino che si arrampica avventurosamente tra la neve. La sorella di Remo, Ruth, l'aspetta a Monaco con una macchina alla stazione. Le ha trovato una stanza presso la pensione Mittner, dove alloggia anche lei.

Il 12 arriva a Berlino. Ruth le ha fissato una stanza sempre nella sua stessa pensione.

Scrive dunque dal Kurfürstendamm: «Ho una grande finestra che guarda la Kurfürstendamm, la più bella strada moderna che io abbia mai visto: tutta alberata, senza tumulto; le automobili corrono via una dietro l'altra come un fiume nero silenzioso, e ai lati, per la lunghezza di tre chilometri, centinaia di caffè, di cinematografi e vetrine spettacolose, messe con un gusto squisito».

La giornata comprende una visita alla casa della zia dei Cantoni, Else – «un gendarmone cinquantenne simpaticissimo» – poi il pranzo in un *self service*, che entusiasma Antonia per la novità.

Berlino nel 1937 è una città tentacolare ed efficiente, vera perla del Reich e trionfo della sua immagine attivista e progredita. Antonia avverte qualche disagio nel trattare con gente cordiale ma affetta da un formalismo impettito e glaciale. Non ha una parola per i contenuti, per la propaganda di regime. Sembra che l'immagine di decoro e di vita molteplice che la città offre, con tutti i suoi ricordi letterari, sia quanto la colpisce di più e sul resto, sui dubbi pur presenti, stende un velo di silenzio forse non indifferente ma obbligatorio per evitare le noie della censura sulla corrispondenza.

La vita notturna di Berlino è brillante, trasgressiva. Nei caffè, nei ristoranti, i berlinesi trascorrono la vita sociale, e nel calore della birra non smettono però di organizzare con precisione il loro tempo. Si dà il via a un'arte ieratica, accademica, con l'esaltazione della vita eroica: figure piatte, convenzionali, retoriche, per educare un popolo che s'illude cercando la propria celebrazione.

Le sale cinematografiche si moltiplicano, perché si comprende come il cinema sia un utilissimo strumento di propaganda.

Una sera anche Antonia va al cinema. La sala di proiezione è più grande del palazzo dello sport, dice ammirata, e ha un'ottima acustica. Antonia commenta la bellezza dei documentari con la sua competenza tecnica.

Ma anche i teatri sono pieni di spettatori tutte le sere. Bisogna prenotare con molto anticipo per sperare di avere una poltrona. I classici sono più rappresentati dei moderni. Come se lo spirito della tragedia dovesse servire a scopi pedagogici di massa ben diversi dagli esiti limpidamente estetici. I grandi autori, Shakespeare, Ibsen, Shaw vengono interpretati alla tedesca, inglobati nel sistema della cultura che esalta solo la grandezza monolitica. Furtwängler dirige i Philharmoniker: l'opera è *Il Cavaliere della rosa* di Strauss con libretto di Hofmannsthal. Antonia è là, nelle prime file della platea, circondata dal fiore dell'aristocrazia e della borghesia che sostiene il regime nazista.

Quel che più la interessa di Berlino sono i suoi musei. Vi riscopre i capolavori della pittura italiana: Tiziano, Raffaello, Botticelli, il Beato Angelico, ma anche gli adorati fiamminghi: Rembrandt e Frans Hals. Ne raccoglie le riproduzioni che collocherà poi negli album dei ricordi di viaggio, insieme alle foto e ad altro materiale documentario.

Karen Blixen, presente a Berlino nell'inverno del 1939 con una borsa di studio, ci ha lasciato pagine indimenticabili sulla capitale della «volontà di potere». La vita della metropoli è intensa, ma allo stesso tempo caratterizzata da una quieta magnificenza, da una narcisistica contemplazione della propria potenza.

«A Berlino lo straniero è dominato dall'impressione che ovunque si stia compiendo uno sforzo di volontà immane» scrive Blixen. «La forza di volontà è l'apporto del Terzo Reich: quando la volontà è sufficiente, le cose riescono, e se si crede al suo potere si può credere anche al suo vangelo.»[20]

I tedeschi erano estremamente ospitali e cortesi nel ricevere lo straniero in visita alle meraviglie del Terzo Reich. Funzionari del ministero della Propaganda fungevano da animatori e guide di viaggio per gli ospiti ragguardevoli. C'è persino l'illusione di potersi esprimere liberamente, come tutti sembrano fare. In caso di dissenso, i tedeschi giustificano premurosamente: «Questo gli stranieri non possono capirlo».

Ciò che colpiva il viaggiatore che si guardasse con attenzione intorno era l'assetto monumentale, le grandiose dimensioni del progetto urbanistico nazista, che stava abbattendo quel che restava dell'antica città. E tutto questo grazie a un lavoro indefesso, sistematico, portato avanti con un ritmo disumano, e alla indiscutibile capacità organizzativa del popolo tedesco.

Eppure questa marcia trionfale verso il dominio sul mondo toglieva luce ai volti e alle conversazioni serrandoli tra le maglie dell'oppressione, gettando una lunga ombra sul futuro.

«Forza e gioia», i fiati retorici della sinfonia del regime, riescono a distrarre anche Antonia da un'attenta riflessione su ciò che sta sotto tanta baldanza.

È il 1937. Antonia ha modo di frequentare ricevimenti italo-tedeschi, dove incrocia tante celebrità che si vantano ovviamente di essere intime di Mussolini.

Possiamo solo immaginare il suo disagio in quelle occasioni: coi suoi begli abiti di gala, stretta tra un sorriso da ricambiare e una mano guantata da stringere. Lei che ama l'essenzialità e la povertà e che detesta l'ostentazione del lusso e del cattivo gusto imperiale.

Il 28 si prepara a partire:

> Naturalmente, come alla vigilia di ogni partenza, ho un po' di magone per le buone amicizie che lascio qui e per lo straordinario fascino di questa città, che in principio si stenta a capire, ma che poi penetra a poco a poco non si sa come, ed è fatto di pietre, di luci notturne, di rumori, di vetrine illuminate.

Da Dresda si dirige verso Praga. Non si sente bene, ma coraggiosamente, sotto acqua e neve, fa il giro della città e visita l'interno delle chiese e dei palazzi. Praga le piace, con il suo stile austero ed elegante, ma non la trova tanto sorprendente come Berlino, grandiosa, brulicante di vita.

Al ritorno in Italia, la storia con Cantoni si avvia a diventare un'amicizia intensa con molti rimpianti. Eppure egli continuerà a volerle bene, come un fratello, trascinato lontano da quella febbre esistenziale che condurrà anche lui, molti anni dopo, a una morte volontaria.

PARTE TERZA

RITORNO ALLA TERRA

CAPITOLO I

LA MORTE E LA FANCIULLA

9 settembre 1937

Ieri sera un angelo mi ha preso per mano. Non era ancora buio. Di là dai veli della pioggia e della sera gli alberi e le montagne erano ugualmente oscuri. L'angelo mi ha messo una mano sulle spalle, mi ha fatto salire di corsa le scale nere, fin qui nella mia stanza. Non avevo più fiato. Allora l'angelo mi ha messo una mano sul collo, sono caduta in ginocchio davanti alla finestra aperta, senza respirare ho guardato il profilo immobile della montagna. Poi giù: tre volte ho baciato la terra (il pavimento di mattonelle rosse) premendo bene le labbra – e i pugni li avevo così stretti sul petto che mi dolevano le ossa. Dopo – mi sono alzata come da un sonno di anni, leggera come una donna che ha partorito. Ho aperto gli occhi. L'angelo non c'era più.

10 settembre 1937

L'angelo è tornato ieri sera. Abbiamo percorso insieme la strada nuova, fino al cimitero. Dai monti minacciavano nuvole di temporale. I contadini uscivano dalle cascine con grandi tele di sacco per coprire i mucchi di fieno e difenderli dalla pioggia. La Chiesa del cimitero è proprio in disordine: quando potrò disporre del mio denaro lascerò qualche cosa perché l'aggiustino. Sono rimasta molto tempo con la testa appoggiata alle sbarre del cancello. Ho visto un pezzo di prato libero che mi piace. Vorrei che mi portassero giù un bel pietrone e vi piantassero ogni anno rododendri, stelle alpine e muschi di montagna. Pensare di essere sepolta qui non è nemmeno morire, è un tornare alle radici. Ogni giorno le sento più tenaci dentro di me. Le mie mamme montagne. Di colpo il campanile, che pare un albero anche lui, così verde, è scoppiato a suonare. E un bambino è venuto giù in volata su di una bella bicicletta, fischiando. Ho detto: «Angelo, torniamo», e intanto cercavo di scoprire se il profilo dei Sassi Rossi non somiglia a una donna addormentata. Ma niente. Come ho netto negli occhi il contorno della Schlafende Griechen sul lago di Traun.

Questa storia dell'angelo è strana, ma è vera. Io non so come sia fatto, ma già due volte ho avuto la sensazione fisica di averlo vicino. E – ora che ci penso – anche un'altra volta, sabato scorso, mentre giù a Milano, senza che io lo sapessi, Dino mi scriveva quella tremenda lettera.[1] Che sia telepatia?

Forse tutti quelli che hanno molto sofferto e sono un po' deboli e malati, a un certo punto cominciano a sentire gli angeli. Se no, perché avrei baciato per terra l'altra sera?

E adesso ricordo che dicevo come una pazza: Salvala, salvala. Certo pensavo all'anima di Dino, ma in quel momento non lo sapevo.

Non so: non ho mai provato forte come in questi giorni il senso di essere trasportata da una corrente violenta, ad una tensione altissima. E, nello stesso tempo, mai avuto così solido il senso della personalità e della responsabilità. Mi sento in un *destino*. È difficile che queste intuizioni siano sbagliate.

Turbinoso, concentrato in una lotta contro il tempo che, senza che lei lo sappia coscientemente, le sta venendo a mancare ogni giorno, l'ultimo anno di Antonia è tutto un presentimento.

Lo dimostra questa visita dell'angelo. Anche se Antonia si preoccupa di darne una connotazione di realtà psichica, ha qualcosa di angosciosamente profetico e squisitamente letterario, che oltrepassa l'effetto allucinatorio.

Messaggero tra l'alto paese e la terra desolata, spettro del perduto, l'angelo scende su lei quando la furia cieca delle cose la stringe in una morsa mortale, quando il caos corrode l'identità esistenziale e la delicata trama di parole eretta a difenderla. L'angelo giunge e con forza spaventosa la libera nel pianto, la fa pregare volta alla terra e non al cielo, perché alla terra vuole ormai appartenere e ritrovarvi la pace.

Com'è poco metafisico quest'angelo, così energico, diverso dai messaggeri surreali della letteratura simbolista mitteleuropea o dagli «Angeli Novi» di Rilke, di Kafka, di George. Essi sono aiutanti nel passaggio oltre la vita, nell'universo infinito. La bellezza micidiale degli angeli della conoscenza, in questi autori dotati di un occhio medianico, è attinta dal loro stesso volto divino, che trascorre senza posa dal visibile all'invisibile: in questa circolarità, tale bellezza attinge la perfezione, è specchio di se stessa. L'angelo di Antonia, invece, è una proiezione psichica, un limite insuperabile, e la conduce con polso fermo ad attraversare lo specchio delle apparenze verso l'enigma dell'universo in trasformazione.

Questo angelo giunge in un momento cruciale della sua esistenza, in cui Antonia potrebbe effettivamente mutare la direzione della propria vita verso una maggiore autonomia dalla famiglia. I viaggi in Europa le hanno aperto gli occhi, le hanno consentito una migliore esperienza del mondo.

Ora assorbe le novità delle rivoluzioni del costume, che vedono protagonista la donna: emancipata, progressista, perfino stravagante. Antonia fuma, passa molte serate fuori casa, guida in modo spericolato: Greta Garbo, stupenda icona della donna androgina degli anni Trenta col passo maschile e il sorriso ineffabile, ha significato per tutte una maniera più complessa e ambigua d'apparire, che prendesse le distanze, cioè, dalla figura stereotipata della «femmina» soggetta al dominio maschile e proiezione esclusiva della sua fantasia erotica. Ma non è il mondo del cinema o dello spettacolo a disegnare l'immaginario di Antonia e lei non si rifugia in alcuna evasione collettiva.

La solitudine ha sempre il volto delle sue letture: quello, per esempio, delle donne presaghe d'amore dai grandi occhi intenti che si rispecchiano sulle pagine dei *Diari di Malte Laurids Brigge* di Rilke. Sfogliando le pagine degli antichi quaderni in cui le Grandi Amanti raccontavano le loro passioni senza risposta, Rilke sente il fiore avvelenato dell'amore che si ripiega su se stesso, senza esito se non di dolorosa creazione.

Antonia sa che il suo destino è quello di morire giovane, portando a maturazione la propria penosa esperienza. Il suo passo, così leggero sull'inerte materialità in cui affonda l'esistenza soddisfatta del mondo, l'avrebbe resa folle, se avesse mai perso la capacità di dominare le creature dell'immaginazione grazie alla lucidità del suo pensiero. All'abbraccio della conoscenza che comprenda anche la sostanza intima, emotiva, spesso gli esseri e le cose reagiscono con la fuga.

La tempesta collettiva che si annuncia per tutta una generazione finirà per travolgerla intera, così come una nuova tempesta personale giunge a scuotere e piegare Antonia, senza consentirle mai di arrivare a una riva col canto sulle labbra, per parafrasare l'asserzione del *Tonio Kröger*. Ormai ha imparato a non cedere alle lusinghe del bovaristico «male del sogno». Sente che il dilemma ancora romantico di Flaubert, l'incompatibilità tra vita e sogno, appunto, deve essere superato in un'accettazione totale dell'esistente, secondo l'amara lezione nietzschiana: bisogna giustificare anche il male.

Le parole della poesia, come le definisce Antonia stessa «asciutte e dure come i sassi e gli ulivi o vestite di veli bianchi strappati», hanno il compito grave di fermare il vortice apocalittico che la inghiotte e di ricondurre la poesia ai suoi naturali fondamenti creativi.

CAPITOLO II

LA TENTAZIONE DELLA PROSA

S ono i «terribili anni Trenta»: i giovani si incontrano e discutono di tutto, mentre, nelle frange d'opposizione al fascismo, cominciano a profilarsi posizioni ideologiche radicali, rivoluzionarie. All'interno del fronte studentesco antifascista si delineano differenti posizioni, come la distinzione fra hegeliani liberali ed hegeliani socialisti, rinsaldate su una comune avversione al regime totalitario.

«C'è quanto basta» scrive Dino Formaggio «per poter capire, ancora oggi, il quadro che ha fatto da sfondo, ma uno sfondo penetrante e agente con tutti i suoi veleni, a condizionare le nostre vite e le nostre opere in quell'infuocato e duro tempo di maturazione delle nostre giovinezze, spingendole a scavare inconsciamente solchi di rigide divisioni anche, a volte, nel cuore delle amicizie più profonde.»[2]

Nel 1937 Antonia assume un incarico di italiano, storia e geografia presso l'Istituto Tecnico Schiaparelli di Milano, e si sente soddisfatta del modesto stipendio guadagnato col proprio amato lavoro.

Altri motivi della riconciliazione con la vita, e con la miglior parte di se stessa, vengono spiegati all'amico Paolo Treves, figlio del deputato socialista Claudio. Paolo, di cui rimangono interessanti dediche su libri donati ad Antonia, è con il fratello Piero uno dei primi lettori delle sue poesie. Nel 1938, dopo l'esodo forzato della famiglia, di origine ebraica e avversa al regime, sarà uno dei principali organizzatori della resistenza all'estero e animatore di Radio Londra. Gli scrive Antonia il 23 ottobre 1938:

(...) Di me che dirti? Che ho ripreso la scuola, la stessa dell'anno scorso, con gli stessi bambini asini e cari, promossa anch'io con loro alla seconda. E certi momenti, quando stan buoni a scrivere sotto dettatura con le testoline piegate sul banco, mi viene una gran gioia e una gran tenerezza e penso che far scuola ai piccoli è un gran dolce mestiere. Poi, magari, di lì a un quarto d'ora, li vorrei tutti strozzare tanto son stufa di sgolarmi per tenerli quieti. Alti e bassi: che però servono a riempire le giornate e – per ora – la vita: questa vita che per tutti è fatta di attese. La mia dura già da un anno e mezzo e durerà ancora (un anno? speriamo che non sia di più!) ma è la prima *vera* attesa della mia vita, per qualche cosa che non è fantasticheria o esaltazione, ma una semplice, radicale, inesorabile – direi – comunanza di tutto l'essenziale, spirito e corpo: e si porta con sé l'idea della casa, l'idea del lavoro, l'idea di una vita vissuta tutta *dal di dentro*. Lui tu l'hai veduto con la sorella nella mia cameretta alla clinica: ricordi? Un ragazzo alto bruno con un vocione impetuoso. Fino a quindici anni ha fatto l'operaio meccanico. Studiando alle serali è diventato maestro. Ha insegnato a Motta Visconti e nel quartiere degli sfrattati, a Porta Romana. Intanto ha dato la licenza liceale e si è iscritto all'Università. Ora ha venticinque anni e si laurea in questi giorni con Banfi. Ma intanto ha già avuto per tutto l'anno l'insegnamento di storia e filosofia al Liceo di Lodi. Io sono pazzamente orgogliosa di lui e mi sembrano belli persino i suoi quadri e i suoi disegni, che forse invece non sono gran che. Ma siccome rappresentano tutti strade di campagna, casolari, bambini e piante, per forza a me piacciono. E poi andiamo in bicicletta alla periferia, lungo i fossi, con le foglie secche come piccole nubi scricchiolanti sotto le ruote, e a tutto quello che lui fa io partecipo, la tesi riga per riga, la scuola ragazzo per ragazzo e ogni linea dei suoi scarabocchi. Siamo veramente due compagni. E non ci siamo mai chiesti se siamo innamorati l'uno dell'altro, in quanto ci unisce una solidarietà così vasta, così calma, così infinita, che dire amore come solitamente si intende è quasi dire una piccola cosa. Oh, Pa! Non ti ho parlato che di me: e di cose per te così lontane. Ma lasciami aggiungere che neanche per me son tutte rose: perché suo padre è un operaio, abitano tre stanze in una casa popolare, lui mi ha detto che crepa piuttosto che «attaccar cappello», quindi dobbiamo aspettare concorso, trasferimento, avanzamento ecc. e ciononostante pensa agli urli che si faranno in casa mia quando se ne parlerà. (Per quanto mio padre lo ammiri molto.) Insomma, ho davanti un avvenire ansioso che però non mi spaventa, tanto son solide – questa volta – le basi...

Il ragazzo di cui Antonia parla con accenti di caldo entusiasmo è Dino Formaggio, compagno d'università, di due anni più giovane, che ormai frequenta da un anno e che si era presentato in famiglia in occasione della breve degenza di Antonia in clinica nell'autunno del 1937. Antonia prova ammirazione per questo giovane che aveva lavorato in fabbrica tutto il giorno, alzandosi a ore antelucane e tornando alla sua povera casa dopo il tramonto per passare la serata sui libri di studio. Dino rappresenta ciò che a lei è mancato: circondata dal superfluo, da una ricchezza sempre subìta come una scomoda diversità, Antonia avrebbe volentieri rinunciato alle sue lussuose comodità per un pasto e una stanza guadagnati col lavoro.

L'amicizia con Dino significa per lei anche interesse ai problemi sociali, ora affrontati nei loro aspetti ideologici, oltrepassando il dovere cristiano della beneficenza, in direzione di un progetto di riscatto politico in senso marxista. Significa condividere un paesaggio urbano scarno ed essenziale, a cui le parole della poesia devono finalmente assomigliare. Significa, soprattutto, una vocazione inaugurale alla prosa o a una poesia che racconti una storia di semplici cose.

In quegli stessi anni, analogamente, anche Vittorio Sereni andava cercando le nuove ragioni etiche della poesia nel paesaggio scarnificato della pianura e della *frontiera*, vicino a cui era nato e il cui significato metaforico di *transito* caratterizza anche la sua poetica; così come, in pittura, artisti di diverso credo ideologico, come Sironi o Treccani, sperimentavano la densa campitura e i forti colori del nuovo realismo lombardo.

Milano riconosciuta nei suoi poveri emarginati, nelle sue campagne arate faticosamente ai limiti dell'immensa periferia industriale, nella fantasiosa sopravvivenza dei molti che rimanevano ai margini dell'ostentato benessere dei pochi; Milano antifascista di cui si farà interprete la cultura pragmatista e materialista di Banfi, che, da lì a pochi anni, approderà ufficialmente al Partito comunista, conducendo con sé molti suoi studenti (fonderà nel 1949 con Eugenio Curiel il «Fronte della gioventù per l'indipendenza nazionale e la libertà»).

La diffidenza dei genitori verso il nuovo amico poteva essere superata con un po' di perseveranza: in fondo, anche l'avvocato era autodidatta, di origine piccolo-borghese, e sposando Donna Lina si era imparentato con una delle famiglie di spicco dell'aristocrazia lombarda. Eppure, quest'uomo energico, che ama la vita e il successo sociale, che partecipa senza grandi entusiasmi alle iniziative del regime, anche per la sua carica di podestà, sembra aver dimenticato le difficoltà dei suoi inizi.

Per la sua unica figlia voleva una sicura sistemazione e non avrebbe accettato in famiglia chi non le avesse potuto garantire un avvenire stabile, in cui tutte le facilitazioni godute fin qui le fossero garantite ancora. Pensava che la città fosse piena di arrampicatori sociali senza scrupoli e che sua figlia aveva il cuore troppo tenero per chi le appariva bisognoso e sfortunato. Considerava soprattutto pericolose le idee di giustizia sociale, di *comunismo*, che Antonia inseriva nei suoi discorsi, suscitando burrasche in famiglia, perché non poteva nascondere le sue convinzioni, sincera e appassionata com'era.

I domestici ricordano le discussioni politiche sempre più violente, nelle ore serali, quando la famiglia si riuniva per la cena e ascoltava le notizie alla radio. Quando Antonia invocava una maggiore responsabilità politica e culturale da parte della classe sociale che aveva creato il fascismo, l'avvocato perdeva le staffe, si irrigidiva e gridava il proprio disappunto, qualche volta minacciando e alzando le mani sulla figlia. La mamma chinava gli occhi sul ricamo e piangeva, senza avere il coraggio di intervenire. Pretendeva di sapere, l'avvocato Pozzi, chi mai andasse mettendo nella testa della sua ragazza tutte quelle pericolose sciocchezze e certo, diceva, doveva essere quel tal professor Banfi, un bolscevico di provincia venuto a Milano per infiammare con idee di rivoluzione e pensieri di morte giovani ancora inesperti. Era lui, sicuramente, che la induceva a disubbidire, a mancare di rispetto a suo padre e a dimenticare l'educazione che la famiglia le aveva dato, una famiglia di cui poteva andare fiera, invece di vergognarsi per la sua ricchezza.

Ma Antonia non poteva tollerare questi discorsi. In anni in cui i professori ebrei o antifascisti o anche solo non provvisti della tessera di partito erano perseguitati e cacciati dall'università, non si poteva più parlare di libera ricerca. Quasi ogni giorno all'uscita delle lezioni c'era la polizia fascista che sottometteva anche gli studenti a interrogatori continui.

E poi il padre la accusava di frequentare «operai bolscevichi», che osavano entrare in casa sua a vantarsi per le mani callose e gli occhi pesti, come se lui non sapesse cosa significava lavorare e studiare, come se anche lui non avesse faticato prima di ottenere il successo professionale.

«Non abbiamo bisogno del tuo aiuto» replicava Antonia difendendo la sua scelta d'amore. «Lavoreremo e guadagneremo quanto basta per una vita dignitosa, come tante coppie di onesti lavoratori.» Quando parlava così, nel silenzio generale, i domestici temevano il peggio. La sua voce era accorata ma sempre ferma nel manifestare la sua volontà, questa volta, di non rinunciare alla felicità che le spettava di diritto, anche se avesse significato non essere più ubbidiente. Con una certa compassione, tutti capivano che alludeva a Cervi, a quella perdita accettata per non dare ai suoi un dolore inconsolabile.

E lei se ne andava, fremente, quasi spaventata dalla forza stessa dei suoi propositi, chiudendosi la porta alle spalle, come Nora nella scena finale di *Casa di bambola* di Ibsen.

Antonia è davvero cresciuta in poco tempo e non arretra più di fronte alle imposizioni, ai divieti, ai ricatti affettivi. Ha imparato a combattere per le proprie scelte, anche se non si identificano con le aspirazioni della famiglia. Non le avrebbero consentito di sposarlo? Non importa. Il matrimonio non era necessario a una coppia che è consacrata dal proprio amore. Questa volta sarebbe andata sino in fondo.

Antonia si reca qualche volta, con Dino, a visitare le case degli sfrattati in via dei Cinquecento: ne viene fuori una famosa poesia e una serie di appunti registrati su un notes come un sintetico reportage, di cui colpisce la drammatica essenzialità.

21 febbraio 1938

Casa degli sfrattati – via dei Cinquecento – fuori di piazzale Corvetto (il mio piazz. Corvetto: un mese fa, quei carri di ferraglia sullo sfondo delle ciminiere, l'acqua color conchiglia al posto di mare, il fango e le sigarette popolari di Giulio e di Dino) – a entrare, il primo odore è d'ospedale (un misto di lysoform e acido fenico), poi di caserma (odore netto di cesso), poi infine si definisce: odore di camera mortuaria, dolciastro, appiccicaticcio, invadente.

Terrore dei corridoi (se fossi sola e mi perdessi, piangerei di spavento); tutti identici, con le pareti di smalto sudicio, ogni venti metri una latrina, e in mezzo file di porte uguali con piccoli numeri di ferro smaltato come in un albergo di infimo ordine. Ogni porta una famiglia di 5, 8, 10, 12 persone. Bambini: a centinaia, a migliaia, a frane, a nuvole. Ma strani bambini, che quasi non urlano.

In mezzo a un corridoio, un mucchietto umano nerastro: una decina di maschietti sui dieci anni seduti in terra. Testoni di capelli incolti su colli gracili, camicie e magliette di nessun colore, a buchi. Guardo in mezzo al cerchio: un mazzo di carte luride e mani cattive che gualciscono, gelose. Prima

visita: piano rialzato, n. 28. Donna con sei bambini. Il marito è tornato un mese fa da Garbagnate – guarito – dicono, il
che vuol dire: pronto e spacciato per morire a casa sua. Ogni
otto giorni va a fare il pneumo-torace. Lei ha la pleurite sec-
ca e un polmone già intaccato, ma si ostina... (*interrotto sui
quaderni*)

Dalla rielaborazione di questa esperienza nasce una poesia che
riflette la profonda comunanza di intenti con il nuovo compagno:

Via dei Cinquecento

Pesano fra noi due
troppe parole non dette

e la fame non appagata,
gli urli dei bimbi non placati,
il petto delle mamme tisiche
e l'odore –
odor di cenci, d'escrementi, di morti –
serpeggiante per tetri corridoi

sono una siepe che geme nel vento
fra me e te.

Ma fuori,
due grandi lumi fermi sotto stelle nebbiose
dicono larghi sbocchi
ed acqua
che va alla campagna;
e ogni lama di luce, ogni chiesa
nera sul cielo, ogni passo
di povere scarpe sfasciate

porta per strade d'aria
religiosamente
me a te.

27 febbraio 1938

Il bisogno di prosa induce Antonia a tentare nuove strade di racconto. Su fogli sparsi scrive appunti a matita, che, per quanto visibilmente provvisori, portano il segno di molte cancellature. Corregge, dunque e sperimenta, spinta dalla necessità di fermare questo movimentato periodo di vita, contrassegnato da una ripresa creativa e dal riemergere del sentimento.

Scrive di sé, ma scrive soprattutto dei poveri lavoratori che attraggono la sua attenzione, delle esperienze di lavoro faticoso, della periferia degradata dove vivono, delle modeste abitudini cui si appoggiano per garantirsi una sopravvivenza anche morale.

Il racconto si colora di realtà: il calcio, i sapori della quotidianità, le figure di un mondo concreto, di cui cataloga con paziente precisione i dettagli come va facendo in fotografia.

Leggiamo questi due frammenti inediti e non datati:

Non sapeva nemmeno lui come si fosse risolto ad andarci.
Da mesi, da quando avevano aperta all'angolo della sua strada quella scuola serale – e lui tornava a casa alle nove, dopo aver mangiato in latteria il solito caffelatte con i due savoiardi – frotte di ragazzi vocianti gli passavano accanto urtandolo e le parole che rimbombavano nella viuzza stretta erano sempre le stesse: il calcio di rigore, il goal, Meazza e l'Ambrosiana, il Milan – il Milan, l'Ambrosiana.
Uno ce n'era, con un faccione rosso e le mani sempre in alto, che ogni sera aveva da prendersela con l'arbitro della domenica prima: anzi una volta, nella foga del gestire, aveva buttato in terra il cappello di quell'ometto striminzito che camminava rasente il muro: lui non aveva imprecato, s'era accontentato di scuotere la testa e di ripulire diligentemente il suo feltro impolverato.
Prendersela? E perché? L'aria chiusa della copisteria, dove lavorava da quindici anni, come l'aveva impallidito fuori così l'aveva appiattito dentro. Ora, a quarant'anni, con quelle spalle curve e il collo esile che, a guardarlo di dietro, lasciava spuntare in prospettiva ai lati del capo le punte scolorite dei baffi, poteva averne venti di più. Gli occhi, soprattutto, gli si

erano molto mutati col lungo restare anche in pieno giorno sotto la lampada «a sole». Non erano più i suoi occhi acuti e chiari – l'unica cosa viva in tutto il viso scialbo – gli occhi di quando era ragazzo e abitava a Vimercate (ritornava dal lavoro in bicicletta, per le viottole attraverso il granturco e l'aria della sera gli lavava la faccia sudata): ora gli s'erano fatti acquosi e come velati e le palpebre scurite gli battevano con un senso di peso.

La interessano gli ambienti disadorni, con qualcosa di povero e di nobile al tempo stesso; come se la realtà avesse comunque bisogno di riscattarsi in una quotidiana decenza che permetta di sopravvivere anche nella miseria.

I protagonisti di questi abbozzi di racconti, rigidamente oggettivi, sono operai, commesse, segretarie, come se, al di là di un naturalismo borghese alla Flaubert e Maupassant, autori che aveva molto studiato, volesse provarsi in toni cronachistici che saranno poi abbracciati dal neorealismo.

Quando pose il dito sul campanello di ceramica bianca, grosso e cedevole al tatto e questo proruppe nel noto trillo gutturale, alla ragazza parve di riaprire gli occhi e di ritrovare la terra.
Aveva fatto tutta la via come in sogno. Ora era lì, una targa nota diceva «Palazzoni, confezioni per Signora» e lei andava a provare l'abito nuovo da sera. Tutto il resto avrebbe dovuto lasciarlo sulla soglia, dentro sarebbe stata solo la cliente ricca a cui si mostrano i capi più costosi. Ridacchiava tra sé e rispose con premura distratta al saluto della solita commessa bionda che le venne ad aprire. Nel salottino giallo, con le sedioline bianco-oro e l'orribile specchiera, dove la lasciarono ad attendere, s'avvicinò alla finestra aperta, guardò nel cortile. Era un cortile piccolo e serio, come ce ne sono tanti nelle case signorili del centro: porticato a colonne a piano terreno, finestre incorniciate di pietra scura agli altri piani. Vide emergere dal buio della camera di fronte la testa ossigenata di una dattilografa, le sue mani bianche, in posizione di attesa e, sullo sfondo, i pantaloni grigi del principale andare in su e in giù. Quando una voce nervosetta incominciò a detta-

re e la macchina a crepitare inseguendola, lei era già via con la mente. (...)

La sensibilità ai temi e alle figure di una società di massa, soffocata dal regime totalitario, senza retorica, ma con una tensione tutta di contenuti, agita l'estremo periodo della sua opera anche poetica. In tale direzione la sua ricerca ha un nuovo campionario visivo e una maggiore pregnanza realistica. Come privilegiato strumento di chiarificazione della coscienza, Antonia apre alla parola una dimensione inedita, quasi fondando in essa un nuovo sentire di «metafisica sociale»: nuovi spazi, più dilatati, rappresentano, con forza però sempre soggettiva e privata, il deserto dell'uomo contemporaneo, la sua angoscia metropolitana in un'ansia di riscatto sia sociale che morale.

Scrive a Dino da Pasturo, il 28 agosto 1937:

> ... un sacerdote che conosciamo e che era qui da noi guardava i miei albi di fotografie e a un certo punto mi disse: «ma lei ha tutto, ha visto tutto, ha goduto tutto: che cosa può desiderare ancora dalla vita?». Che cosa posso desiderare? Spogliarmi di tutto il superfluo, dimenticare i volti ben rasi, le labbra dipinte, gli alberghi di lusso, rinunciare alle comodità di cui – grazie a Dio – non mi sono mai fatta delle schiavitù, andare dalla povera gente, imparare il dialetto, ricominciare, senza cavalli, senza auto, senza troppi vestiti, senza troppe posate, ma cosa m'importerà – in nome del cielo – di avere soltanto due grembiali (uno addosso e l'altro al fosso – come dice il proverbio delle nostre campagne), pur che alla sera mi sia dato di aspettare un volto caro e mettere sul fuoco una minestra che non sia soltanto per me e rammendare delle calze che non siano soltanto le mie...[3]

Periferia

Lampi di brace nella sera:
e stridono
due sigarette spente in una pozza.

Fra lame d'acqua buia
non ha echi
il tuo ridere rosso:

apre misteri
di primitiva umanità.

Fra poco
urlerà la sirena della fabbrica:
curvi profili in corsa
schiuderanno
laceri varchi nella nebbia.

Oscure
masse di travi: e il peso
del silenzio tra case non finite
grava con noi
sulla fanghiglia,
ai piedi
dell'ultimo fanale.

19 gennaio 1936

CAPITOLO III

SCRIVERE CON LA LUCE

«In quegli anni lontani» ricorda ancora Dino Formaggio «a volte ci era accaduto che, insieme con comuni amici, andassimo vagabondando (magari dopo aver visitato quelle tristi case dove – annotava Antonia – "la miseria durerà sempre") per le strade di uscita dalla città verso la campagna. Davanti a un albero, a un magro ciuffo improbabile di erbe o a un fiore improvviso, davanti al volto o al gesto di un passante incrociato, tutti notavamo l'illuminarsi di acuita attenzione e magari di gioia degli occhi di Antonia, fatti ridenti dall'apparire dell'immagine già fatta poesia.»[4]

Nel continuo confronto tra Antonia e la vita, la fotografia non è più solo la registrazione del vivente o del vissuto, ma il modo con cui la vita si esprime: una dimensione di vita essa stessa.

Nel 1938 avviene uno scarto qualitativo: i motivi esistenziali, estetici, si approfondiscono e oltrepassano il momento «diaristico». La fotografia, come il progetto di romanzo, elaborato in quest'ultimo periodo, è legata all'idea di rinnovamento da connettersi con un processo di recupero del passato familiare e della storia collettiva. Il nuovo complesso di immagini fortemente emblematiche s'ambienta nelle essenziali pro-spettive urbane. Ma le strade di Milano, quelle centrali e resi-denziali, coi loro importanti monumenti tra cui l'elegante zo-na della Conciliazione dove abitava (in via Mascheroni, in un palazzo ora non più esistente) vengono trascurate, come og-getto di ripresa, rispetto all'essenzialità geometrica dei quar-tieri industriali o delle periferie che sboccano nella campagna.

Gli occhi si appuntano sulla realtà, attraversata con l'onestà della visione. L'accettazione risoluta delle cose corrisponde an-che alla sua posizione filosofica. Questa esperienza riguarda il limite delle cose stesse e un inizio continuamente riproposto, dato che, nel confronto tra io e mondo, ciò che è più prossi-mo è anche più distante. Il varco non è più solo fenomenico: è esperienza nostalgica, in cui avviene un continuo trapasso tra soggetto che guarda e oggetto cui si guarda. Di frequente Antonia fotografa questa soglia, come emblema del suo stesso mostrare; come se si fermasse ad accogliere con intento con-servativo un oggetto cercato e che questo gesto fosse legato al-l'origine intellettuale di tale attitudine allo *sguardo*.

Su questa soglia, la vita si getta oltre la vita; la soglia ne è l'indefinito intrattenimento.

Le fotografie degli ultimi anni non sono solo frutto di sensa-zioni visive, ma comunicano questo sguardo di distacco parte-cipe, di familiarità con le miti presenze del reale, che coincide con un punto di massima concentrazione.

Anche il tempo viene vinto e in sé riassume e sostanzia tut-ta una storia: il passato, il presente coincidono finalmente in una lucida assunzione di destino. «Ora accetti d'esser poeta» scrive nella poesia intitolata *Un destino*.

Antonia ricompone la lacerazione tra il tempo perduto e l'attesa del futuro. Commenta Dino Formaggio nelle pagine appena citate:

L'esercizio della fotografia poteva così diventare veramente un lucido specchio di questa sua anima; e come tale, come fedele prodotto di un vedere che, come avviene per ogni più vera fotografia, è sempre un vedere più che vedere, un modo per fissare la realtà in un tempo fermato, in un cercato arresto di questo inesorabile scorrere via e fuggire delle esistenze, infine un annullare il turbinoso reale nell'atto di riscattarlo in un senso dato. Un fermare e un fermarsi per sempre. L'atto di una poesia e dell'analogo fotografare come ricordo, da cui la visione si fa supremamente intima, legando Tempo e Vita, la produzione di una Morte nell'atto di conservare la vita in un unico poetico ricordare che costituisce la pregnanza della memoria «profonda».

La memoria si fa dunque, più che evocativa, creativa e fondatrice di una personale trasfigurazione poetica, «scrittura di luce», come detta l'etimologia. Una scrittura che non insegue il momento, ma ricerca l'intimità con l'invisibile, la traccia delle cose, la ricerca della loro pregnanza.

Dino Formaggio ha fatto un'analisi anche sentimentale dell'estetica fotografica di Antonia, che rappresenta in genere la soglia, il crinale tra la vita e la morte; ma nel nome della reversibilità vitale: «l'ombra della morte (...) è (ancora) per dire la vita, per riconoscere in un estremo saluto amoroso la gioia svariata del vivente».

Antonia si pone sempre «in ascolto» di fronte alle cose: ha sempre inteso «lasciar parlare» il dolore delle cose (*lacrimae rerum*): è questo che le permette, nel tempo, di eliminare il superfluo, di toccare l'essenzialità dell'espressione.

Le figure rappresentate sono sempre più spesso immagini «del silenzio», fantasmi che allignano nel reale, apparizioni che si muovono in uno spazio più pensato che agito. È come se Antonia fosse in grado, tramite la fotografia, di ricreare un mondo a sé stante. «Contemplare così non è un riposo; ma è una vita intensissima e bella» poteva scrivere alla nonna già nel 1929.

Ma lo sguardo di Antonia, oltre che di creazione, pare di congedo, come se vedesse le cose per l'ultima volta.

Anche qui l'artista fa uno sforzo sempre maggiore verso l'oggettività: il suo doloroso ascoltare le cose, mettersi in ascolto di esse, è come farle venire alla luce, mentre continuamente si perdono.

C'è sempre di mezzo una poetica lontananza, non di tipo leopardiano, evanescente e sfumata, indistinta lontananza, ma piuttosto, come la intendeva Benjamin, rappresentazione di un'assenza, di cui è impregnata l'atmosfera del soggetto, la sua «aura».

Là dove le cose si danno, possono essere colte da quell'«inconscio ottico» che struttura lo spazio percettivo, che ne organizza il significato in sintesi e lo prepara per l'obbiettivo.[5]

Sono immagini semplici: protagonisti della fotografia degli ultimi anni diventano lavoratori della terra, pastori, vecchi e un'infinità di bambini, lavandaie, contadine... La realtà si distende nella sua oggettività, pur perseguendo le sue implicite emozioni.

Scrive Antonia alla madre nel gennaio 1938: «Perché amiamo perdutamente soltanto ciò che non avremo mai: e per me è la miseria, vecchi con lunghi mantelli fra ciminiere di fabbriche lontane, carraie che conducono a una cava di sabbia, bambine col grembiule rosso riflesse dall'acqua dei fossi».

Nel 1937-38 ormai si può parlare di una «poesia dell'immagine», di uno stile che contraddistingue e unisce la composizione. L'espressione si fa disadorna, i soggetti umili; gli ambienti aprono sempre di più a un panorama scarnificato. Il luogo aperto diventa luogo di silenziosa contemplazione.

Ma se si parla di realismo, a proposito di questo approccio artistico, dobbiamo intenderlo nel senso che lo sguardo s'identifica alla fine pienamente con l'oggetto e crea la sua storia.

Dietro ad alcune di queste foto, dedicate a Dino, Antonia ha vergato delle riflessioni. Anche Dino condivide lo stesso modo di intendere la fotografia: come un convergere istantaneo del tempo e dello spazio che superi, congelandola, la simmetria del binomio vita-morte.

Tutto il plico delle fotografie a lui destinate è accompagnato da una lettera datata 5 maggio 1938:

Caro Dino,
l'altro giorno hai detto che nelle fotografie si vede la mia anima: e allora eccotele. Perché l'unico fratello della mia anima sei tu e tutte le cose che mi sono state più care le voglio lasciare in eredità a te, ora che la mia anima si avvia per una strada dove le occorre appannarsi, mascherarsi, amputarsi. Qui troverai tante cose che già conosci: dietro a ciascuna ho scritto un titolo o delle parole con poco senso, che però tu capirai. Conservale per mio ricordo, per ricordo del nostro incontro, che è stato buono e bello e mi ha dato tanta gioia in mezzo al dolore. Caro caro Dino, che tu almeno possa foggiare la tua vita come io sognavo che divenisse la mia: tutta nutrita dal di dentro e senza schiavitù. In ciascuna di queste immagini vedi ripetuto questo augurio, questa certezza. Ti abbraccio. Antonia.

Colpisce la lucidità di quell'«avviarsi» verso una tragica risoluzione se alla sua anima viene imposto di «appannarsi, mascherarsi, amputarsi». Dopo la tragica conclusione del suo amore per Cervi, diventa esplicito il riferimento ad altre repressioni, altre violenze morali, sicuramente legate anche alle sue posizioni ideologiche.

Commuove quel tono di struggente congedo, come se davvero Antonia non sapesse se avrebbe rivisto l'amico tanto presto.

Dietro l'immagine di un viottolo che attraversa un uliveto sul monte di Portofino scrive, in un perfetto esempio di poesia in prosa:

Con sandali bianchi da bambini, tenendosi per mano e zitti – perché dal dorso delle foglie gocciola un luccicore mite, le ombre sono dorate sui sassi e l'erba verdissima, folta e fresca, cosparsa di gladioli rosa... E a chi tocchi di camminare a lungo da solo per una strada così bella, capita magari di trovarsi ad un tratto disteso per terra tutto in un pianto, perché ci sono soavità così perfette che fanno orribilmente soffrire e gridare il nome di tutte le cose e le persone perdute...

Da Camogli, oltre alle splendide immagini di tessitrici di reti e pescatori, la nicchia decorata di conchiglie della Nostra Signora del Buon Viaggio:

> Ed è un poco pagana: al cuore bambino racconta favole di principesse marine intraviste e perdute, di navi affondate e trasmutate in giardini di corallo... Dice anche che, quando nel porto vien sera, si accende su lei il vecchio lume e le conchiglie han riflessi teneri e fiochi, di madreperla. Camogli, 1938.

Dietro a una foto di «Provincia», un angolo tra case innevate, si legge:

> Una via (c'è la donna che ha freddo, il garzone che zufola, l'albero che si sporge dal muro delle monache, la finestra d'angolo con le tendine di pizzo a macchina... intese un velo di nevischio e c'è pericolo di sdrucciolare). Pavia, 1931.[6]

Ancora l'attenzione per il particolare umile, per la poesia del quotidiano, senza alcun compiacimento strapaesano o crepuscolare.

CAPITOLO IV

«PER TROPPA VITA
CHE HO NEL SANGUE...»

Eppure è una stagione di progetti, questa. Orizzonti nuovi le si schiudono davanti.

La scuola, intanto, in cui finalmente realizza il magistero di Cervi, il suo antico e mai dimenticato amore, trasmettendo, a sua volta, i principi educativi da lui imparati. E il lavoro poetico si raffina e innalza, a contatto con le esperienze della età adulta, con più vaste e complesse letture della contemporaneità. Anche la ricerca trova uno sbocco. Dopo il successo della sua tesi flaubertiana, le viene proposta finalmente una collaborazione a «Corrente di vita giovanile», la rivista culturale perseguitata dal fascismo su cui scrivono tanti suoi brillanti amici.

Si tratta di un saggio dedicato a uno degli scrittori più inquietanti del secolo, Aldous Huxley, e al suo romanzo *Eyeless in Gaza*. Noto in Italia col titolo *La catena del passato*, pubblicato nella serie «Medusa» della Mondadori, il romanzo racconta lo sviluppo cronologico di una crisi di identità esistenziale, effettiva e culturale nell'amletico Antonio Beevis, orfano e inadatto alla vita, soprattutto incapace di avere un equilibrato scambio d'amore con Elena, inquieta e sensuale. Nelle ultime pagine, un'altra volta l'autore espone la sua idea di una totalità indifferenziata entro cui si perdono le deboli ribellioni degli umani, mentre il bene è il principio stesso dell'unità dei viventi.

Huxley affascina Antonia per quell'ambigua commistione di gelido intellettualismo e sanguigna potenza, tra lucidità della coscienza e forza istintuale. Il sorriso equivoco dello scrittore sulla contraddizione dell'universo viene interpretato nelle sue valenze antiapolline, che danno voce ai turbamenti di una società in crisi. Del precedente romanzo, *Il Mondo Nuovo*, la colpisce la fisionomia del Selvaggio, che si pone in aperto antagonismo rispetto alla civiltà occidentale decadente. Paga con la solitudine irredimibile la sua ribellione anarchica: cacciato dal consorzio civile, osserva il suo sangue striare la volta notturna come un mandala.

Il tema conduttore anche di *Eyeless in Gaza* è quello del sangue: arcaico, ctonio, violento dell'irruenza stessa della vita, esso appare per stabilire la fusione del tempo umano con quello cosmico, in un fluire incessante che aggrega il dinamismo della vita alla muta essenzialità degli esseri. Scrive Antonia:

> Questo tema del sangue ci introduce direttamente nel mondo di *Eyeless in Gaza*, di Sansone cieco al mulino con gli schiavi, che nella profondità delle sue tenebre coscienti esplora il mistero della vita, giù fino all'analisi del suo sangue e di quello dei fratelli, giù fino al disgregamento fisico e spirituale della personalità in atomi vitali indifferenziati e poi, da questo smisurato amore sotterraneo, a capofitto, in uno slancio deliberato, di nuovo nella vita, nell'amore della vita – anche se questa dura una notte sola e l'indomani sarà la morte, perché certe rivelazioni di completezza non si possono pagare altro che con la morte; (anzi, proprio nella morte accettata e cercata in nome di quella vita riconosciuta concreta e assunta a idealità, sta la resurrezione dal mondo dell'intellettualismo, apatico, il riscatto del pensiero nel gesto).[7]

Questo è uno dei drammi anche di Antonia: la paura di cadere in un intellettualismo apatico, avulso dalla vita delle cose, un groviglio di sofferta materialità.

Per le anime inquiete predilette da Huxley, autocoscienza significa anche linguaggio critico, ardita sperimentazione. Come già aveva fatto Goethe, ma con la torbida irrequietezza del pensatore contemporaneo, Huxley investiga gli aspetti scientifici degli atteggiamenti umani, analizza le unità ultime della materia, gli «atomi vitali indifferenziati», che già hanno fatto nascere la filosofia moderna. Dagli infiniti assembramenti passa e si afferma la vita; dalle particelle elementari alle strutture più complesse.

Antonia ammira la capacità di Huxley di strutturare romanzi che aderiscono anche con lo stile ai contenuti: intrecci complessi, sovrapposizioni di piani, tagli e frammentazioni sulla pagina. Eppure lo scrittore non si adagia sull'intellettualismo e va sempre in cerca del fondamentale modello, la vita, della cui sofferenza cerca giustificazione.

Il suo sguardo è tagliente, arriva a frugare nelle zone più nascoste, aprendo gli orizzonti della visione a una vastissima riflessione umana e sociale e secondo un gesto sapienziale che fonde l'intelletto con l'azione fisicamente espressa.

Mentre Lawrence, nel suo analogo tentativo di rappresentare gli istinti animali come ultime tracce dell'essenza originaria, aveva finito per semplificare nella direzione dell'istinto la complessità del comportamento umano, Huxley vorrebbe che l'energia cosmica convergesse non per esprimere gli istinti sessuali, ma in direzione di un allargamento della coscienza.

Ci chiediamo come e quanto questo scrittore, che fu profeta delle rivoluzioni culturali degli anni Sessanta, legate alla liberalizzazione delle droghe e ad altri tentativi di uscita dalla coscienza, possa essere piaciuto alla studiosa dell'esattezza cristallina della pagina goethiana, del disincanto naturalistico di Flaubert.

Eppure anche lei s'interroga sull'energia che «lancia il suo canto di sfida nella notte» e innerva un pensiero che ha come fine se stesso. Ma allora: «Come uscire da se stessi, dal cerchio magico della conoscenza e della critica, come andare al di là dei libri, della carne delle donne, al di là del timore e della pigrizia, al di là della visione dolorosa ma segretamente allettevole del mondo come un ricovero di alienati?».

Si cerca l'unità della vita dietro le molteplici apparenze, fino al fondo dove lo spirito è liberato e in pace, è essenza comune.

«A questo punto la meditazione si converte in azione, l'autocoscienza intellettuale si frange per precipitarsi nel gesto, sulla via di un concreto e attuato *eros* di tutto il vivente e dalle esperienze sulla propria individualità interiore trae conseguenze per l'intera società degli individui.»

Antonia ricorre anche all'apporto dell'antropologia, non diversamente da quanto farà, negli stessi anni, l'amico e collega Remo Cantoni, con cui è rimasta in contatto affettuoso.

L'universalismo mistico dello scrittore rivela i suoi tratti morbosi, le sue estasi ancora decadenti, delineando una storia d'amore determinata dal tema del sangue. L'idea di una morte riparatrice riprende a turbare l'immaginario di Antonia fondandosi su un progetto filosofico di una sua *accettazione risoluta*, su cui si arrovellano più o meno tutti gli autori del Novecento da lei studiati e prediletti.

Antonia riporta quello che è *in nuce* l'umanesimo dello scrittore, sempre giocato sui paradossi:

«L'interesse sta proprio nell'esigere da sé medesimi il compimento dell'impossibile. L'interesse risiede proprio nel paradosso, nel fatto che l'unità è il principio e la fine di tutto e che tuttavia la condizione della vita e d'ogni esistenza è la separazione che è l'equivalente del male».

Un atto di «comprensione completa», la compassione buddhista è ciò che viene perseguito come sintesi della coscienza e dell'esperienza: in questo sta l'influenza del pensiero orientale nel mondo etico dello scrittore.

Commenta ancora Antonia:

«Delle vite intere possono passare nel tentativo di aprire un po' di più, ancora un po' di più, l'universo chiuso che tende perfettamente a suggellarsi in modo ermetico appena lo sforzo si rilassa. Vite intere possono passare in isforzi costanti per realizzare l'unità con altre vite e altri modi di esistenza. Per farne esperienza nell'atto dell'amore e della compassione. Per farne esperienza, su un altro piano, per mezzo della meditazione, nel lampo dell'intuizione diretta».

Il bisogno di non sentirsi *separati*, e invece uniti nella profondità con altre esistenze, giustifica la conoscenza trasformandola in volontà d'azione.

Da Antonia sgorga però un inquietante richiamo: «Unito in pace, nella pace oscura degli abissi, lontano dalle onde mutevoli...».

Un emblema di bellezza arcaica, onnisciente, quella dell'Apollo etrusco, allude in Huxley alla possibilità di un'atarassia non indifferente, anzi partecipe del male del mondo, raggiunta non per risolverlo, ma per accettarlo, vincendolo.

«La solitudine del Selvaggio percosso, la solitudine di Sansone cieco alla macina con gli schiavi» scrive Antonia riferendosi alle pagine centrali della riflessione di Huxley nel *Mondo Nuovo* (ma possiamo pensare anche alla solitudine del sant'Antonio di Flaubert, tentato nel deserto) «trovano qui finalmente lo sgorgo verso l'assurda, inaccettabile, e per questo irrazionalmente accettata, realtà della vita.»

Antonia ci stupisce per questa sua nuova calma piena di tensioni, mentre sta esplorando una materia pericolosa.

Pensa a quel sorriso dell'Apollo di Veio, è il sorriso stesso dello scrittore, tragico e malizioso, raggelante come la sua intelligenza critica.

Punto contro punto[8] racconta la folle infatuazione di uno scrittore per una ragazza. Tra gli inquietanti protagonisti, spiccano Philip Quarles (con cui si identifica Huxley), razionale e distaccato, e il suo opposto Mark Rampion (in cui si potrebbe riconoscere il rivale di Huxley in letteratura, D. H. Lawrence), tutto istinto e passione vitale. Sullo sfondo, la fine della società democratica e l'incedere feroce del fascismo. L'essenza del nuovo sguardo sulle cose è la molteplicità, sirena ambigua.

La realtà è costituita da una sovrapposizione di strati e la profondità è fatta di sotterranee empatie e somiglianze. Antonia si tuffa incantata in questa scoperta del pensiero olistico orientale: in ogni parte dell'universo c'è il tutto.

Il contrappunto non è solo uno stile musicale, ma è l'*ars combinatoria* che può originare una nuova idea di romanzo, piuttosto vicino alle attuali sperimentazioni letterarie con gli ipertesti: intrecci, incastri, indefiniti richiami a tema, da inseguire come si inseguono le note in una fuga.

Antonia guarda con particolare attenzione all'antagonista Mark Rampion, lasciando presagire un'ideale proiezione. Figura-limite, Rampion ha il compito di riunificare i pezzi separati del vissuto, che restano divisi nell'astratto intelletto dell'altro, in un unico progetto creativo dell'esistenza.

Il tema del sangue, e quello dell'eros a esso legato, sembrano occupare una parte importante nell'estremo orizzonte intellettuale di Antonia.

Il saggio viene dunque presentato in due applaudite conferenze tenute all'università nell'aprile 1938 e pubblicato successivamente su «Corrente di vita giovanile».

È una stagione piena di fervore, come si vede, attraversata dai bagliori della consapevolezza e da premonizioni di morte, dal rinnovato slancio della passione, dal ripiegamento psicologico... Nuovi progetti, una nuova ansia di vita la pervade, che ha l'accensione sanguigna dello stile huxleyano.

Si profila una nuova Antonia che sta per abbracciare un futuro diverso, in cui l'esperienza sostanzia sempre più la conoscenza intellettuale. Sembra essere attratta dall'oggettività dinamica della materia vivente, che furiosamente segue e persegue nelle foto scattate in questi anni, nella tensione erotica sottesa agli incontri, rievocata nelle poesie e nelle pagine di diario che a esse alludono, mentre con sforzo sembra trattenere tra le maglie dell'espressione ormai matura un fiume ribollente e magmatico che travolge talvolta le sue difese psichiche.

CAPITOLO V

PRIMAVERA DI BELLEZZA

«E ra un'insegnante esigente e molto brillante» ricorda uno dei suoi allievi della I dell'Istituto Tecnico Schiaparelli, Aurelio Bertin, fratello di Giovanni Maria, l'illustre filosofo formatosi alla scuola di Banfi.

Il lavoro di biografo dovrebbe il più possibile essere alimentato dalle testimonianze dirette, eppure, nel caso di Antonia, esse sono rare e sporadiche, purtroppo, sia per l'estensione del tempo trascorso sia per il geloso riserbo di molte persone che le furono vicine. Per questo segnalo chi ha voluto offrirmi una testimonianza diretta. Ricorda Bertin:

> Ci dava molto da lavorare, e spiegava ogni argomento in modo dettagliato in modo da rendercelo comprensibile e interessante. Era severa, precisa in ogni cosa, ma sapeva coinvolgerci con un sapere appassionato, capace di confrontarsi con l'antico come con il moderno. Ci voleva bene, conosceva i nostri problemi familiari o sociali: regalava a tutti un sorriso per ognuno diverso.
> Ma ci fu un avvenimento che ci colpì, ragazzini curiosi e un po' innamorati della giovane insegnante con quell'«aura» intellettuale. La nostra insegnante passava sempre più tempo con un collega di matematica, anche lui giovane, appena as-

sunto: un bell'uomo, affascinante, che doveva piacerle molto. Tra una lezione e l'altra, all'intervallo e poi all'uscita di scuola stavano insieme e lei era emozionata, le brillavano gli occhi quando lo vedeva. Una volta decidemmo di spiarli. Uscirono insieme e camminavano a braccetto, come una coppia. Quando entrarono in un giardino e si scelsero una panchina riparata, i ragazzini dovettero rinunciare a seguirli e ritornarono sui loro passi, ma nei corridoi, l'indomani, dappertutto circolava la notizia di quel *flirt* tra l'adorata professoressa di lettere e l'affascinante collega di matematica.

Quel mattino del 2 dicembre in cui lei dettò la versione di latino, prima di lasciare la classe, la scuola in lacrime, fu l'ultimo in cui la vedemmo. Ma anche l'ultimo in cui vedemmo lui, il professore di matematica.

Dopo la morte di lei, infatti, non si vide più a scuola.

Dunque? Che ne è stato di questo amore? Un flirt passeggero, un'amicizia tra colleghi uniti dal comune amore per la didattica o qualcosa di molto più importante, che l'ha accompagnata fino agli ultimi istanti? Gli archivi dell'Istituto Tecnico Schiaparelli non parlano, il nome del professore non riemerge, e forse oggi lui non potrebbe più darci la sua testimonianza.

Dei suoi primi giorni d'insegnamento, così scrive all'adorata nonna Nena, in una lettera finora inedita:

Milano, 23 ottobre 1937

Carissima Nena,
Penso che in questi giorni mi avrete aspettato inutilmente o, per lo meno, avrete sperato di ricevere nostre notizie. E adesso le notizie arrivano e sono proprio mirabolanti, quasi quanto quella del verme solitario: dunque devi sapere che da tre giorni la tua nipotina (rinomata per la taciturnità, la timidezza, il «betegamento») si trova per parecchie ore al giorno a faccia a faccia con ben 46 canagliette dai 10 ai 13 anni, poveri innocenti a cui attaccare il male della scienza! In altre parole: mi hanno offerto tra capo e collo una sup-

plenza di italiano latino storia e geografia, in una I inferiore dell'Istituto Tecnico Schiaparelli ed ho accettato al volo. L'incarico durerà tutto l'anno e guadagno quasi 600 lire al mese! La prima ora di scuola è stata spaventosamente emozionante; ero molto più agitata che il giorno della tesi, certo! È facile a dirsi, ma nessuno può immaginare senza averlo provato, che cosa siano – *per la prima volta* – cinquanta occhi fissi sulla tua bocca, ad aspettare che «l'oracolo» si pronunci: e l'oracolo – poverino – non sa che testi hanno, che programma devono svolgere, fruga disperatamente nei suoi ricordi d'infanzia per ricordarsi le prime nozioni di geografia e prega in cuor suo: campanello suona, santo campanello salvami!

Ma di tutto questo – al secondo giorno – non c'è già più traccia. In poche ore di scuola ho imparato una quantità incredibile di cose: anche a fare il sergente, quando occorre, per tenere la disciplina. Ma non è una parte che mi piace. Quello che mi entusiasma, sono le facce mobili, varie, trasparenti, dei miei topolini: vi leggo il riflesso di ogni mia parola impresso come su della cera e per ognuno sento una tenerezza diversa. Forse sono troppo buona, non so: ma ho l'impressione che i ragazzi mi sentano molto vicina a loro e molti mi vogliono già bene. Pensa poi che il Preside dell'Istituto è un certo prof. Silio Manfredi, di Pavia, di cui tu certamente ti ricordi: mi ha detto di essere stato molte volte alla Zelada quando la mia mamma era piccola e che il povero nonno è stato testimonio alle sue nozze. Naturalmente mi ha incaricato di molti saluti per te e – per riflesso – è con me di una gentilezza straordinaria. Ma ora, appena avrò vacanza – e sarà probabilmente dal 31 ottobre al 5 novembre – verrò in persona a raccontarvi le mie esperienze e le mie impressioni.

Per intanto, anche da parte della mamma (che, col papà, è felice di questa mia nuova vita) mando a te e alla zia Luisa i baci più affettuosi.

La tua Antonia

In giugno, Antonia viene ricoverata di nuovo in ospedale per un'operazione di appendicite, dopo i disturbi avuti nell'autunno per il verme solitario. Durante la convalescenza, traduce la storia di un romantico autore tedesco, Manfred Hausmann, *Il vagabondo Lampioon bacia ragazze e giovani betulle.*

Nella vicenda del giovane libero e scapigliato che cerca di ritrovare se stesso camminando per strade nuove e in esse cercando il senso degli incontri e dell'amore, Antonia investe la sua anima adolescente: ciò che è in lei di ribelle e anarchico. La ragazza che sfida l'ostile folla anonima stringendo i pugni nelle tasche e scalciando monellescamente i sassi sulla via, quella che preferisce gli scarponi da montagna e i pantaloni sportivi agli abiti perbene che è obbligata a indossare in città; la donna emancipata che fuma e guida l'automobile tenendo sempre premuto l'acceleratore, si ritrova nell'universo di scoperte e invenzioni dell'eroe Lampioon, che tiene in un sacco da montagna tutto quanto gli serve per la vita, e che ha come teatro di essa la terra e la volta celeste.

Antonia traduce limpidamente una partitura di poesia in prosa, che segue l'andamento del cammino conservandone ogni particolare. E non c'è solo la natura, dall'alba alla notte, attraverso i mutamenti visibili e invisibili delle stagioni, ci sono gli incontri con ragazze sfuggenti e affascinanti e con l'amore stesso che tutti li comprende e li supera. Eppure Lampioon non si lascia catturare da un unico paesaggio: non si ferma mai, infatti, sempre riprende la sua sacca e riparte; ma neppure potrà essere legato a una sola persona e, malgrado il suo bisogno d'amore, sceglie solo l'amata libertà come definitiva compagna. La piccola Elide, che è poi anche il nome della «donna del mare», la sirena di Ibsen, sarà l'unica che egli rimpiangerà davvero, perduta per errore, per troppo amore della vita senza legami. L'ultima nota del racconto non è di gioia perfetta, ma di malinconia, che è data dall'aver abbracciato un destino comunque di solitudine.

Raccogliamo anche solo le ultime righe di questo intenso, lungo racconto lirico:

La piccola betulla

Solo tre parole! No, non stare a origliare. Voglio dire una cosa alla piccola betulla in cui mi sono imbattuto, qui, sulla scarpata della ferrovia.

È già scesa la sera, a quando a quando una folata di vento stormisce sui campi di grano, le rotaie si perdono via dritte nella lontananza crepuscolare, il casello del guardalinee là dietro ha già il lume acceso. Ma il cielo aleggia verde e roseo sopra la Terra. E lassù si librano due uccelli nella chiarità verdina. Forse sono due falchi. Si librano compiendo dei grandi giri lenti, sopra la ferrovia e larghi, lontani, sui boschi là in fondo. Ogni volta che fendono il cielo verso occidente, i loro petti oscillano come oro.

Io li contemplo mentre continuano così a remigare in cerchio.

«Tu – dico piano – vedi là in alto gli uccelli d'oro, piccola betulla?»

Il frumento si frange a onde, il vento lo spazza.

In quel momento la piccola betulla, con impeto selvaggio e malato, scaglia in alto le braccia verso gli uccelli e le lascia tosto ricadere. Torna a piegarsi spossata verso la scarpata terrosa. Mi addosso a lei e accarezzo il suo fusticino esile.

«Piccola betulla – mormoro – guardando fisso davanti a me – noi due, tutti e due, piccola betulla... Anch'io oggi sono tanto triste, sai...»

E poi, restiamo lì per un poco l'uno vicino all'altra, con la testa china, senza muoverci.

... E poi, è ormai tempo ch'io mi rimetta in cammino. Lentamente riprendo la mia strada.

Nasce in questo periodo un progetto di romanzo che leghi in compiuta circolarità la sua vita protesa alla ricerca dell'essenzialità e la terra di cui si sente figlia: una storia intessuta di concretezza, costruita sui tempi del lavoro. Per scriverla, vuole basarsi su documenti e testimonianze: per questo saccheggia le memorie di famiglia, ma anche i ricordi della nonna, ben felice di poter accontentare l'inquieta nipote, così spesso ripiegata in una sofferenza le cui cause lei non può arrivare a conoscere, aiutandola a guarirne.

Questo progetto è legato al rinnovamento della sua vita, cui l'incontro con Dino e la speranza a esso intrecciata danno il giusto propellente.

Anche Dino progetta in quegli anni di scrivere un romanzo d'ambiente, che, con l'analogo gusto per la fotografia e la pittura, viene a completare questo «andare verso il reale» che contrassegna la nuova linea estetica che egli fa propria.

Antonia ne scrive ad Alba Binda, parlandole anche del suo lavoro di traduzione, amica che, a sua volta, sta per congedarsi da lei per il suo matrimonio e il suo trasferimento in Sudamerica, in una lettera scintillante di propositi e buon umore:

Pasturo, 7 luglio 1938

Alba cara,
la tua lettera mi è arrivata qui stamattina e mi ha commossa e rattristata. Perché fai la Signorina Felicita così? Cosa parli di vecchie cinture, di zuccherini della zia Federica, di giovinezza tramontata? Madre santa, a guardarti non ti si danno vent'anni e ti riempi di crepuscolerie... proprio tu, così bionda, così solare, con quei dentoni bianchi che ridono. Credi, bisogna sempre cercare di mantenersi all'altezza della propria faccia, adeguare il colore interno al colore esterno: se no nascono brutte sproporzioni e la persona va in decadenza. E si mette a rileggere vecchie lettere... No, no: via, via! Io ho trovato ieri in un cassetto due fotografie di Remo e le ho stracciate – non in odio a lui, povero diavolo! – ma perché tutto il passato ormai mi è inutile, proprio senza senso e senza fascino, valevole – tutt'al più – come esperienza negativa, come errore che serve ad evitare nuovi errori. Mi sento come se mi fossero sprofondate alle spalle catene di montagne ed io nasco sulle rive di un lago, ed è ancora mattina, capisci? Ma prima che venga la sera dovrò riguadagnare tutto il tempo prezioso che ho perduto.
Soltanto da un anno, posso dire, ho cominciato sul serio a vivere. E tu non puoi credere, in questi giorni freschi, dolcissimi, di recupero e di rinnovamento fisico, sotto le foglie delle mie amate piante, quanti quanti pensieri lieti e fattivi mi passano così, tra l'ombra e il sole, come rondini veloci, intente a prepararsi il nido! Lavoro: sto traducendo dal tedesco

un libro – a mio parere – bellissimo, ma alquanto difficile, perché pieno di una specie di gergo che mi fa sudare! (*Lampioon*...) Sto prendendo appunti per un saggio su Morgan, l'autore della *Fontana* (che, tra parentesi, non mi piace affatto, perché troppo metafisicizzante, ma in ogni modo ci sono cose interessanti da dire sul suo conto) e, da ultimo, ho ormai chiaro in mente lo schema. (Dio! Questo non dovrei dirlo, perché chissà quando e come si attuerà, ma come faccio a non dirtelo, se forse è la molla di tutta la mia serenità, di tutta la mia operosità di ora?) lo schema, dunque, di un grande romanzo, che sarà – come nocciolo – la storia della mia nonna, cioè la storia della Lombardia e della nostra pianura dal '70 circa in poi, giù, con ramificazioni e complicazioni, fino ai nostri giorni: ma più una storia della terra che delle persone, capisci? E ci dovrà essere un senso di umana semplicità vastissimo: e un amore per la campagna, per i boschi, per il silenzio, che oscillerà dai miei monti di qui alle risaie della Bassa, col ritmo delle mandrie che migrano in primavera e in autunno. Ci sarà anche molta storia: i salotti borghesi dell'epoca umbertina e il sorgere della grande industria lombarda. La guerra e il dopoguerra. Tre generazioni, insomma. Ti sembra troppo vasto? Certo, son proporzioni colossali: magari ci metterò tutta la vita e non verrò a capo di niente. Ma così posso concedermi il lusso di grandi progetti futuri.

Quest'inverno tornerò a prendermi una supplenza e nei pomeriggi liberi andrò in biblioteca a... saccheggiare i giornali dell'epoca che mi interessa. Poi, il sabato e la domenica, andrò a Pavia a sfruttare le conversazioni e i ricordi della mia nonna, che ho già nominato collaboratrice di primo grado... Chissà: forse questi castelli in aria ti faranno un po' sorridere, ma per me fanno parte di tutta una ricostruzione. Vedi: mi sento così libera, padrona di me, la mia macchina interiore mi appare così divertente e così preziosa, che tutto «il di fuori» acquista luce e importanza affatto diversa da prima. Così... posso concedermi il lusso di non chiedermi se un certo signore cambierà o non cambierà ancora parere, di lasciargli sfogare anzi i suoi entusiasmi prendendomi con delicatezza tutta la gioia purissima che mi viene dall'esperienza... E credimi: è così immensa la gioia di aver incontrato un'anima che mi capisce, mi valuta e mi vuol bene proprio unicamente per quella parte di me che io ritengo la migliore e la più

vera, che se anche tutto si dovrà limitare a semplice amicizia,
i frutti saranno già bastevoli. Credo che il carattere energico
e ottimistico di Dino abbia influito non poco sul mio stato
d'animo di ora! E forse, chissà, anche il taglio dell'appendice
ha portato la definitiva purificazione dell'organismo. Della
mia salute ti dirò che, a forza di ricostituenti, ma soprattutto
– credo – per merito delle «balsamiche aure» di qui, sto ri-
mettendomi dall'operazione. Per ora le mie passeggiate con-
sistono in dieci minuti di lenti, curvi e vacillanti passi sullo
stradone in piano, ma spero di far progressi in fretta…

In agosto, dopo il laborioso soggiorno a Pasturo, si reca di
nuovo a Misurina, dove, ritemprata la salute, si prepara ad affrontare le più difficili scalate. «Lassù nei turbini bianco-az-
zurri del sogno, col corpo mi si è rinforzata l'anima.» Le sono
compagni due «spiriti rari e forti»: il famoso scalatore Emilio
Comici e una ragazza di Padova «aristocratica e montanara».

Abbiamo delle foto di queste escursioni compiute insieme:
Antonia è sempre sorridente, pare rinata. Ritrae la sua amica
mentre conquista i picchi rocciosi, mentre prende il sole sul-
l'erba bruciata dei pascoli al rifugio Principe, mentre arrampica per la Nord delle Cime di Lavaredo: un'impresa rischiosa
che alla fine lasciano fare a Comici. Ma ascoltiamo la stessa
voce di Antonia, da un frammento senza destinatario e senza
data, da collocarsi presumibilmente nell'estate del 1938:

Noi sotto, sul ghiaione, nell'ombra fredda, a seguire spasmo-
dicamente con gli occhi quel punto minuscolo crocefisso al
lastrone nero. Poi, quando lui fu in cima, noi giù a salti per
uscire dall'ombra e là, per terra, al sole, a 2500 metri, fino al
tramonto. C'era un silenzio infinito e pur denso di suoni.
Dalla valle profonda di Sesto, salivano rotti palpiti di campa-
ni, giù dalle gole, dai camini, rispondevano rarissime pie-
truzze rimbalzanti sul ghiaione. E a me, così supina, pareva
che l'enorme conca deserta fosse pur piena di un'altra musica, una specie di ronzio gonfio e continuo, che sembrava partire da un gigantesco organo sospeso tra cielo e terra. Ed ecco: guardando in alto, pensai che avverrebbe delle nostre ani-

me se quelle nuvole bianche che passano incessantemente lassù avessero ciascuna un suono, una nota, un canto; più basso le nuvole lente e scure, chiaro argentino le nuvole candide. Forse in quell'ora era il passo delle nuvole, era la voce delle nuvole che mi sonava dentro come una sinfonia orchestrale. O forse erano le Tre Cime, là erette come una cattedrale gotica, sventrata dal fulmine e spalancata a Dio, che lasciavano prorompere l'urlo delle loro preghiere di pietra. E forse in tutto quel canto la nota più alta era tenuta dall'anima dell'uomo solo lassù, con la sua vittoria e il suo sonno sotto il sole. (...) Forse anche erano i morti, di cui sotto le Cime e la Forcella di Lavaredo si trovano le ossa bianche sparse, benedette e purificate dalla neve e dal sole; i morti della nostra guerra, forse, che cantavano nel sole di mezzogiorno, per la mia stanchezza ebbra, per il mio corpo di ragazza sull'erba breve e puntuta, per il mio cuore stretto contro un masso di granito bianco e le mie mani posate amorosamente sull'appiglio. (...) Se potessi sempre ricordarmi di quell'ora, la vita sarebbe una vittoria continua. (...)

Lassù, ogni emozione assume l'essenzialità e la durezza della pietra: forse un altro innamoramento, violento, per lo scalatore poeta Emilio Comici, che ritrova nel pieno della sua maturità virile. Un uomo inequivocabilmente bello, dalla pelle eternamente brunita dal sole alto, gli occhi del blu del cielo d'altitudine: lo ritrae superbamente mentre arrampica, tutti i muscoli concentrati nell'intelligente sforzo dell'ascensione; persino a torso nudo contro lo sfondo della neve estrema d'alta quota.

Non è che amore per la montagna, l'attrazione per quest'uomo che sfida i limiti del proprio corpo per vincere il corpo della roccia. Antonia vorrebbe affidargli la sua vita, quando la tiene avvinghiata al suo braccio dopo averla aiutata ad annodarsi la cinghia per consentirle una salita sicura, in un passaggio arduo della roccia. Avrebbe voluto un abbraccio così intimo, sullo strapiombo che sempre intravede sotto i suoi passi: l'avrebbe salvata dalla tentazione costante di lasciarsi cadere nel vuoto.

Per Emilio Comici

Si spalancano laghi di stupore
a sera nei tuoi occhi
fra lumi e suoni:

s'aprono lenti fiori di follia
sull'acqua dell'anima, a specchio
della gran cima coronata di nuvole...

Il tuo sangue che sogna le pietre
è nella stanza
un favoloso silenzio.

Misurina, 7 agosto 1938

Ma c'è anche la *bella tosa* di Padova di cui non siamo riusciti a rintracciare il nome. Con lei stringe una amicizia intima e complice come spesso succede tra compagni di scalate: alta, sportiva, coi capelli biondi lunghi sempre scarmigliati dal vento. Come Antonia è amante della solitudine e dell'alta montagna, ma ha un temperamento ribelle ed è riuscita a conquistarsi l'indipendenza in famiglia e a salvaguardare l'originalità delle proprie scelte di vita. All'età di Antonia ha fatto già tutte le esperienze che una giovane donna di allora potesse fare e, ascoltando il racconto delle privazioni di Antonia, delle sue sofferenze, non riesce a comprendere perché non se ne fosse andata via da casa, da sola o con chiunque.

Insieme tentano i sentieri più impervi per raggiungere un cespo di erica selvatica o una stella alpina, poi si abbandonano su un prato e osservano il lento moto delle nuvole. Apprezzano il silenzio, forse più delle parole.

Alla fine della vacanza, Antonia vorrebbe trattenerla, restare con lei, come se una lugubre premonizione le facesse intuire che non si sarebbero più riviste.

«Com'è più bello tra donne, c'è cameratismo e complicità» dice Antonia «mi piacerebbe vivere qui, in una baita in alto sotto le Cime, con un mare di libri e un fuoco che ci scaldi. Altro non mi serve.»

Nell'autunno 1938 avvengono fatti molto tristi. La tragedia collettiva, la repressione fascista di ogni dissidenza politica, la persecuzione razziale, gettano un'ombra tetra su ogni apparizione della vita, come l'amore. Cresce infatti la violenza politica e si fanno più vicini i tamburi nelle tenebre che annunciano la guerra imminente, mentre il fascismo celebra senza più ombra di dubbio la propria alleanza col regime di Hitler. Nella conferenza di Monaco, alla fine di settembre, è evidente il ruolo subordinato di Mussolini rispetto a Hitler, il quale ha già delineato i primi obiettivi del suo progetto espansionistico, cominciando dallo smembramento della Cecoslovacchia. Le potenze europee, in nome della fragile strategia della «pace ad ogni costo», finiscono in questo modo per accettare il colpo di mano del Führer. La tendenza è quella di chiudersi per difesa, nel ripiegamento sconfortato degli antichi ideali, mentre si estendono i focolai delle contese internazionali.

Mentre la mistica fascista diviene anche materia di studio, in una progressiva e ferrea militarizzazione della gioventù.

Già durante le imprese coloniali, il fascismo aveva valorizzato la cultura razzista. L'antisemitismo viene desunto dalle teorie naziste e diffuso da riviste come «Il Tevere» e «Il Regime fascista». Dal luglio 1938 parte una vera e propria battaglia propagandistica. Il 17 novembre, qualche settimana prima del suicidio di Antonia, un decreto legge vieta il matrimonio tra *ariani* e *non ariani*, definisce i criteri di appartenenza alla «razza» ebraica, ordina l'esclusione degli ebrei dalle cariche pubbliche. È soltanto l'inizio.

In applicazione alle leggi fasciste, il ministro Bottai decreta anche il licenziamento di un centinaio di docenti delle università italiane, definiti «personale universitario di razza ebraica». Nella Statale di corso Roma i giovani non trovano più accordo: si creano sospetti e divisioni; mentre si amplia anche il dislivello tra la condizione dei più fortunati e quella degli emarginati, costretti alla povertà nei quartieri proletari.

In seguito alle leggi antiebraiche, tra i primi, Paolo e Pietro Treves sono costretti a rifugiarsi in esilio a Londra. Antonia scrive loro toccanti lettere di congedo, di cui conosciamo già un frammento.

Milano, 5 novembre 1938

Mio caro Pa,

mercoledì giorno dei morti (L'è el dì di Mort, alegher! – ti ricordi?) con la tua lettera in tasca, ho girato per un'ora, verso sera, nei viali del Cimitero. Avevo un mazzetto di garofani bianchi e ne ho lasciato uno a ciascuno dei miei e dei vostri morti: sono stata anche dalla vostra povera zia Iginia e proprio là mi ha colto il buio; non c'era più nessuno, il guardiano sulla soglia del cancello gridava «all'uscita» e tutto era così spaventosamente triste. (...) Tutto quello che mi scrivi è immensamente penoso: mi faccio una quantità di domande alle quali purtroppo non può esserci risposta. E dirti di sperare – anche se te lo dico con tutta la convinzione e la tenerezza del mio cuore fraterno – che ti serve, ora, nei giorni bui?

Molto spesso, tutte le volte che penso a te, mi chiedo se ci sarà dato ancora nella vita di camminare una mezz'ora insieme, sotto braccio, con le nostre anime così profondamente diverse eppur così profondamente unite da uno stesso silenzio fatto di accorta tensione, di lento svariare di ricordi sensibili, di odori, di colori, di povere parole di poesia strozzate prima d'essere dette... Ti ricordi, Pa caro, Pa vecchio? Io mi ricordavo in un modo così cocente, l'altra sera, sotto gli alberi del Parco, con le foglie umidicce che mi legavano il passo e la nebbia intorno ai fanali, muta, come i fumosi silenzi di un film di Duvivier... Duvivier, ricordi? Io non so – te lo confesso – se avrò ancora il coraggio di affrontare da sola un viso di Jean Gabin. Tutto è così legato al tuo ricordo, così all'unisono con lo sfondo della tua anima..

Mio caro Pa – Io faccio malissimo – lo so – a scriverti queste cose: ma come fare, che dire, se da dieci anni eravamo amici e chi mi ha consolato nei giorni di dolore siete pur sempre stati voi ed ora siamo così lontani, ciascuno solo con la sua lotta, senza nemmeno potersi fare una carezza, di quelle che magari calmano – per una sera? Ma io te ne mando tante, Paolo, e anche alla mamma: sono con voi, con Pè, sempre sempre – e se volete qualcosa ch'io possa fare, scrivetemi. Ti faccio tante carezze sul tuo povero viso magro, ti abbraccio.

La solitudine intorno alla sua vita si allarga: Vittorio Sereni, dopo un corso di ufficiale di complemento a Fano che l'ha tenuto lontano fino alla fine d'ottobre è sentimentalmente distratto dalle fughe e dai ritorni di due donne da lui amate, la giovanissima Bianca B. e quella che diventerà sua moglie, Maria Luisa Bonfanti; Lucia sta per entrare in convento; Elvira e Alba si sono sposate e hanno abbandonato quello stato di ragazza che gliele rendeva «sorelle» e complici.

Antonia si sente isolata entro la sua ultima grande speranza.

Combatte in famiglia perché quel ragazzo semplice, spiantato, ma lavoratore e colto, sia accettato finalmente come di casa e gli si consenta di frequentarla. Un progetto di unione, di fronte a un'intesa già forte, che poteva avere sbocco nel matrimonio o comunque nella convivenza.

Il padre, come abbiamo detto, inizialmente si oppone. Aveva in cuore ben altro per sua figlia: un matrimonio che potesse mantenerle una posizione sicura nella società. Un ragazzo povero dalle idee politiche sovversive era una presenza a dir poco esplosiva in famiglia. Ma, nel corso del tempo, imparando a conoscerlo, anche l'avvocato finisce per accettarlo, proiettando su di lui quel che era stato anche il suo percorso: la famiglia piccolo-borghese, gli studi faticosi, l'approdo all'attività professionale tra mille difficoltà, in parte proprio superate dall'aver sposato una ricca signorina dell'alta società milanese.

Ma è Dino che non vuole che si pensi che abbia intenzione di approfittare, che cioè egli, ambizioso studioso di estetica e studente lavoratore, intenda avvalersi delle protezioni e delle conoscenze influenti del padre di lei. Non ha bisogno di nessuno, lui. Cedere a simili comodità significherebbe rinunciare alla sua coerenza morale e politica. Eppure Antonia pensa proprio di cambiare vita: l'insegnamento le permette una vita misera, ma autonoma. Sappiamo che non chiedeva altro che «essenzialità».

Del resto, quello che per Antonia è amore pieno, fatto di certezze e di aspettative concrete per il futuro – una casa, un lavoro, una famiglia nuova da far crescere –, per Dino forse non si configura allo stesso modo. Anch'egli, come già Remo, prova per Antonia un sentimento che è più fraterna amicizia che amore, sebbene condividano come due veri compagni un mondo di esperienze.

La speranza di Antonia, impulso segreto di tutto il suo rinnovamento in questi ultimi due anni, sta per ripiegarsi di nuovo in tragica disillusione.

«L'ALBERO DI NOSTRA VITA
SI BIFORCA AGLI SCAMBI»

Non è detto che dietro il tragico gesto di Antonia ci sia un'unica spiegazione. Anzi. Si tratta sicuramente di un insieme di motivi che contribuiscono a rendere così fragile e precaria la sua esistenza.

Ritorniamo al testamento «bruciato e ricostruito a memoria dal papà». Tra i puntini di sospensione che corrispondono alle parti cassate, Antonia trasmette parole di pace, ma anche di ferma e implicita accusa, per esempio: «Fa parte di questa disperazione mortale anche la crudele oppressione che si esercita sulle nostre giovinezze sfiorite...».

Ci permettiamo di avanzare, a questo punto, un'altra ipotesi che connette l'atmosfera plumbea di questi ultimi mesi del 1938 (le leggi razziali, la guerra incombente, le connivenze tra nazismo e fascismo) con le estreme speranze di Antonia che stanno cadendo come foglie autunnali dai rami già spogli.

E se il professore di matematica di cui Antonia era innamorata e con cui aveva iniziato una relazione – secondo il suo ex allievo che è uno dei pochi testimoni in grado di darci informazioni sugli ultimi giorni di lei – fosse stato licenziato, come voleva la legge, perché di origini ebraiche? E se questo spiegas-

248

se il fatto che non fosse più rientrato a scuola, il giorno dopo il suicidio di Antonia? Un filo invisibile avrebbe legato questi due destini a quello di un'umanità alla svolta più tragica del secolo.

Non abbiamo documenti che comprovino questa supposizione intorno a una vicenda di cui forse nessuno era al corrente e che il padre, per tante vie compromesso col regime, aveva tutte le ragioni di nascondere, anche e soprattutto dopo il suicidio della figlia.

Ricostruiamola, dunque, in breve, secondo un disegno d'invenzione, che però stranamente ci permetterebbe di comprendere la tragica risoluzione finale in tutta la sua portata di grido d'accusa impotente e irredimibile.

Antonia si innamora del brillante collega ebreo e, probabilmente, viene ricambiata. Si frequentano, si vedono di nascosto, forse si promettono anche un futuro.

Il senso di oppressione si fa concreto in quel novembre 1938. E poi, quel terribile colpo: con il varo delle nuove leggi i professori *non ariani* vengono licenziati. La minaccia incombente costringe chi può a riparare in esilio. Così gli amici Treves. Anche il suo collega deve andarsene se vuole salvarsi e, comunque, con il divieto di matrimonio tra *ariani* e *non ariani*, un'altra volta viene preclusa ad Antonia la possibilità di vivere e amare serenamente.

Tra le perenni incertezze di Dino che è soprattutto «amico» e un altro insostenibile abbandono, le forze non le sono sufficienti per resistere e lottare ancora contro tutto.

È una storia possibile, probabile, ma non dimostrabile, purtroppo, perché l'identità del professore non emerge dall'ombra. E se anche fosse avvenuto così come l'abbiamo raccontato, ormai nessuno può più svelarne il mistero.

Messaggio

E tu, stella acuta notturna
splendi ancora

se per il solco delle strade
grida la triste anima dei cani.

Sorgeranno colline d'erba magra
a coprirti:
ma nel mio buio conquistato
brillerai, fuoco bianco,
parlando ai vivi della mia morte.

21-22 giugno 1937

La sera del 1° dicembre il gruppo degli amici di Antonia si reca a un concerto della Società del Quartetto. Ci sono tutti:
Lucia, Elvira, altre amiche e cugine, ma anche Banfi e i suoi
allievi prediletti che gli fanno da corte devota. Antonia sembra serena: con Lucia si mette d'accordo per trascorrere il ponte di Sant'Ambrogio, in montagna o nella quiete di Camogli;
all'intervallo si allontana per parlare con Banfi), con Dino e
gli altri compagni.

All'uscita dal concerto l'umore è cambiato. Non vuole neppure salire sulla macchina e lascia che l'autista la segua mentre
lei torna a casa a piedi, per sentire l'aria fredda rinfrescarle il
viso. Le amiche si accorgono subito che qualcosa deve essere
successo, ma da tempo non hanno più la sua confidenza totale. Un altro mondo l'ha ingoiata, a loro quasi ignoto, altre speranze, altre pene insolubili.

Noi sappiamo, continuando però a interrogarci – sempre
che di fronte a un suicidio le domande possano trovare mai
una risposta risolutiva se non nella morte stessa – che nuovi
dolori legati all'impossibilità di vivere la vita appieno, nella
ricchezza delle sue promesse, avevano colpito Antonia con tagli inguaribili.

Di fronte a un atto volontario non si può dire che è colpa
della fatalità o di una volontà di morte, perché il suicidio è
sempre un estremo atto «vitale» compiuto contro qualcuno o
qualcosa; ma vano risulterebbe oggi cercare responsabilità che
chi le fu vicino ha pagato con silenzioso rimorso.

In questa storia non ci sono colpevoli, perché colpevoli sono tutti e, ancor più, l'orrore di un'epoca caratterizzata dalla
cultura fascista della morte e della distruzione.

«Non fate troppi pettegolezzi», avrebbe detto anche lei, con
Pavese; portate rispetto e serbate il silenzio di fronte a una
scelta custodita nel mistero della coscienza eppure tanto tragicamente espressa da fissarsi in un estremo gesto di poesia.

Una tacita indicazione morale che fu appassionatamente
seguita dalla cerchia gelosa degli amici e dei pochi parenti, se
anche dopo sessant'anni cade sulle circostanze della sua morte
un silenzio che nella commozione cela il profondo disagio di
tutti, e per tutti blandamente assolutorio. E il poeta viene sepolto una seconda volta «con la sua chitarra», per dirla alla
Garcia Lorca.

3 dicembre

All'ultimo tumulto dei binari
hai la tua pace, dove la città
in un volo di ponti e di viali
si getta alla campagna
e chi passa non sa
di te come tu non sai
degli echi delle cacce che ti sfiorano.

Pace forse è davvero la tua
e gli occhi che noi richiudemmo
per sempre ora riaperti
stupiscono
che ancora per noi
tu muoia un poco ogni anno
in questo giorno.[9]

La testimonianza lirica di Vittorio Sereni ci offre con parole
insostituibili il dolore, carico di sensi di colpa, che questa
scomparsa provocò agli amici, mentre la famiglia si stringeva
dietro le alte mura del lutto inconsolabile, tra mille sospetti e
rancori. Sereni definisce con la sua poesia il mito rilkiano del-

la morte compiuta – inteso come frutto maturato nell'interiorità fino al perfetto compimento – caro alle loro radici culturali. Racchiusa in forme di estremo pudore – che qualificano ogni riferimento di Sereni, d'ora in poi mai più «diretto» alla perdita della sorella d'elezione – controllata da toni smorzati, questa laica preghiera si avvolge intorno alla «pace», auspicata nella seconda strofe. Come un'Antigone moderna, Antonia viene osservata e «conservata nel ricordo» mentre oltrepassa la «soglia» che è tema portante della sua poetica.

La giovinezza dimostra qui la sua natura di falso movimento: fuga come slancio apparente, acuta tensione irrisolta che si ritorce in ferita mortale. Il ricordo non sarà mai pacificazione, per Sereni e gli intimi amici della sua breve vita, ma non è neppure più colpevole strazio. Nulla a che fare con l'agnostica indifferenza che la poesia di Montale rende icastica e metafisica: quel congedo evoca in Sereni, con tesa commozione, il dominio dell'assenza sul mondo.

Sereni, che avrà modo di esprimere il suo talento poetico nella pienezza esistenziale e artistica e di raggiungere il successo, diversamente dalla sfortunata amica, non le rivolgerà nessuna pubblica testimonianza, almeno nei suoi scritti, a parte l'attento lavoro editoriale per le prime edizioni del diario di poesia di Antonia, *Parole*: la prima in forma privata, nel 1939; la seconda, nel 1943. L'introduzione di Montale compare nella terza edizione del 1948 e anche questa fu senza dubbio richiesta da Sereni, che la riproporrà nella quarta edizione del 1964, quando era direttore editoriale della Mondadori.

Ma nell'intera sua produzione poetica evocherà il senso di questa loro comune ricerca. Per entrambi maturità significa linea d'ombra che avanza sulla pianura scarnificata, inghiottendo nel suo livido scenario i confini della conoscenza fenomenica. È una stagione esistenziale che scopre la nudità della «pena degli anni giovani». Gli agglomerati industriali, le desolate campagne della periferia entrano nella loro poesia in tutta la loro dimensione infernale. Erano già segnali di transito di

Frontiera, da dove inizia l'avventura persefonea della perdita irrevocabile che attraversa deserti d'assenza con passo leggero e funesto. Il poeta Orfeo, «con labile passo», percorre a ritroso «le strade che rasentano l'Eliso», dietro a una Euridice che torna solo per avvolgerlo a un filo il cui capo ha abbandonato scomparendo in modo irreversibile. Mai del tutto raggiunta e compresa e, per questo, mai liberata da un'assimilazione pacificatrice, il suo volto circola – vacuo ectoplasma, sulla bocca una domanda insoddisfatta – congiungendo luoghi anche lontani dalla sua prima apparizione: in poesie famose di Sereni, oltre ai testi di *Frontiera* direttamente coinvolti, come *Strada di Zenna, Diana, Strada di Creva, 3 dicembre*, ancora nella raccolta *Gli strumenti umani* come *Appuntamento a ora insolita, Ancora sulla strada di Creva, Intervista a un suicida, Sopra un'immagine sepolcrale, Autostrada della Cisa.*

Ma il poeta continua a tentare di decifrare, nel paesaggio, i segni delle occasioni perdute, di tutta la vita passata e di un'età che fu ben eroica. È certo che il contatto con l'Averno si rivela uno scacco per lui, destinato a «rammemorare» l'evasione dell'Altra.

Nella borsetta che Antonia tiene sempre con sé viene trovato quest'estremo messaggio per l'amico fraterno: la già citata poesia *Diana*, datata 1° luglio 1938, ricopiata nella sua prima versione con la calligrafia che contrassegna il suo nitido stile e la dedica a matita per Vittorio Sereni. L'appartenenza di questo testo a un periodo precedente alla morte di lei è l'unica certezza che ci impedisce di riconoscere nella figura di Diana precocemente perduta la stessa Antonia e l'atmosfera desolata dei luoghi frequentati con gli amici, dopo la sua scomparsa.

La signora Sereni, purtroppo mancata durante la stesura di questo lavoro così com'è mancata la figlia Maria Teresa, insostituibile curatrice delle carte del padre, mi ha dichiarato più di una volta che questa poesia fu scritta in occasione di un momento di crisi del loro amore che aveva lasciato il poeta in uno stato quasi di luttuosa prostrazione. Il testo mi è stato trasmesso dalla poetessa Daria Menicanti, intima amica di Sereni e moglie di Giulio Preti, celebre filosofo anch'egli appartenente alla cerchia di Banfi. Certo colpisce la nostra attenzione il fatto che sia stata la Menicanti la depositaria di questi ricordi personali e non altre persone della famiglia di Sereni. Comunque, l'inevitabile fatalità vuole che tutte le persone citate abbiano raggiunto Antonia in un mondo dove ogni chiarimento è superfluo.

Diana

Flagra il tuo cielo d'un tempo
dalle altane lombarde,
in cocenti nuvole s'addensa
e nei tuoi occhi esula ogni azzurro,
si raccoglie e riposa.

Anche l'ora verrà della frescura
col vento che si leva sulle darsene
dei Navigli e il cielo
che per le rive s'allontana.

Torni anche tu, Diana,
tra i tavoli schierati all'aperto
e la gente intenta alle bevande
sotto la luna distante?

Ronza un'orchestra in sordina;
all'aria che qui ne sobbalza
ravviso il tuo ondulato passare,
s'addolce nella sera il fiero nome
se qualcuno lo mormora
sulla tua traccia.

Presto vien giugno
e l'arido fiore del sonno
cresciuto ai più tristi sobborghi.

E il canto che avevi, amica, sulla sera
torna a dolere qui dentro,
alita sulla memoria
a rimproverarti la morte.[10]

Dopo i primi giorni di attonito, silenzioso dolore, cominciano a essere pubblicati necrologi su riviste e giornali frequentati da Antonia e scritti dai suoi amici, mentre alla famiglia
giungono messaggi di cordoglio anche dal mondo politico e
culturale estraneo alla poetessa.

Il padre, raccogliendo e selezionando – tra correzioni arbi-
trarie e censure – pubblica un anno dopo le sue poesie, col titolo *Parole*. Il libro desta scalpore anche nell'ambiente letterario, ottenendo consensi e omaggi da critici di fama.

Dalla cerchia intellettuale milanese il «caso» rimbalza sui
rotocalchi e dai rotocalchi all'*élite* letteraria, destando un'eco
insolita (significative testimonianze di stima arrivano in casa
Pozzi da De Michelis, Borgese, Nardi, Jacobbi, Chiara...).

Diego Valeri scrive: «Son certo di non cedere a un sentimento di dolorosa simpatia umana, se dico che in questo libro
c'è dell'autentica poesia e c'è il segno di un'arte rigorosamente
preparata e attuata».[11] E Adelchi Baratono: «Ho letto queste
pagine di così rara squisita sensibilità poetica: le ho lette nel
silenzio della montagna, reso più lontano e profondo dalla voce delle acque e del vento, che parlano in questi versi con tanta eloquenza da diventar tutta musica. E il pensiero che queste
parole, questi *riflessi* di vetri infranti, com'Ella diceva, mi son
dati come un ricordo senza speranza; il pensiero che un'anima
così poetica, un gusto così delicato, un tesoro così ricco e segreto, non appartengono ormai che al passato; che davvero
(ma non sappiamo rassegnarci a crederlo!) non ne deve restare
"che un'esile scia di silenzio in mezzo alle voci" (queste parole
mi si stampano nel cuore), vi confesso che m'ha fatto piangere
vecchio come sono, e benché io sappia bene che non è il tempo che conta quando si misura il valore. Questa giovane, già
piena di disperati presagi, aveva raggiunto prima degli altri

quella finezza d'intuito e quella profondità di pensiero, che sono – quando ci sono – i doni dell'età più perfetta e matura».[12] Felice sintesi quella di Ada Negri: «Ricevo il libro di Antonia. Che dolce espressione ha nel ritratto! Ciò che vi posso dire è che Antonia è viva: più viva di quando era con voi».[13] Mentre Angelo Barile sottolinea l'incidenza poetica di quel profetico senso di fugacità esistenziale: «È più che un giovanile e individuale dissidio e Antonia lo soffre con una serietà e lo dichiara con una schiettezza che non le guadagnano solo il nostro rispetto. Qualche cosa duole e s'incrina anche in noi a vederla così lacerata fra il suo desiderio e la sua incapacità di aderenza alla vita, fra il suo destino di diversità e di lontananza da cui si sente rapita e il ripensamento dei "limiti" che fanno siepe alla dolce comune esistenza».[14]

Sintetizza Raffaello Franchi: «Siamo, indubbiamente, di fronte al caso di una donna di lettere che lascerà un segno nella storia della nostra passione letteraria. La poesia era un suo pudico e caro segreto, un "luogo" di libertà e di abbandono. Ivi, ciò che essa adombrava, di dolci e tenui confessioni, di patetici ritratti (ritratti d'ore, di creature, di paesi) era destinato a contare per la sua lievità, che una maggiore incisione avrebbe svagato o falsato. Non a caso, pensando ad Antonia Pozzi, vien fatto di rievocare l'intelligenza infallibile, unita alla squisita fragilità e femminilità, di una Mansfield, e tanto più volentieri in quanto non ci soccorrono paragoni di maniere letterarie più o meno opinabili, ma l'intuizione di una analogia animica e umana».[15]

T. S. Eliot, da Londra, in una lettera di ringraziamento al padre, loderà dell'autrice «la grande probité d'esprit».[16] Tale osservazione risulta particolarmente preziosa, considerando la nota resistenza del poeta inglese a commenti e incoraggiamenti all'opera di giovani autori. Naturalmente scrivono recensioni anche gli amici dell'università, come Giancarlo Vigorelli ed Enzo Paci. Quest'ultimo, in particolare, le dedica l'interessante testimonianza che abbiamo già citato, rivelatrice del tenore dei dialoghi e della riservatezza di lei, dove si allude anche a certe «incomprensioni».

Gli amici si recano frequentemente in visita ai genitori, chiusi e rancorosi nei confronti di chi, a loro parere, ha causato l'infelicità della figlia e serrati in un dolore che, nella sua gravità, non ha quasi sbocco in lacrime. La mamma non mette piede nello studio di Antonia; ne indica semplicemente la strada a chi volesse rendere omaggio alle sue cose, senza poterle, a sua volta, toccare. Così è accaduto principalmente a Lucia Bozzi e a Vittorio Sereni, a cui Antonia intende lasciare le sue carte e i suoi libri, di occuparsi per primi del vasto archivio di memorie che Antonia, nei suoi pochi anni, aveva accumulato nei suoi cassetti.

È Remo Cantoni il più sollecito a partecipare il suo lutto alla famiglia, grato all'avvocato Pozzi, prodigo di protezioni e raccomandazioni (così gentile anche con Sereni, che avrà la generosità di sostenere molte volte, per iniziative di carattere filantropico-culturale).

Troviamo conservate alcune lettere inedite di Cantoni, scritte al padre, mentre egli ha distrutto quelle della figlia, che si era fatto restituire dagli amici dopo la sua morte e molte originali dei corrispondenti. In queste lettere al padre di Antonia, comprendiamo quanto Cantoni fosse legato con commovente fedeltà alla memoria di lei e quanto tenesse a non essere ritenuto in qualche modo colpevole dalla sua famiglia mutilata da quella perdita improvvisa.

Ne riportiamo due, scritte poco dopo la tragedia, in cui esprime l'inconcepibile lutto con accenti di grande umanità; ne esiste una terza, del 1942, in cui allude alla soddisfazione per aver colmato l'ingiustificata distanza voluta dalla famiglia.

Caro Avvocato,
sono tornato ora a casa dopo averla veduta. Sono come fuggito perché non resistevo né al mio dolore né alla vista del suo. Era così bella nella «sua» camera, sul suo letto, con un'e-

spressione così pura, così giovane, così viva quasi ci vedesse
tutti in quest'ora di angoscia e le desse letizia questa nostra
estrema e disperata testimonianza d'amore. La penso e la rivedo ora nell'immagine in cui s'è impressa nel mio cuore e
nella quale resterà per sempre. Mai persona fu verso me più
buona, più cara, più dolce. Ricordo quando fui malato ed
ero moralmente stanco depresso, con quanta serenità lei mi
fu amica, compagna, come mi seppe e volle curare, come si
dedicava tutta a questo bene che mi faceva.

Sapeva essere così intimamente cara e per una rara profondità di intuizione coglieva sempre qual era il cruccio, il tormento di chi le stava vicino.

La nostra Antonia, mi permetta in quest'ora di chiamarla così, ebbe purtroppo uno stranissimo destino, che solo ora mi
si svela nella sua dura tragicità. Ella si dava con l'anima intera alle cose, alle persone che le erano care, era un continuo
dono del suo aiuto, del suo appoggio, del suo conforto ch'essa recava agli amici, poche persone avevano il senso del sacrificio e la generosità d'animo suo.

Ma questo ideale dono di sé la scuoteva quasi e le lasciava nel-
l'animo un abisso, che nessuno sapeva e forse avrebbe mai saputo colmare. Quanto più sacrificava sé, tanto più profondo
sentiva l'anelito, il diritto che questo sacrificio fosse inteso e
contraccambiato; in lei era una nostalgia e un desiderio cre-
scenti che le ritornasse quel dono ch'era sempre suo, che ognuno accettava ed amava, senza saper a sua volta liberamente e
generosamente donare. Tutti eravamo lontani dal supporre
ch'essa vivesse così tragicamente e intensamente questo destino e tutti siamo stati inconsapevolmente colpevoli.

Vedo ora chiaro in molte cose, soprattutto nel «senso» della
sua vita, tesa tra due estremi che hanno nome poesia e amore. Erano per lei le cose più serie della vita. E poesia non era
solo per lei i versi ch'essa amava e componeva, ma uno stile
una forma di vivere. In ogni suo atto, in ogni suo pensiero
ha portato questa sua poesia che le colorava l'universo e mentre le dava la certezza di vivere con maggior profondità, l'al-
lontanava talvolta dalla realtà vissuta.

Amore era la sua essenza, la sua radice. Lo portava negli studi come il fuoco con cui ravvivava la cultura, l'arte, la letteratura e lo portava nella vita. Io credo che nessuno che l'abbia
avvicinata sia *mai* stato trattato da lei con freddezza o con

quella cortesia distante colla quale gli uomini usano trattarsi. Sempre uno slancio, un impeto generoso, per cui spontaneamente dava più di ciò che veniva richiesto.

Ricolmava d'attenzioni, di doni, di premure, si faceva voler bene, perché non sopportava i rapporti banali, egoistici nei quali siamo più o meno tutti invischiati.

Ancora giovedì in treno di ritorno da Monate, mi parlava della sua gioia di aiutare gli sfrattati, i poveri, delle miserie che il suo cuore non sapeva sopportare, di questo istinto di bene connaturato alla sua persona. E ognuno accettava come gli fosse dovuto, senza sapere come questo bene fosse sacrificio, bisogno di vivere nel bene e nell'amore, oltre che dono di bene e d'amore.

Purtroppo amore e poesia portano verso il dolore, e se essi erano l'essenza della sua anima, coessenziale le era pure il dolore. Col suo animo delicatamente femminile non si risparmiava nessun dolore, fosse il sacrificio per altri, fosse quel tormento interiore che proviene da un'esperienza spirituale. Si spiegano così il suo amore per i poeti del dolore e della malinconia dal Corazzini amato da bambina a Rilke amato in questi ultimi anni. L'ultimo suo lavoro di critica riguardava quell'Huxley intelligente quanto amaro che nel suo ultimo libro *Eyeless in Gaza* chiude in un desolato pessimismo, nella verità, che il bene quando è profondamente voluto e attuato incontra l'espiazione nella morte. Il fine è per ripetere le parole che lei stessa usò, di essere venuto in pace, nella pace oscura degli abissi, lontano dalle onde mutevoli...

In questo desiderio estremo di pace, di unità con l'essere le si addolciva spesso poeticamente l'idea stessa della morte. In alcune sue poesie l'ultima fine è vagheggiata come un sogno dolce, riposante, nel quale essa non prova angoscia, ma liberazione, respiro. Non so se questo possa essere per lei, avvocato, un po' di balsamo al suo atroce dolore. Io ho la certezza che la nostra cara e buona Antonia abbia passato quelle ore che noi ci figuriamo di angoscia, in quello stato come d'incantesimo e di sogno in cui il pensiero della pace finale la trasportava. Ricordo con quanta dolcezza mi parlava qualche anno or sono, del suo riposo ultimo nella *sua* Pasturo. Per essere giunti a questa visione della fine bisogna aver sorpassato tante piccole meschinità della vita, averne un senso completo, religioso, malgrado qualcuno possa credere il contrario. È la nostra miseria di uomini che ci fa considerare «eterne» le cose di quaggiù e ci tiene radicati ad esse come i frutti di mare allo scoglio, la nostra culla è altrove, e avvertirlo è senso religioso della vita.

Ho bisogno ancora di dirle ch'io le sono accanto nel suo dolore? Baci per me le mani di sua moglie e le dica che niente colmerà il posto del suo «Tugnin» è vero, ma che il «Tugnin» vive nel cuore di noi che le abbiamo voluto bene, che le vorremo sempre bene, sempre di più, perché non sapemmo volergliene come meritava. Abbiamo tutti un debito incolmabile d'amore verso di lei, al quale è un dovere, un istinto morale non mancare.

L'abbraccio con affetto.

Suo Remo Cantoni

Alla fine di dicembre, Cantoni riprende la penna per scrivergli ancora. In questa lettera si fa esplicito riferimento alla richiesta, da parte del padre di Antonia, di restituirgli le carte della figlia ancora in suo possesso. In seguito l'avvocato Pozzi le distruggerà, anche se trascriverà di suo pugno su un quaderno una sua selezione di brani «da salvare», oltre ad alcune poesie degli ultimi anni, ricopiate da originali non più in nostro possesso (è lecito supporre che altre non abbiano invece passato la censura paterna).

Caro Avvocato,
Domani finisce questo tremendo 1938 e io non vengo a Lei per auguri perché so con quale animo lei e sua moglie passeranno le ore che segnano la fine del vecchio anno e l'inizio del nuovo e di che vuoto e di che angoscia esse verranno riempite. Pure vorrei dirle che in quelle ore io vi sarò vicino con tutto l'affetto, perché l'immagine e il ricordo del caro «Tugnin» è sempre vivo e doloroso nel mio cuore. Che quest'anno che comincia col suo nome e nel suo nome, possa esser consacrato soltanto alla dolce memoria di «Lei» e non esser turbato da nulla che profani questa assorta e intima comunione spirituale.

Ho saputo ch'è suo desiderio raccogliere tutto quello che era «suo», poesie, lettere, biglietti. Io comprendo questo senti-

mento così geloso, e ho acconsentito a restituire a lei tutto
quanto possiedo che mi fu scritto da Antonia. Desidero solo
che lei ascolti e comprenda pure me. In primo luogo, questi
ricordi sono a me estremamente cari e lo saranno *sempre*, e se
me ne privo lo faccio con grandissimo rammarico e per far
cosa gradita personalmente a lei Avvocato. Io sto rileggendo
in questi giorni tutto quello che Antonia mi scrisse, e più di
una volta sono scoppiato in lacrime, tanta e così cara parte
essa seppe rappresentare nella mia vita, tanta bontà e tanta
luce riversò su di me. Queste lettere rappresentano per me
una continuità viva che mi è doloroso staccare da me, esse
furono rivolte a me, per me scritte e pensate e spiritualmente
oggi esse appartengono *solo* a me. Lei le leggerà e capirà, vedrà come luminosa balza fuori da esse la figura morale di
«Lei», quanta delicatezza e quanta profondità in ogni suo
pensiero, come arrivasse a sublimarsi nella purezza, nella
bontà, nell'amore. Ogni atto della nostra vita acquista senso
solo nella tonalità spirituale che l'accompagna. Questo mio,
non «restituire» (perché non potrei restituire che a «Lei» che
non me le chiede, né me le chiederebbe) ma donarle le lettere e i ricordi, è una testimonianza di affetto ch'io porto ai genitori di Antonia.

Queste lettere io le *dono*, perché so che le è «sacro» tutto
quello che fu di Antonia; se mi fossero state richieste peren-
toriamente, io avrei opposto un rifiuto, e avrei ritenuto questa richiesta poco rispettosa soprattutto per la memoria di
«Lei».

Perdoni Avvocato, se sono così preciso e un po' duro in questo punto, ma mi sono permesso di parlarle con tanta sincerità, proprio perché so che lei intende e non fraintende.

E ora per ultimo una preghiera. Lei tra qualche giorno rice-
verà *tutto* quello che mi fu scritto, io però ho diviso gli scritti in due parti. Una, di gran lunga la più esigua, contiene un
paio di cartoline con degli schizzi umoristici, qualche poesia
rivolta a me e qualche dolcissima e cara lettera che riveste per
me un significato particolare.

Se Lei volesse essere così gentile di farmi riavere questi ricordi io le sarei grato.

Quel giorno che Antonia fu portata nella sua Pasturo io ero a
letto ammalato e non potei accompagnarla come era mio vivissimo desiderio. Vorrei un giorno vederla, venirla a trovare

261

in quel paesino che «Essa» amava tanto, e rimediare a quella mia involontaria mancanza.

Io mi sento l'animo così pieno di un immenso debito morale verso Antonia e so purtroppo ch'io non potrò mai più sdebitarmi come vorrei.

Mi senta molto vicino al suo cuore e riceva un abbraccio affettuoso da

Remo

Le carte di Antonia, dopo la morte della mamma, nel 1980 (il padre era morto già nel 1960), vengono lasciate alle Suore del Preziosissimo Sangue di Monza, che si sono occupate di accudirla nei suoi ultimi anni di vedovanza. In ultimo, Donna Lina, riservata, timida, intimamente molto ferita ancora, si era ritirata a Pasturo, ma non entrava mai nello studio, non potendo così controllare che i libri e le carte non andassero ulteriormente dispersi.

Le prime edizioni sono accolte come un caso letterario d'eccezione, fors'anche un caso di coscienza, dalla stretta cerchia di amici: recensioni autorevoli, traduzioni in cinque lingue, molta commozione di corto respiro, infine un silenzio lapidario. Nella pubblica memoria, viene seppellita una seconda volta. Infatti, la morte vera, per il poeta approdato a volontario silenzio, non è che l'oblio, il silenzio degli altri.

«Sembra difficile intendere, oltre l'eco, la voce di Antonia: quasi un *flatus* soffocato dalla stessa tragica grazia del suo estinguersi», avevo scritto nella Introduzione all'edizione di *Parole* del 1989. «Facile abbandonarla al limbo in cui ha voluto naufragare. Se non che, lungamente «convivendo» con essa, ci si accorge che non è la voce *debile* di una *animula* incostante: lo slancio effusivo s'innerva su un pensiero singolarmente compiuto, sul nucleo filosofico che riguarda il destino stesso della parola», nella sua tormentata evoluzione novecentista, da veicolo di espressione a *cosa* essa stessa.

Dopo un silenzio almeno trentennale, in occasione del cinquantenario della morte, proponevo infatti a Vanni Scheiwiller di ripubblicare le poesie di Antonia. Così, per lo sforzo congiunto degli editori Scheiwiller, Garzanti e Archinto nel 1988 e l'attenta cura di Onorina Dino, delle Suore del Preziosissimo Sangue di Monza, abbiamo dato alle stampe, dopo una prima riedizione della *Vita Sognata,* alcuni volumi antologici che, tra poesie complete e riportate alla redazione originaria, diari e lettere, ricostruisce integralmente il percorso esistenziale, creativo e culturale della poetessa. Vanni era solito raccontare un episodio delle sue frequentazioni con Montale. Trovandosi un giorno Montale, di cui è nota la misoginia, in un convegno di poesia a Roma, accadde che la sua amica Maria Luisa Spaziani, che gli sedeva accanto, gli chiedesse pubblicamente quale fosse, a suo parere, una penna femminile italiana a cui egli avrebbe senz'ombra di dubbio attribuito il titolo di poeta: «Nessuna...» disse Montale nella costernazione generale. «A parte la Pozzi.»

Un giudizio inappellabile che, nella pronuncia di un critico-poeta tanto esigente nei confronti dell'esercizio letterario, ci induce ancora a riflettere sull'originalità di questa voce poetica, che non ha bisogno di puntelli aneddotici perché si sostiene esemplarmente da sé e dietro l'apparente naturalezza lascia avvertire le risorse dissimulate del mestiere.

«Se le *ombre* finiscono per attirarla più delle *cose,* la sua poesia non ci dà l'impressione di *impromptu;* mostra, anzi, una tensione strutturale unitaria, quasi omogenea. Maglia sottile e drammatica dell'oggettività, fitta di contrappunti e risonanze, aderisce strettamente, come reticolo di vene, alla trama della sua vita, spezzata volontariamente», per citare ancora le parole che scrissi allora.

CAPITOLO VII

ARCHIVI DEL NORD

Torniamo al grande progetto di romanzo di Antonia, perché non sarebbe giusto chiudere con un necrologio e una bibliografia una vita che aveva presentato al mondo una così promettente progettualità.

È giusto, al contrario, evidenziarne il percorso circolare, che ci consenta di tornare senza più indugio a quell'approdo a cui Antonia è giunta, alla fine del suo cammino esistenziale e artistico e da cui siamo partiti anche con questo racconto biografico: un ritorno agli inizi che narra l'evoluzione dell'idea di appartenenza alla terra, un congedo intenso e significativo come una partenza da e verso il luogo eletto delle proprie origini.

Ma come si sarebbe configurato il romanzo di Antonia? Con quali strumenti, acquisiti dall'accorto esercizio critico e dalla vasta cultura letteraria, si accinge a ricomporre la sua vita radicandola alla storia più antica della sua famiglia e della sua gente di «terra»? È inevitabile chiederlo, perché di esso non possediamo neppure una pagina ma solo una raccolta di appunti della nonna e numerosi riferimenti nelle lettere e nelle fotografie di questo periodo.

Il disegno è quello già tracciato nella lettera ad Alba: un romanzo d'ambiente, basato su documenti e testimonianze oggettive, secondo la migliore lezione del romanticismo manzoniano confluito nel naturalismo francese.

Dunque, comincia i vagabondaggi per la sua brughiera pavese, per i pascoli e le risaie della valle padana, andando a ritrovare le sue radici, i nutrimenti terrestri che avrebbero dovuto tenerla avvinta alla vita reale, vivibile. In quegli orizzonti disegnati con precisione, nella linearità del paesaggio riconquistato dall'occhio per la mente, Antonia ricompone la sua attitudine creativa ed esistenziale secondo le prospettive interminate della pianura.

Zelada, 13 ottobre 1938

Carissima mamma,
ti scrivo davanti alla finestra della «stanza rosa». Il tramonto è quasi finito, dai prati si leva una striscia incerta di nebbia, si sente ancora il rumore delle macchine sulle aie. Passo dei giorni indescrivibilmente dolci e pieni di impressioni per me nuove e insieme antichissime, forse le stesse che avevi tu qui. Ieri, con uno splendido sole, tutto il giorno in bicicletta tra Bereguardo e la Motta, ho fotografato risaie, fossi, aratri, buoi. Ieri sera siamo andate a Bereguardo e tornate verso mezzanotte. C'era la nebbia sui prati e, sopra, la luna: era una fiaba anche il fruscìo della bicicletta. Stamattina ho percorso tutto il sentiero in mezzo al bosco in riva al Ticino, dal punto del «riparo» fino al Ponte di barche. Nel pomeriggio sono tornata per fare delle fotografie contro luce e sono rimasta a lungo sulla riva a chiacchierare con un guardiacaccia del Pirola (un figlio del Barbon) che mi ha incaricato di salutarti tanto. Che peccato non avere più niente qui! In questa stagione sarebbe un incanto starci.

Qualche traccia ancora si delinea, se pur ancor solo a livello intenzionale, nella lettera in cui ringrazia la nonna della mole dei ricordi che generosamente le sta mettendo a disposizione.

Pasturo, 18 luglio 1938

Mia cara cara Nena d'oro,
sono qui tutta commossa, guarda, ho quasi il magone: sempre così: ti si chiede un bicchier d'acqua e tu dài, dài come una fontana, come una sorgente inesauribile. Ed ora la tua infanzia è tutta qui, fra le mie mani e parla alla mia fantasia come un intero romanzo già scritto. Se da una parte ho un po' di rimorso di farti faticare così, dall'altra son contenta che tu abbia affidato alla penna questi tuoi ricordi che sono preziosi e meravigliosi, per la loro vivezza, per il senso di vastità e di calma e ricca vita lombarda che li percorre. C'è tutta la tua personalità, così profondamente realistica, aderente alle cose e agli affetti, e insieme piena di poesia. Grazie, grazie, tesorona cara.
Adesso – vedi – ho quasi più paura di prima: come farò a rendere tutto questo senza troppo travisarlo? Che proporzioni dovrà avere il libro? Entro quali limiti, con quali scorci si costruirà? L'architettura è una gran cosa complicata! Delle volte penso che potrebbe diventare un po' la storia di Tre case: Oscasale, la Zelada, Pasturo (ti farei venire, ora della fine, a vivere qui con noi, capisci? Con tua figlia – (vedova di guerra? Non so ancora) – e tuo nipote (Che forse sarei un po' io) ma tutto è ancora fumoso, si fa e si disfa come le nuvole prima di un temporale e da qui, dai pascoli verdi e asprigni, partirebbe un gran fiume biondo di nostalgia giù verso la pianura e i suoi ricchi raccolti e i canti lunghi delle mondine sotto il sole e le altre due case abbandonate. E tutto poi si risolverebbe con l'incontro di questo tuo nipote con una ragazza di umili origini e proprio nativa di lì, della pianura, ma elevatasi per suo conto: prima maestra rurale, poi maestra in città, fors'anche infermiera (lui la conoscerà all'ospedale); una creatura che conosca molto da vicino i poveri e ne abbia una pietà silenziosa e fattiva; una che si porti intorno il profumo di bontà della campagna e nello stesso tempo un'energia nella quale *lui*, tuo nipote, crede di ravvisare un poco la sua adorata nonna giovane. Vedi, Nenona cara, come galoppa la fantasia? E sempre mi porta verso costruzioni molto democratiche, verso il senso semplice, elementare della terra e della povera gente.
Mi accorgo che tutta la vita di città, di lusso, di movimento non ha lasciato su di me alcuna traccia, non ha per me nes-

suna importanza, la potrei perdere dall'oggi al domani senza
dire ahi!: quel che non posso perdere è questo paese e questa
casa, questi costumi di cotonina a fiori che sono più belli di
tutte «les toilettes». Penso già di andare in autunno a fare
un'ispezione a Oscasale e a Soresina, a conoscere personalmente il paesaggio. Poi dovrò farmi una cultura agricola: il
lino, il riso, il grano e il granturco; quando si seminano, quali stadi traversano e che tinte, quando e come si raccolgono.
Studierò anche molto i giornali delle varie epoche. E soprattutto verrò a sentirti chiacchierare e concerteremo dei bei
piani insieme. Intanto tu e la zia Luisa (alla quale va pure
tutto il mio grazie entusiasta) se ne avete tempo e voglia, andate avanti a quella tabella cronologica che è preziosissima.
Desidererei inoltre avere qualche particolare sulla vita di collegio, le suore, gli orari e gli usi durante la giornata. E poi…
poi fa pure tu, e lascia correre la penna in libertà, che sei certo più brava e più efficace di me e scegli sempre quel che va
bene. Due parole sulla mia salute: è buona e progredisco
continuamente. Il papà parte domani per Cannes e la Rivie-
ra francese (una decina di giorni) e il 4 agosto saremo tutti a
Misurina. La mamma proprio bene e così la zia Ida. Sai che
abbiamo un altro cane? Un cucciolo pastore di due mesi: è
una bellezza! Ma adesso non ho più spazio. Un bacione alla
zia Luisa e cento a te.

La fonte inesauribile per tale ispirazione rinata è, dunque, la
nonna Nena, questa formidabile figura di matriarca secondo la
migliore tradizione dell'aristocrazia lombarda illuminata: ribelle, generosa, impavida. È lei il personaggio-chiave della saga familiare, lei che più di ogni altro intende l'irrequietezza della nipote, la sua infelicità nascosta dietro l'effervescenza: il bisogno
di fare, progettare, creare sempre nuove strade alla vita. Senza
chiederle di rivelare confidenze che non avrebbe potuto farle,
senza mai forzarla a un'opinione o a una scelta che non fosse
autonoma, le dimostra stima e affetto senza condizioni e, per
questo, è più vicina di ogni altro componente della famiglia a
comprenderne l'animo tormentato e le segrete necessità.

Malgrado i suoi settantotto anni, la nonna batte in vitalità
e salute la fragile figlia. La nipote sa che, tra le sue braccia,

avrebbe avuto sempre conforto da qualsiasi dolore, anche quelli che per il resto della famiglia non dovevano avere un nome. In quel fatidico 1938, la nonna le dona il bracciale d'oro che era appartenuto a Giovannina Nava Alfieri, quando andò sposa a Tommaso Grossi esattamente cent'anni prima. Vi fa incidere una dedica, l'augurio di una felicità che l'amata nipote non ebbe mai.

Proviamo a ricostruire almeno l'inizio di quel romanzo, ricucendo insieme alle notizie storiche in nostro possesso i resti del ricamo della nonna, i suoi preziosi e ingenui ricordi e le appassionate ricostruzioni d'ambiente.

Tommaso Grossi era, in linea materna, l'antenato illustre di quella famiglia.[17] La nonna di Antonia, infatti, era sua nipote. Grossi fu uno dei padri del romanticismo italiano, autore di opere famose come *I Lombardi alla prima crociata*, poi musicata da Verdi, del romanzo storico *Marco Visconti* e di allora celeberrime novelle in versi, come *Ulrico e Lida, La fuggitiva, La pioggia d'oro*, scritte alcune in un brillante dialetto meneghino. Ebbe la ventura di conoscere e diventare intimo amico di due protagonisti del nostro romanticismo, Carlo Porta e Alessandro Manzoni. Davvero singolare il suo destino: celebrato al suo tempo – anche dall'ammirata penna di Stendhal – come uno dei principali ingegni del secolo, scrittore di fama, patriota liberale, fu poi sorpassato da altre mode, altri miti e, alla fine, dimenticato.

Grossi condivide con Manzoni il medesimo cantiere, non solo perché visse a casa sua in Via Morone per diciotto anni («io e lui siamo come fratelli...»), ma perché le loro ricerche crescevano in un continuo interscambio, tanto che frammenti del lavoro dell'uno potevano trovarsi nell'opera dell'altro e viceversa.

«Terzo nella gran vendetta del romanzo storico», genere per l'Italia nuovissimo (secondo era stato il genero di Manzoni, Massimo d'Azeglio), Grossi si era battuto contro le divisioni nazionali e politiche che ostacolavano la lotta alle potenze assolutiste che opprimevano la penisola, e aveva saputo interpretare l'ideale unitario, immettendovi l'energia fattiva, il buonsenso e l'affettuoso equilibrio del temperamento lombardo.

Notaio di professione (e talmente *notaro* da attenersi sempre al rigore della legge, anche durante i disordini che portarono al linciaggio del ministro Prina, inviso al popolo; e per l'occasione Grossi scrisse il libello satirico *La Prineide*), si sottoponeva con evidente sollievo alla precisione rassicurante delle regole per contenere gli immoderati slanci del cuore.

I figli di Grossi, Elisa e Giuseppe, ebbero anch'essi la ventura di offrire il loro generoso contributo alla causa dell'unità italiana: Elisa collaborando con la contessa Maffei alle attività patriottiche e culturali, e Giuseppe offrendo la sua giovinezza alla causa garibaldina.

Ciò che sappiamo della nonna lo apprendiamo dalla sua viva voce, dalle dettagliate descrizioni che dei suoi ricordi faceva alla nipote adorata.

Maria era nata l'8 settembre 1860 nella casa Biffi di via Santo Spirito, dove Elisa viveva con il marito, l'ingegner Giovanni Gramignola. La sera in cui Maria vede la luce è una serata memorabile. Milano era in festa per l'entrata di Garibaldi a Gaeta: in un cammino inesorabile e trionfale, i Mille stavano liberando una dopo l'altra le roccaforti borboniche nel Sud. I patrioti lombardi erano in ansia, la folla si riversava nelle strade, si cercavano e diffondevano notizie, si distribuivano coccarde tricolori mentre la guarnigione degli alleati francesi osservava attentamente, pur senza intervenire, la trepidazione del popolo.

Nel vedere un battesimo la folla grida: «Evviva il garibaldino!», a che il padre, pronto: «È una garibaldina!». E così è stato. Maria Gramignola, impavida e leale, attraversava quegli anni determinanti per la storia della nazione e della società con il passo di corsa della ribelle e insieme un dolce rispetto per la concordia civile che contraddistingue i profili femminili di questa famiglia. Maria si era affezionata moltissimo alla madre, dalla cui personalità era soggiogata, pur non perdonandole le frequenti assenze, gli abbandoni lacrimevoli, le crisi nervose che mettevano a nudo la sua infelicità.

Mentre lo zio Giuseppe combatteva a fianco di Garibaldi nella campagna del '66, le tensioni tra i due coniugi crebbero per lo spirito di indipendenza di Elisa, il suo orgoglio di donna colta e originale, che il marito, un buon uomo chiuso nelle convenzioni della sua classe, feriva con violente imposizioni.

Giovanni Gramignola era in realtà preoccupato delle apparenze sociali e tormentato da una gelosia profonda verso l'ambiente letterario frequentato dalla moglie, che era la ninfa Egeria del salotto della Maffei, dove anch'essa mieteva successi che in parte oltrepassavano la pura ammirazione per le sue doti intellettuali, e non era in secondo piano rispetto alla contessa neppure per la fama degli amanti, come Luigi Capranica del Grillo che le dedicò la sua biografia di *Donna Olimpia Pamphili*.

Aveva assai più profondamente del fratello la consapevolezza dell'eredità culturale e di pensiero che le era stata trasmessa da Tommaso Grossi; sentiva tale responsabilità echeggiare nel nome stesso, aureolarle la fronte e, anche se temeva da buona moderata ogni eccesso di idee e di sentimenti, era determinata nel difendere sino in fondo la propria dignità.

Quell'anno 1866, che segnò la definitiva rottura di quel triste matrimonio, Giovanni Gramignola non volle lasciare la figlia alle cure della madre ritenuta irresponsabile e che pure seppe educare così amorevolmente i nipoti e la rapì, portandola a Oscasale, vicino a Soresina nel cremonese, nella vecchia casa dei Gramignola.

Quando lo zio Peppe era andato volontario con Garibaldi, Maria lo aveva stretto a sé dicendogli: «*Quand spara el cannon, scruscett giva, perché t'è fatto tanto grand che lu el te mazza*». Ma lo zio era forse l'unico tra i parenti con cui la bambina si sentiva a suo agio. La famiglia del padre, invece, tanto numerosa, sembrava sempre fissarla con occhi malevoli, quasi dubitasse che fosse davvero sua figlia. Maria conobbe anche l'ultimo fratello del padre (primo di ben quattordici figli), che aveva solo due mesi più di lei e al quale tuttavia doveva rivolgersi chiamandolo zio. Veniva trattata con freddezza, anzi, con astio, solo perché figlia di Elisa. Questo aumentava la sua sofferenza, che cercava di nascondere per carattere dietro modi ben educati. Invano aspettava alla stazione di Soresina e di Codogno la carrozza che avrebbe dovuto riportarle la madre, a cui solo era consentita una rapida visita. Ma Elisa teneva duro: soffriva ma non cedeva, sapendo che, nel frattempo, Maria veniva educata nel disprezzo di tutto quello per cui lei combatteva.

Ma anche Maria era soprattutto una Grossi: si era formata un temperamento romantico, passionale e vitale, per difendersi da quella malinconia senza nome che la solitudine le provocava.

Dopo pochi mesi dal doloroso trasferimento, Maria veniva collocata dal padre al collegio Bianconi di Monza. Da un anno il collegio era passato in gestione alle suore di carità che mutarono l'intero corpo insegnante diventato così tutto di religiose, portando molte famiglie di ispirazione laica a ritirare le proprie figlie. Le 150 alunne si ridussero a 35, tra cui – sparute e prive di alternative – restarono Maria e la sorellina Ida Gramignola.

La vita di collegio era fondata su regole precise: la ferrea disciplina costringeva le ragazze a una continua repressione dei propri istinti, tenendole occupate tutto il giorno in attività soprattutto pratiche.

Si alzavano che era ancora buio nelle gelide mattine invernali e si lavavano, pettinavano e vestivano a puntino, con la sola luce dei lumi a gas. Ancora rabbrividendo, dovevano passare davanti all'ispettrice, che controllava la cura della persona, soffermandosi in particolare sulla pulizia dei pettini.

Qualche sospetto di disattenzione, di sporcizia, e la malca-
pitata doveva starsene in piedi, in mezzo al refettorio, osservata dai cento occhi raccapricciati, circondata dai mormorii ma-
ligni delle suore e delle compagne. Poi la Messa... e qualcuna
riusciva a sfuggire al controllo del padre spirituale. La Nena,
addirittura, approfittava dell'intervallo di tranquillità dell'esame di coscienza, per sgranocchiarsi la mela della colazione.
Quando suonava la campana, dopo la ricreazione, le ragazzine
correvano dai portici alle classi e si occupavano alternativa-
mente di ricamo o di materie culturali. Nel silenzio delle classi umide si sentiva qualche colpo di tosse, qualche risatina
soffocata e qualche strillo per una puntura dovuta a un gesto
avventato. Nel frattempo, si intrecciavano le appassionate relazioni fatte di sguardi e di sfioramenti: ginocchia contro ginocchia, occhi a terra; le signorine covavano rimorsi e desideri, in attesa delle sospirose confidenze.

Ma all'ora della ricreazione, le più pazze si scatenavano: la
Nena soprattutto saltava la fune, giocava a palla, correva nel
cortile gareggiando in destrezza e velocità. Chi poteva batter-
la? Sembrava un ragazzetto, quando, per correre più rapidamente si abbassava i calzini e tirava su le gonne. Una volta, in-
seguendo una compagna, cerca di passare da una finestra con
l'inferriata che dà sul giardino e invece di sgusciare via agil-
mente come le altre volte, ci rimane con la testa e non riesce a
muoversi né su né giù, e così – mentre si divincola comica-
mente – viene sorpresa dalla superiora. Dopo una buona dose
di sculacciate ispirate dalla sua posizione, si fa di tutto per tirarla fuori. Chi la tira da una parte, chi dall'altra: ma non c'è
niente da fare. La piccola Nena non si muove. Si dovrà chiamare finalmente un fabbro per aprire le sbarre. Quante risate
quel giorno, tante che vinsero persino l'irritazione della superiora che la mandò via senza castigarla.

Ma la giornata non era finita qui: altre ore di lezione e di
studio, oltre alle preghiere della sera, aspettavano le ragazze
prima della cena. La cosa più difficile era andarsene a letto al-

le 8 e mezza dopo due ore di ricreazione: nessuna davvero ne aveva voglia. C'erano alcune ragazze lunghe, pallidine, con occhini voraci che non sembravano certo potersi sfamare con il quartirolo o il lesso o la minestrina di verdura, e altre più simpatiche, grassottelle, che tentavano invano di assottigliarsi la vita con salti furiosi nel cortile e corsette che facevano ansimare romanticamente.

Qual era la protetta di Nena? Forse Ottavia che leggeva le poesie di Aleardi di nascosto, o Luisa che le insegnava in segreto qualche passo di valzer nei corridoi disertati a ricreazione, o Elena dai sottili capelli color miele che Nena aveva l'onore di ordinare in trecciole? Si respirava, in quel collegio, un'aria di serra: queste vite timidamente premevano per scattare fuori, partecipare alle esperienze; si commuovevano a un fiato d'aria primaverile, a una cartolina sbiadita, a ricordi immaginati prima che vissuti e come echi lontani, frammenti, giungevano voci del mondo di fuori.

E così, di giorno in giorno, di anno in anno, ripetendo gli stessi riti, si rafforzava il senso confuso di una fatalità romantica e il gusto per il sogno a occhi aperti, il mito del mondo esterno – se ce n'era uno – e dei suoi misteri. Errore: più misteriosa era la loro vita, misteriosa e piena di illusorie promesse.

La lezione di ballo era uno dei momenti più emozionanti: le ragazze vi arrivavano a coppie, ridendo, tenendosi allacciate alla vita o per mano.

Poi si mettevano in riga davanti al maestro, Carlo Della Croce, che insegnava anche al corpo di ballo della Scala e si rivolgeva loro esclusivamente in francese. Le chiamava a una a una, invitando le coppie a formarsi. Si inchinava di fronte a una di loro che era sovente la sua protetta, la flessuosa Adelaide dagli occhi raggianti, e muoveva i primi passi descrivendoli ad alta voce; poi chiamava tutte a provare la danza. I loro abiti semplici frusciavano come crinoline nell'ebbrezza della musica e l'emozione eccitava quei corpi leggeri che creavano vortici d'aria a ogni volteggio. Quasi tutte stordite dalla musica, dai sogni, ballavano con gli occhi chiusi, si mormoravano sciocchezze all'orecchio, ma nessuna stava a sentire le indicazioni del maestro. I loro piccoli piedi si ribellavano, cambiavano il ritmo o si divertivano a darsi colpetti alle caviglie volteggiando per il salone, mentre cercavano la prediletta tra le braccia di un'altra.

Nel 1870 fu ordinato alle bambine del collegio di filare tovaglie, lenzuola, camicie di lino da inviare agli ospedali durante la guerra franco-prussiana. Una sera ci fu una stupenda aurora boreale che sembrava riflettere un grande incendio.

«Guardate» dicevano le ragazze «il sangue dei francesi e dei prussiani, che, sparso in terra, si riverbera in cielo!»

Maria era la migliore in dizione e recitazione. Le fecero imparare un giorno una poesia a memoria, con tutti gli inchini di accompagnamento, da dire in onore della principessa Margherita. La cosa andò liscia fino a un certo punto: la poesia venne recitata alla perfezione e Maria stringeva saldamente in mano il mazzo di fiori da porgere, se non che, scendendo la scaletta del palco, un gran nastro bianco che legava le scarpe la fece inciampare, con tanto di volo e discesa fino all'ampio grembo di una signora in platea. La Principessa le domandò se si era fatta male e lei rispose: «Altezza, no» (era proprio giusto, come le avevano insegnato: niente sissignora e nossignora). Allora, il prefetto disse che la bambina era nipote di Tommaso Grossi. «Peccato che tu non abbia potuto conoscere il tuo nonno Grossi» disse pronta la principessa facendole una carezza «perché, se non sbaglio, è morto nel '53.» Perché Margherita era una sincera amante della letteratura e sapeva tutto degli autori che prediligeva. Tutti i giovedì e le domeniche le collegiali andavano a passeggio nel parco della Villa Reale di Monza. Incantevole in primavera, meraviglioso in autunno con la sua tavolozza screziata di rossi, questo parco inverosimilmente grande per la cittadina era percorso, per concessione reale, dal piccolo corteo delle ragazze, accompagnate dalle suore e da due servitori in livrea. E d'improvviso, a una svolta del viale, con il suo *coach*, il principe Umberto seduto a fianco della bella Margherita. I grandi cappelli coi nastri si inchinavano, ma nessuno osava salutare con il gesto naturale della mano quel sorriso dei principi non troppo altero, ma così lontano. Sarà proprio a Monza, nel 1900, che il principe divenuto re, fragile e autoritario, sarebbe stato assassinato dal fiero anarchico Bresci.

I nonni Gramignola possedevano una grande casa, a Oscasale. La famiglia era composta di almeno quindici persone e quando si faceva il bucato – ogni due mesi – bisognava far portare i grandi panieri da un carro trainato da buoi. E talvolta ce ne volevano due, con una decina di cestoni per carro. La casa si trasformava in una gran nave pavesata e con tutte le vele spiegate. Le zie si aggiravano per le stanze per giorni e giorni, portando tante lenzuola da sembrare antiche romane avvolte nei pepli.

Le lavandaie battevano i saponi contro i panni in tonfi spessi, accompagnando il gesto ritmico con una canzone. Ma scoppiavano in allegre risate, quando, incespicando, arrivava la piccola Maria con la polenta, il salame e lo stracchino e l'appetito non finiva mai. Se la prendevano sulle ginocchia una dopo l'altra e la lasciavano giocare con le lunghe ciocche dei loro fazzoletti, dandole sonori pizzicotti sulle guance. A Maria sembrava di essere una zingara tra i pirati verso le isole della Sonda. Si moltiplicavano i sogni se riusciva a starsene per un po' nascosta nelle lenzuola matrimoniali come tra le quinte di un teatro immaginario.

E quando si stendeva al sole nel prato prospiciente la casa, era una festa raccogliere i candidi fantasmi in volo per la brughiera.

Erano cinquemila pertiche di buon terreno fertile, premiate nel 1868 con una medaglia d'oro del ministero dell'Agricoltura. Ogni sabato, alla fine della giornata, i vecchi contadini facevano la fila davanti allo studio del nonno per la paga.

Maria stava a guardarli per ore, con il permesso del nonno a cui portava le uova sode da aperitivo, quei volti scavati e quei corpi macilenti o vigorosi, che la affascinavano per la loro rudezza. Aveva letto troppo latino, per non trovare in loro una dignità virgiliana, un eroismo quasi epico. E i più giovani tra loro, le suscitavano un altro tipo di curiosità. Come quel bravo Renzo, uccellatore di Gandino, che viveva in casa con loro e si occupava sempre di reti e di uccelli. Sembrava un sangiovannino con gli occhi grandi e i capelli ricci dove il pettine non passava mai. C'era anche lui intorno alla polenta e Maria provava il desiderio di accarezzare con la guancia il suo gilet di velluto, come la gatta che lì strusciava il musetto maculato.

Anche il nonno teneva alla caccia e, prima di fare il giro dei suoi fondi, ogni mattina all'alba se ne andava all'uccellanda a spiare l'arrivo delle povere animelle alate e tutte le sere Renzo tornava a casa con un migliaio di uccelletti, soprattutto tordi, rimasti impigliati tra le reti contro un cielo ingannevole. Facevano una gran pena i piccoli cadaveri ammassati nei grandi panieri con le ali aperte, uno sull'altro, come vittime di una guerra impari e sleale; era una visione che faceva male al cuore di Maria. Da quand'era nata conosceva quest'uso che rientrava nelle abitudini comuni, nelle tradizioni, e non poteva protestare: per loro era fatale come il sacrificio dell'agnello pasquale.

C'era in casa la Marisa, una bella ragazza bruna con il seno alto che nessuna camicia riusciva a comprimere: giovanissima e sempre di buon umore. Aveva la sola occupazione di spennare gli uccelletti e prepararli per la padella. Ma forse si dedicava con tanta gioiosa noncuranza a questo tristissimo mestiere per stare vicino a quel Renzo che se la mangiava con gli occhi. E così, un giorno, Maria non sente più cantare la Marisa dal suo posto preferito di lavoro: il primo gradino della scala del giardino. Scomparsa. Poi, dopo un'oretta, se la vede ricomparire trafelata e tutta rossa, con due bottoni aperti dietro, che viene ad abbracciarla tutta stordita e Maria le sente addosso un odore nuovo.

In primavera, quel giardino era una meravigliosa festa di fiori: rose, dalie, gelsomini, vi crescevano rigogliosi e davano effluvi da far girare la testa. Altre piante da frutta e pini ombreggiavano la pagoda abitata dal popolo dei gallinacei.

Alla sera veniva l'atteso momento delle letture e dei giochi.

Seduti intorno al tavolo di vecchio noce della sala da pranzo, i ragazzi facevano lunghe partite all'oca o a cavallino e si giocava anche imitando i grandi, puntando a soldi, magari a centesimi.

Maria considerava tra i suoi giochi il cavalluccio di legno, che non era un dondolo, ma l'arnese per la filatura del lino, con la spatola e il ferro. Aveva una sua bellezza questo attrezzo; quasi le ricordava un'arpa rude, da cui trarre non melodie ma fila colorate. Si poteva star seduti lì davanti su una panchetta e lavorare per ore senza provare soverchia stanchezza come nei campi. A volte, le amiche le sedevano accanto e si facevano delle confidenze deliziose sulla panchetta, filando allo stesso ritmo. Ma ci volevano almeno quattro telai per fare il lavoro che occorreva alla casa in un anno.

Tutta la casa era vasta e semplice: il piano terra era occupato dall'atrio, dalla cucina, dalla sala da pranzo, dallo studio del nonno e da una camera grande quasi sempre chiusa dove si teneva il lino e da un'altra bella sala, dov'era una spinetta che Maria si divertiva ogni tanto a suonare. Al piano superiore, l'atrio disimpegnava le camere da letto, da una parte e dall'altra. Lungo le pareti correvano altissimi armadi, con la biancheria da letto e da tavola. Regnavano ordine e pulizia: raramente si trovava qualcosa fuori posto, ma ciò non era frutto di un'imposizione fanatica, corrispondeva piuttosto, del tutto naturalmente, alla semplicità del luogo e ai suoi precisi ritmi di lavoro.

Con i bozzoli arrivavano i guadagni. In un fondo di cinquemila pertiche, il nonno metteva più di 150 once di bachi giapponesi: il raccolto veniva consegnato a Brescia ed era già una piccola fortuna.

Era il 1870 o giù di lì. Le campagne lombarde seminate a lino tutte fiorite erano di un blu intenso e uniforme. Una vera bellezza.

I ricordi di Maria, della sua infanzia malinconica e dell'adolescenza ribelle, sono soprattutto legati alla grande fattoria di Oscasale, in cui trovava rifugio dalla pena per la discordia dei genitori, da cui nessuno, comunque, voleva o poteva consolarla. La mamma Elisa, con quel suo tono aristocratico, perfetto nei salotti milanesi, ma non in campagna, era apertamente criticata: l'invidia si mescolava al dispetto, alla maldicenza. E Maria provava un misto di attrazione e di paura.

Sposarsi al più presto fu la liberazione da questo stato di cose. Dopo la morte prematura del primo marito, il tenente Corsi d'Arezzo, Maria sposò il conte Antonio Cavagna Sangiuliani e possiamo dire che fosse un matrimonio d'amore.

Il conte aveva un passato illustre: apparteneva a una famiglia che risaliva all'XI secolo. E che via via conquistando cariche pubbliche e ampliando i propri poteri, era arrivata a signoreggiare su una vasta zona della Lombardia. Da Bergamo si erano trasferiti a Voghera ed erano divenuti conti di Gualdana. Antonio venne adottato nel 1853 dal consanguineo Antonio Sangiuliani conte di Balbiano e di Meda, una famiglia imparentata coi Malaspina cantati da Dante.

Antonio Sangiuliani era soprattutto appassionato di storia, e scrisse un centinaio di opere, tra cui una *Storia dell'Agro Vogherese*, che risponde con efficacia all'intento di dare un'interpretazione moderna e tecnica dello stato dell'economia agraria.

Il suo amore per i libri è anche testimoniato dal valore della sua biblioteca, ricca di duecentomila opere stampate e ventimila manoscritte.

Da Maria Gramignola ebbe quattro figlie: Lina, Luisa, Antonia e Giuseppina.

La primogenita Lina sposava nel 1911 l'avvocato Roberto Pozzi. La madre di lui, Rosa Pastori, era nota come educatrice e iniziatrice dell'esperienza delle scuole rurali. Pochi anni prima del matrimonio, un avvenimento tragico aveva segnato la famiglia Pozzi: il suicidio di Emma, sorella minore di Roberto. Una figura enigmatica, suggestiva, dotata di sensibilità poetica che sembrava aver riproposto il destino dell'omonima eroina di Flaubert, tanto amata anche da Antonia. Emma si vestì di bianco, come Emily Dickinson, e a diciassette anni andò incontro alle nozze con la morte.

Un anno dopo il matrimonio, il 13 febbraio 1912, nasce in Milano Antonia Pozzi.

CAPITOLO VIII

«ULTIMO CAPITOLO»[*]

Uscì che il tramonto non s'era ancora spento. A brevi voli l'aria si svincolava dal freddo diurno, si faceva leggera e libera nella sera quasi primaverile. In fondo alla strada, tra le palizzate di due case in costruzione, oltre la facciata rossa di un'altra casa già finita, viva, con tutti i suoi vetri accesi di cielo, si scorgeva la striscia scura dei prati. Prese a camminare in quella direzione, l'opposta a quella in cui era venuta ed inavvertitamente accelerava il passo, quasi stesse emergendo da qualche cosa che le affondava alle spalle. Un senso nitido di distacco prendeva corpo in lei, come se una figura umana bianca e nuda uscisse alla riva di un lago d'acque confuse. Ed erano acque confuse, dietro lei, tutte le cose che a volta a volta l'avevano chiamata, nelle quali aveva cercato, donandosi, di affogare, dal cui rifiuto ora nasceva, gracile ma ben viva, la sua personalità liberata.

Quel tavolo posto fra loro nella stanza silenziosa, quel sedersi di fronte, quel guardarsi negli occhi, ora le appariva come

[*] Questo testo, che risale al 1935, fa parte di un abbozzo di romanzo, ed è stato pubblicato nel citato volume dei *Diari*. Ci piace pensare che potesse diventare l'ultimo capitolo del romanzo che Antonia avrebbe progettato tre anni dopo. Questa conclusione, d'altra parte, avrebbe potuto essere un buon inizio.

il simbolo di tutto un nuovo modo di vita: quasi che all'improvviso, davanti a quel tavolo oscuro, ella avesse adunato i tratti dei suoi cento visi dispersi e se ne fosse foggiato finalmente uno: definito, chiaro, un viso sicuro da opporre all'altro volto umano che le viveva di fronte.

Rivedeva gli occhi splendenti di lui, l'onda forte di vita che ne era traboccata quando con voce ferma egli aveva cominciato a leggere le pagine semplici, segrete della sua anima. E non sapeva spiegarsi il perché, ma distintamente sentiva che l'attimo in cui il distacco era avvenuto era lì, nel tempo breve in cui egli aveva preso il quaderno e un po' sorriso e poi detto: «Queste sono... delle cose mie». Nell'atto stesso in cui egli le si apriva, a lei era parso di sentirlo ancora più intimamente conchiuso e completo in sé e più profondamente reciso, concretamente altro da lei. E come un povero che per il freddo non sente più le mani, ma se qualcuno gli dà un soldo, per prenderlo egli le allunga e di colpo se le vede davanti, rosse nella sera – così per accogliere quello ch'egli dal fondo della sua personalità le offriva, ella aveva dovuto ad un tratto trovare se stessa, essere una sicura se stessa di fronte a lui.

Ora le pareva di capire per la prima volta ch'egli non l'avrebbe mai amata: e per la prima volta il suo cuore era pieno di una dura quiete, come s'egli camminasse parallelamente a lei su l'altro margine della strada e tutte le cose le giacessero davanti evidenti, al di là di un cristallo.

Aveva oltrepassato le ultime staccionate, era fra gli orti, al limite delle praterie. La strada, non più selciata, era cosparsa di mota giallastra: cumuli azzurrini di pietre la fiancheggiavano, in attesa di esservi gettate.

Si fermò presso uno di quei cumuli, si accorse che non c'era quasi più luce. Restava solo, oltre l'incerto profilo delle boscaglie lontane, un chiarore giallastro.

Nell'opposto spazio di cielo, ch'era di un cupo colore viola, le creste pallide dei monti sembravano discendere verso l'ombra. Le parve che tutta la città, sulla traccia delle montagne, stesse affondando là dove s'allungava il fumo delle ciminiere e che tramontassero i grandi volti cubici delle case nuove. Come sporgendosi al margine della terra, ella credette scorgere nel cielo vuoto la regione ove s'erano aggirate, senza mai discenderne, le creature dei suoi sogni: che non avevano avuto se non la vita fittizia dei fantasmi sopra uno schermo bianco, che non avevano mai camminato per una vera strada. Ora ella stava sopra una vera strada e portava nel cuore il ricordo di quel suo vitreo mondo esiliato come una lente che, separandola dalle cose, l'aiutava a vedere più a fondo nella loro essenza. Capì a un tratto che bisognava tornare.

Un ragazzo con una bicicletta infangata le passò accanto e la guardò fischiando forte due note di una canzone. Prese a camminare a passi lentissimi, evitando con cura le pozzanghere, ora che aveva le scarpe già tutte grigie di mota, ma come si scoprì a fissare intensamente il ciglio di un fossato dove l'ombra metteva strane macchie che somigliavano a viole, un riso le nacque dentro, una frase sonora le batté alla bocca: «Non è più il tempo, non è ancora il tempo di cogliere le viole».

Pensò ai suoi boschi, ai battiti furiosi del suo cuore a contatto con la terra, quando, dopo una corsa, vi si stendeva ansante. Rivide l'unico suolo che era stato rifugio a tutte le sue evasioni, le parve di riudirne, nella campagna circostante, il sicuro silenzio. Ma sentì che non poteva più indugiarvi, capì di nuovo che bisognava tornare.

Lungo la siepe di un orto, vide avanzare nell'ombra un vecchio lacero, malfermo sulle gambe; lo pensò ubriaco e s'affrettò, per non imbattersi in lui alla svolta. Ma, volgendosi, lo vide là fermo, curvo a frugare fra gli sterpi; mentre lo guardava, tra incuriosita e sgomenta, si alzò a fatica, agitando un lungo cencio scolorito, mosse due o tre passi incerti, si fermò davanti a un palo e con un ramoscello nell'altra mano si mise a percuotere aritmicamente il legno. Il vecchio aveva tutta l'ostinata gravità dei pazzi, mugolava parole sconnesse che a lei giungevano come una cantilena roca e fievole. «Ecco» ella pensava «ci sono infiniti mendicanti nel mondo; infiniti vecchi che parlano coi pali, coi fantasmi. Io devo tornare per dire tutto questo.»

Una coppia le passò vicina: la donna aveva un berretto azzurro, un dolce sorriso, le spalle tutte avvolte dall'alta ombra dell'uomo. Dietro di loro da un cancello aperto in una muraglia bianca scattò una frotta di bambini, vociando: ella ne vide le teste chiare, le maglie dai colori vivaci, una gialla, un'altra scarlatta.

Pensò: «Ci sono infinite coppie di innamorati nel mondo, infiniti bambini nascono da loro. Io devo dire anche questo».

Comprendeva tanto il vecchio che nell'ubriachezza o nel delirio fuggiva dalla realtà quanto i giovani che vi si immergevano con la gioia profonda del sangue. Sogno e vita le erano ugualmente chiari, poiché era uscita dal sogno e non sarebbe entrata nella vita, se non con occhi largamente aperti, per assorbire le cose e riesprimerle da sé, colorate della sua fatica. Lì era il riscatto del suo fantasticare peccaminoso: nel lavoro assiduo con cui avrebbe dato un corpo, un puro corpo di suoni, alle creature della sua immaginazione. Un bimbo di carne non le sarebbe nato, gli occhi splendidi di un uomo non l'avrebbero mai illuminata d'amore: ma nello sforzo di comporre parole, una maternità più vasta, un amore più vasto l'avrebbero ricompensata. Guardò il cancello nella muraglia bianca, dove tornavano a ricomparire i bambini: fugacemente ripensò un altro cancello, un altro muro bianco ai piedi dei suoi monti. Sentì – come non mai – che lassù era la pace ultima, il premio: ma ora sapeva che prima di giungervi bisognava avere occupato un vero posto nel mondo, aver attraversato attivamente la vita. Ridisse le parole di un poeta: «la morte – si sconta – vivendo».

«La morte – si sconta – vivendo» scandiva a fior di labbra; e aveva ripreso sulla via selciata il suo solito passo lungo e ritmato: col corpo proteso in avanti, il viso eretto e una specie di sorriso, un lampo fisso e profondo negli occhi. Come nei giorni migliori, stringeva monellescamente sul fondo delle tasche i pugni chiusi; indulgeva, crollando il capo all'indietro, a un senso lieto e benefico di orgoglio.

Oltrepassò la casa rossa, con le sue finestre accese non più di tramonto, ma di lampade, dietro le tende bianche. Giunse ad un largo, al capolinea tranviario. Un carrozzone vuoto, illuminato, era fermo sulle rotaie in curva.

In alto, da un filo, pendevano fiocchi stinti, stracciati, di stelle filanti e ondeggiavano lievemente nel vento. Ella sostò un istante a guardare la fila ininterrotta dei lumi che s'inoltrava senza termine nella vita. Intorno tutto era lucido e arioso, nella notte quieta. Vestite di travi, all'imbocco della strada, le case in costruzione parevano enormi mani che allargandosi la richiamavano dentro.

15 III 1935

NOTE

Parte Prima

1. Dalla tesi di laurea: *Flaubert. Gli anni della formazione letteraria,* novembre 1935 (p. 253 del dattiloscritto originale), edita da Garzanti, nel 1940, con una premessa di Antonio Banfi.

2. La pagina contenente questo testo e altri ricordi mi fu consegnata personalmente da Daria Menicanti, poetessa appartenente alla generazione dei banfiani, che la ebbe da Vittorio Sereni.

3. Il testamento, contenuto tra le carte dell'Archivio Pozzi, è stato pubblicato in Antonia Pozzi, *L'età delle parole è finita. Lettere 1927-1938,* a cura di Alessandra Cenni e Onorina Dino, Milano, Rosellina Archinto, 1989.

4. Sulla figura sfuggente e complessa di Antonio Maria Cervi (di cui purtroppo non possediamo le lettere indirizzate ad Antonia e probabilmente andate distrutte nel corso del tempo per una volontà di censura di cui il padre della poetessa fu probabilmente il principale ma non il solo responsabile), ci siamo basati sulle preziose e affettuose testimonianze delle nipoti. Inoltre abbiamo utilmente consultato: *Ricordo di Antonio M. Cervi,* a cura di Bruno Lavagnini, Vittoria Cuzzer, Maria Claudia D'Angelo, Augusto Guzzo, Torino, Edizioni di Filosofia, 1966; interessante per una valutazione della originalità di pensiero di Antonio Maria Cervi, *La storiografia filosofica di F. Nietzsche,* dedicato a Luigi Castiglioni, e pubblicato nel volume antologico *Studi in onore di Luigi Castiglioni,* Firenze, Sansoni, 1960; unico suo

testo scientifico, pubblicato unitamente a un'*Introduzione alla estetica neoplatonica*, Roma, Società Poligrafica Italiana, 1951.

5. *Ricordo di Antonio M. Cervi* cit.
6. Hugo von Hofmannsthal, *Die Frau ohne Schatten*, (tr. it. *La donna senz'ombra*, Parma, Guanda, 1976, con un saggio critico di Giorgio Manacorda a cui siamo debitori per l'analisi del testo).

Parte Seconda

1. Molte notizie su questi anni si trovano in *Antonio Banfi, tre generazioni dopo*, a cura di Fulvio Papi, Convegno della Fondazione Corrente, Milano, Il Saggiatore, maggio 1978.
2. Leone Piccioni, *Maestri e amici*, Milano, Rizzoli, 1969.
3. Luciano Anceschi, *Linea Lombarda*, Varese-Magenta, 1952, p. 13. Peraltro Anceschi non inserisce nell'antologia Antonia Pozzi.
4. Vittorio Sereni, *Senso di un'esperienza*, in *Corrente di vita giovanile (1938-1940)*, a cura di Alfredo Luzi, Roma, Edizioni dell'Ateneo, 1975.
5. Testimonianza raccolta dalla conferenza di un prezioso testimone: Giosue Bonfanti, in *Gli anni '30 a Milano*, presso la Fondazione Corrente, 18 dicembre 1984.
6. Remo Cantoni, *Nota introduttiva* al IV vol. delle *Opere* di Antonio Banfi (Milano-Firenze, Edizioni Parenti, 1962), donatemi da Clelia Abate, amica del filosofo.
7. Dagli appunti di Antonia sulle lezioni di Banfi su Nietzsche, anno accademico 1933-34, poi raccolte in Antonio Banfi, *Introduzione a Nietzsche*, a cura di Dino Formaggio, Milano, ISEDI, 1974.
8. Antonio Banfi, *La ricerca della realtà*, in *Opere*, II, Milano-Firenze, Edizioni Parenti, 1961, p. 740.
9. Enzo Paci, in «Corrente di vita giovanile», 15 luglio 1939, poi stampato su «Lecco», numero monografico dedicato ad Antonia Pozzi, n. 4, settembre-dicembre 1941.
10. Gustave Flaubert, *Correspondance*, Paris, Canard, 1926-30, III, 5.
11. Guido Rey, *Il tempo che torna*, Torino, Montes, 1929.
12. Lettera conservata presso l'Istituto A. Banfi di Reggio Emilia.
13. T. S. Eliot, *Poesie*, traduzione di Roberto Sanesi, Milano, Bompiani, 1961.
14. Sull'amicizia tra Antonia e Sereni e sulla reciproca influenza anche nell'attività poetica, si veda: Antonia Pozzi-Vittorio Sereni, *La giovinezza che non trova scampo, Poesie e lettere degli anni '30*, a cura di Alessandra Cenni, Milano, Scheiwiller, 1995; e ancora A. Cenni, *A. Pozzi e V. Sereni «in un tempo vero di immagini»*, «La Rassegna della letteratura italiana», serie VIII, n. 3, settembre-dicembre 1995.

15. Pubblicata postuma da Garzanti, 1940, con una premessa di Antonio Banfi.
16. Flaubert, *Correspondance*, cit., II, 7.
17. Flaubert, *Correspondance*, cit., III, 6.
18. Flaubert, *Correspondance*, cit., III.
19. Flaubert, *Correspondance*, cit., III.
20. Karen Blixen, *Dagherrotipi*, Milano, Adelphi, 1995, p. 81.

Parte Terza

1. Non è stato purtroppo possibile ottenere chiarimenti circa le circostanze della lettera di Dino Formaggio a cui Antonia fa riferimento e non è sembrato opportuno tentare interpretazioni. A causa di motivi di salute, il professor Formaggio, che ho conosciuto nel 1988, ai tempi della prima riedizione dei quaderni di Antonia, non ha potuto ricevermi e mi ha fatto sapere che, in occasione di questa biografia, non aveva altre testimonianze da trasmettere rispetto a quelle già concesse allora. Spero che vorrà scusare eventuali inesattezze.
2. Dino Formaggio, *Una vita più che vita di Antonia Pozzi*, in *La vita irrimediabile*, a cura di Gabriele Scaramuzza, Firenze, Alinea, 1997.
3. Citato in Dino Formaggio, *Una vita più che vita*, cit., p. 153
4. Dino Formaggio, *Una vita più che vita*, cit., p. 156
5. Sull'arte fotografica di Antonia, Ludovica Pellegatta ha scritto un'interessante tesi di laurea, discussa col prof. Gabriele Scaramuzza, banfiano di seconda generazione. È in stampa l'antologia di poesie e fotografie inedite di Antonia, *Io, bambina sola*, Milano, Archivi del 900, 2002, a cura di Alessandra Cenni e con un saggio di Ludovica Pellegatta.
6. Le foto citate con dediche a Dino sono state inserite in *Diari*, cit.
7. Il saggio è pubblicato in appendice ai *Diari*, cit.
8. Nella biblioteca di Pasturo abbiamo trovato solo l'edizione francese, su cui probabilmente Antonia si basa per il suo saggio. Per questo forse nel suo saggio chiama il romanzo *Contrappunto*.
9. *3 dicembre* è compresa in *Frontiera*, Milano, Edizioni di Corrente, 1941, poi Milano, Scheiwiller, 1966.
10. Anche *Diana* è compresa in *Frontiera* nella sezione denominata *Concerto in giardino*.
11. Lettera ai genitori di Antonia da Venezia, 11 novembre 1939.
12. Lettera agli stessi destinatari da Gressoney, 29 luglio 1939.
13. Lettera agli stessi destinatari da Milano, 7 giugno 1939.
14. Angelo Barile, *Un dono di poesia*, in «Liguria», gennaio 1940.

15. Raffaello Franchi, in «Leonardo», settembre 1939.
16. Lettera all'Avv. Pozzi, 1° dicembre 1954.
17. Dettagliate informazioni storico-biografiche su Tommaso Grossi, il suo ambiente, il suo tempo, in A. Cenni, *C'era una volta i Lombardi*, Milano, Viennepierre, 1999.

BIBLIOGRAFIA

Opere di Antonia Pozzi

Parole, Milano, Mondadori, 1939 (1ª edizione privata, 91 poesie);
1943 (2ª ed., 157 poesie); 1948 (3ª ed., 159 poesie); 1964 (4ª
ed., 176 poesie).

Poesie pasturesi, Lecco, Arte grafica Valsecchi, s.d. (ma 1954).

«Lettere Tullio Gadenz», (in data 11 gennaio 1933; 29 gennaio
1933; 28 ottobre 1933; 8 maggio 1934) in *Parole* (2ª ed.).

Eyeless in Gaza (saggio su Huxley), in «Corrente di Vita Giovanile»,
a. I, n. 9, 31 maggio 1938.

Flaubert. La formazione letteraria (1830-1856), con una premessa di
Antonio Banfi, Milano, Garzanti, 1940.

La Vita Sognata e altre poesie inedite, a cura di Alessandra Cenni e
Onorina Dino, Milano, Scheiwiller, 1986.

Diari, a cura di A. Cenni e O. Dino, Milano, Scheiwiller, 1988.

L'età delle parole è finita. Lettere 1927-1938, a cura di A. Cenni e O.
Dino, Milano, Archinto, 1989, nuova edizione riveduta e aggiornata prevista a maggio 2002.

Parole, a cura di A. Cenni e O. Dino, Milano, Garzanti, 1989.

Canto segreto, con dipinti di D. Regazzoni, Milano, All'insegna del
pesce d'oro, 1992.

ANTONIA POZZI, VITTORIO SERENI, *La giovinezza che non trova scampo*, a cura di A. Cenni, Milano, Scheiwiller, 1995.

Mentre tu dormi le stagioni passano, a cura di A. Cenni e O. Dino,
Milano, Viennepierre, 1998.

Traduzioni di Parole

Cuvinte, scelta antologica in lingua rumena a cura di Mihail Chirnoaga, Bucarest, ed. Frize, 1941.

Der Weg, versione in lingua tedesca a cura di H. Benrath, Sonderausgabe, 1943.

Worte, scelta antologica a cura di E.W. Junker, Württemberg, ed. Weka-Verlag Trossingen, 1948.

Tag für, Errante zum bleibenden Gedächtnis, a cura di E.W. Junker, Wien, 1952.

Poems, by A. Pozzi, versione inglese con testo italiano a fronte, a cura di N. Wydenbruck, London, ed. J. Calder, 1955.

Treinta poemas, versión y prólogo de M. Roldán, Madrid, ed. Rialp S.A., 1961.

Antologia poetica, texto bilingue, versión de M. Roldán, Barcelona, ed. Plaza & Janes, 1973.

BIBLIOGRAFIA CRITICA

R. JACOBBI, *Libri di Poesia*, in «Circoli», n. II, VIII, Roma, 1939.

A. LANOCITA, *Ritratto di una poetessa di ventisei anni*, in «Corriere della Sera», n. 179, XVII, Milano, 1939.

E. PACI, *Parole di Antonia Pozzi*, in «Corrente», n. 13, II, Milano, 1939.

P. A. PICCOLI, *Libri Nuovi. Poetesse*, in «Il Popolo d'Italia» n. 208, XX-VI, Milano, 1939.

G. SOMMI PICENARDI, *Per una poetessa morta*, in «Il Regime fascista», n. 171, XXV, Milano, 1939.

S. ROSATI, *Antonia Pozzi. Parole*, in «L'Italia che scrive», n. 7, XXII, Roma, 1939.

ROSCELLINO, *Parole*, in «Il lavoro», n. 208, XXXVII, Genova, 1939.

G.G. SEVERI, *Cronache di poesia*, in «L'Ambrosiano», n. 165, XVIII, Milano, 1939.

R. CALZINI, *Una giovane poetessa*, in «La Stampa», n. 299, 74, Torino, 14 dicembre 1940.

A. BANFI, premessa a: A. Pozzi, *Flaubert. La formazione letteraria*, Milano, Garzanti, 1940.

A. BARILE, *Parole di Antonia Pozzi*, in «Liguria», n. I, IX, Genova, 1940.

M. CHIRNOAGA, *Antonia Pozzi*, in «Mesterul Manole», n. 8-9, II, Bucarest, Libraria Pavel Suru, 1940.

E. MASTROLONARDO, *"Parole" di Antonia Pozzi*, in «Il Meridiano di Roma», n. 13, V, Roma, 1940.

B. TIBILETTI, *A. Pozzi. Flaubert. La formazione letteraria*, in «Rassegna di lingue e letterature» n. I, XIX, Bari, settembre 1941.

N. ZOIA, *Il saggio di Antonia Pozzi sulla formazione letteraria di Flaubert*, in «L'illustrazione Italiana», n. 46, LXVII, Milano, 1940.

T. GADENZ, *Antonia, poetessa della montagna*, in «Lecco», rivista di cultura e turismo, n. 5-6 (numero monografico dedicato ad Antonia Pozzi), Lecco, settembre-dicembre 1941.

D. SETTI, *La poesia di Antonia Pozzi*, in «Lecco», cit.

F. PICCO, *A. Pozzi. Flaubert, la formazione letteraria*, in «L'Italia che scrive», n. 7-8, XXIV, Roma, 1941.

H. BENRATH, prefazione a: A. Pozzi, *Der Weg*, traduzione tedesca di *Parole* curata dallo stesso, Sonderausgabe, 1943.

G. VIGORELLI, *Ricordo di Antonia Pozzi*, in «Tempo», n. 218, VII, Milano, 1943.

N. FABBRETTI, *Parole per Antonia*, in «Il Giallo», n. 4, I, Genova, 1946.

E. MONTALE, prefazione a: A. Pozzi, *Parole*, Milano, Mondadori, 1948.

E. WIEGAND JUNKER, prefazione a: A. Pozzi, *Worte*, traduzione tedesca di *Parole*, curato dallo stesso, Weka-Verlag, Trossingen, Württemberg, 1948.

A. RIGONI, *Versi di cronaca e di poesia*, in «L'Osservatore romano», 21 gennaio 1949.

V. ERRANTE, *Lettura di "Parole" di Antonia Pozzi*, manoscritto inedito Milano, 2 febbraio 1949.

U. MARVARDI, *Lirica e parole*, in «Idea», 1949.

G. ARCANGELI, *Antonia Pozzi. Parole*, in «La Rassegna d'Italia», n. 4, IV, Milano, Gentile, 1949.

N. BERTHER, *"Parole" di Antonia Pozzi*, in «Humanitas», n. 6, IV, Brescia, Morcelliana, 1949.

G. GLAUCO CAMBON, *All'insegna della felicità delle lettere*, in «Saggi di umanismo cristiano», n. 2, IV, Pavia, 1949.

P. CHIARA, *Osservatorio delle lettere*, in «L'Italia», n. 41, XXXVIII, Milano, 1949.

M. MORINI, *Ricordo di Antonia Pozzi*, in «Corriere degli artisti», n. 4, IV, Milano, 1949.

A. PARRONCHI, *Parole che restano*, in «Corriere della Provincia», n. 4, I, Como, 1949.

G. SPAGNOLETTI, *Due giovani poeti scomparsi*, in «La Fiera Letteraria», n. 7, IV, Roma, 1949.

B. TIBILETTI, *"Worte" di A. Pozzi*, in «Il Ragguaglio Librario», n. 1.

F. RIVA, *Umiltà e idillio*, in «L'Arena», Verona, 3 ottobre 1950.

M. AFFATATI, *Fede in Antonia Pozzi*, in «Corriere Tridentino», 8 novembre 1950.

C. CELPKE, *Lettera sulla poetessa italiana Antonia Pozzi*, in «Castrum Peregrini», XVIII, Amsterdam, 1952.

B. MATTEUCCI, A. *Pozzi*, in «Antologia della Poesia religiosa italiana contemporanea», a cura di V. Volpini, Firenze, Vallecchi, 1953.

G. CAMBON, *Antonia Pozzi, "Parole", "Tag für Tag"*, in «Il Pensiero Critico», n. 7-8, II, Milano, 1953.

N. FABRO, *Schiettezza di Antonia*, in «Il Giallo», n. 5, VII, Genova, 1953.

A. FRATTINI, *Vocazione di Antonia Pozzi*, in «Poeti Italiani del Novecento», Accademia di Studi «Cielo d'Alcamo», 1953.

D. PORZIO, *Un angelo le sostò accanto*, in «Oggi», n. 15, IX, Milano, 1953.

B. TECCHI, *Letteratura tedesca*, in «L'Approdo», n. 2, II, Rai, aprile-giugno 1953.

C. DEL TEGLIO, *L'opera postuma di Antonia Pozzi poetessa-d'Italia*, in «Lecco», cit., n. 1, XIII, Lecco, 1954.

M. MARCAZZAN, *Sul diario poetico di Antonia Pozzi*, in «Humanitas», n. 9, XI, Brescia, Morcelliana, 1956.

M. L. SPAZIANI, *Antonia Pozzi*, in «Piccola Antologia Poetica», rubrica radiofonica, Rai, 30 marzo 1957.

V. FAGGI, *Destino di poeti*, in «Il giornale di Brescia», 9 ottobre 1957.

L. FIUMI, *L'importanza di A. Pozzi*, in «Graalismo», n. 4, II, Bari, 1959.

L. KOECHLIN, *Mi encuentro con Antonia Pozzi*, in «Mujeres en la Isla», n. 60, 2ª epoca, Las Palmas de Gran Canaria, 1959.

G. SALVO, *Parole di un diario*, in «Caffaro», Genova, 8 agosto 1963.

A. BINDA, *"Parole" di Antonia Pozzi*, dattiloscritto inedito, Milano.

A. ROSSI, *Letteratura italiana*, in «L'Approdo letterario», gennaio-marzo 1965.

C. GABANIZZA, *"Parole" di Antonia Pozzi*, in «L'Italia che scrive», maggio-giugno 1965.

A. PIROMALLI, *Rassegna di poesia*, in «Idea», giugno 1965.

S. RAMAT, *Le Parole di Antonia Pozzi*, in «La Nazione», Firenze, 13 luglio 1965.

G. TEDESCHI, *Quando la poesia diventa vita*, in «Il Popolo», 19 agosto 1966.

G. MANACORDA, *A. Pozzi*, in «Storia della letteratura italiana contemporanea», Roma, Editori Riuniti, 1967.

R. GIANFRANCESCO, *Antonia Pozzi. Testimonianza di una ricerca reli-*

giosa, in «L'Inquirente spirituale nel mondo contemporaneo», Barzio, Centro di Orientamento educativo, 1969.

G. GUIDORIZZI TASINATO, *Le parole di A. Pozzi,* in «Il Cittadino», 9 gennaio 1970.

B. BINDA DE SARTORIO, *Antonia Pozzi,* in «La Poesia Contemporanea en Italia», Universitad Catholica Andres Bello, Institutos Humanisticos de Investigaçion, Caracas, 1972.

M. ROLDAN, prefazione a: A. Pozzi, *Antologia poetica,* versione in lingua spagnola curata dallo stesso, Barcelona, ed. Plaza Janes, 1973;

O. DINO, *Antonia Pozzi. Un'anima e una poesia* (Tesi di laurea, Istituto Universitario Parificato di Magistero Maria SS. Assunta, Roma, 1974).

S. RAFFO, *Guida alla lettura della poesia italiana contemporanea,* Roma, Bonacci, 1977.

A. M. ZANETTI, *"... questa curiosa cosa che sono io",* in «Effe», dicembre 1978.

R. LOVASCIO, *Antonia Pozzi. Il naufragio dell'essere,* Bari, Interventi Culturali, 1980.

G. LAGORIO, *Antonia Pozzi e la sua ghirlanda,* in «La Nazione», Firenze, 3 dicembre 1980.

D. PUCCINI, *Antonia Pozzi,* in «Poesia Italiana. Il Novecento», vol. II, Milano, Garzanti, 1980.

A. CORSARO, *Pozzi Antonia,* in «Dizionario della letteratura mondiale del '900», Roma, Edizioni Paoline, 1980.

M. BIONDI, *Antonia Pozzi,* in G. Luti, *Poeti Italiani del Novecento...,* Roma, La Nuova Italia, 1985.

D. ASTENGO, *Antonia Pozzi,* in «Resine», Quaderni liguri di cultura, ottobre-dicembre 1986.

G. BERNABÒ, *La vita sognata,* in «Uomini e libri», n. 115, settembre-ottobre 1987.

G. BERNABÒ, *Quella vita di poesia,* in «Noi Donne», dicembre 1987.

D. PUCCINI, *La purezza di Antonia Pozzi,* in «L'Albero», n. 73-74, pp. 286-287, 1985 [ma 1988].

S. CRESPI, *Versi e sogni sempre aperti su aristocratiche ferite,* n «Il Sole-24 Ore», Milano, 2 dicembre 1988.

A. ANEDDA, *Diario di un approdo solitario. Continua la lunga scalata di Antonia Pozzi alle parole che diventano poesia,* in «Il manifesto», Roma, 29 marzo 1989.

A. BENINI, *Nei suoi occhi si spalancavano laghi di stupore,* in «Il Giornale di Lecco», Lecco, 27 febbraio 1989.

G. BERNABÒ, *Antonia Pozzi: Diari,* in «Uomini e libri», Milano, gennaio-marzo 1989.

Bibliografia

G. BERNABÒ, *Antonia Pozzi. Poesie e lettere,* in «Uomini e libri», Milano, aprile-giugno 1989.

D. BISUTTI, *C'è tanta energia nell'io di Antonia Pozzi,* in «Millelibri», n. 18, Milano, maggio 1989.

D. BORIONI, *I tre amori infelici di Antonia Pozzi,* in «Gazzetta di Parma», Parma, 15 giugno 1989.

G. COLOMBO, *Antonia Pozzi svelata con la sua vera indole,* in «La Provincia», Como, 22 febbraio 1989.

G. CONTE, *Ha messo in versi la sua ombra,* in «La repubblica-Mercurio», Roma, 18 marzo 1989;

S. CRESPI, *La totalità assente nascosta nelle parole,* in «Il Sole-24 Ore», Milano, 26 febbraio 1989.

S. CRESPI, *Il vissuto delle parole,* in «Il Sole-24 Ore», Milano, 12 marzo 1989.

S. CRESPI, *La parola sospinta nell'incanto,* in «Il Sole-24 Ore», Milano, 31 dicembre 1989.

V. FAGGI, *Quel "grido" di donna,* in «Secolo XIX», Genova, 15 marzo 1989.

N. FUSINI, *Antonia Pozzi. La resa segreta,* in «Leggere», n. 8, Milano, febbraio 1989.

F. L. GALATI, *Raccolta poetica di Antonia Pozzi. "Ridammi una stilla di te",* in «L'Osservatore Romano», Roma, 19 agosto 1989.

G. GALETTO, *La poesia ha le sue parole,* in «L'Arena», Verona, 30 marzo 1989.

G. GARLATO, *Antonia Pozzi,* in «Il cristallo», Centro di Cultura dell'Alto Adige, Bolzano, agosto 1989;

M. GERRANTANA, *Poesia di Antonia Pozzi. Lungo viaggio verso il nulla,* in «Giornale di Sicilia», Palermo, 28 marzo 1989.

G. GIULIETTI, *La vita e il canto, l'ultima tappa...,* in «Il Tirreno», Livorno, 28 maggio 1989.

G. IOLI, *"... ed io sosto in riva alla vita",* in «Il nostro tempo», 30 aprile 1989.

G. LAGORIO, *La ghirlanda di Antonia,* in «l'Unità», Milano, 1° marzo 1989.

G. LAGORIO, *Donne d'epoca,* in «Società Civile», Milano, maggio 1989.

F. MANNONI, *Il grido sublime di un'anima ferita,* in «Il Secolo d'Italia», Roma, 22 aprile 1989.

A. MAZZARELLA, *Testimone di luce,* in «Il Mattino», Napoli, 13 maggio 1989.

N. ORENGO, *La vita sognata di Antonia Pozzi si riscopre negli Anni '30,* in «La Stampa-Tuttolibri», Torino, 28 gennaio 1989.

G. PANDINI, *Cercando nelle parole il segreto delle cose,* in «Giornale di Brescia», Brescia, 6 maggio 1989.

F. PANZERI, *La poetessa che amava la montagna,* in «Gran Milan», Milano, maggio 1989.

G. PANZERI, *Antonia Pozzi una voce ritrovata,* in «L'Esagono», giugno 1989.

S. PAUTASSO, *Una donna sconfitta,* in «Il nostro tempo», 30 aprile 1989.

S. PAUTASSO, *Il caso Antonia Pozzi nella letteratura novecentesca,* in «Lettere dall'Italia», Istituto della Enciclopedia Italiana, Roma, aprile-giugno 1989.

D. PUCCINI, *Antonia Pozzi tra poesia e vita,* in «Resine», Savona, ed. Sabatelli, aprile-giugno 1989.

E. RASY, *Antonia, silenzio e ritmo,* in «Panorama», Milano, 26 febbraio 1989.

M. SANTAGOSTINO, *Parole di Antonia Pozzi,* in «Poesia», Milano, ed. Crocetti aprile 1989.

M. SIGNORI, *Antonia Pozzi, voce poetica che riscatta un destino,* in «La Provincia», Cremona, 16 novembre 1989.

G. TEDESCHI, *Se la poesia non basta alla vita,* in «Il Popolo», Roma, 25 aprile 1989.

G. VIGORELLI, *Antonia Pozzi. Le parole segrete che mi confidava,* in «La Stampa-Tuttolibri», Torino, 12 febbraio 1989.

D. BORIONI, *Il peso della vita,* in «Quotidiano di Lecce», Lecce, 18 ottobre 1990.

S. CRESPI, *E quell'ultimo tumulto porterà con sè la pace,* in «Il Sole-24 Ore», Milano, 4 marzo 1990.

C. MAFFI, *Antonia Pozzi e "l'anima delle cose",* in «Il Borghese», Milano, 5 agosto 1990.

E. PAPI, *Vita e filosofia. La Scuola di Milano: Banfi, Cantoni, Paci, Preti,* Milano, Guerini e Associati, 1990.

B. PICCIN, *Una vita letta con gli occhi del sogno,* in «La Gazzetta di Firenze», Firenze, 9 maggio 1990.

C. ANNONI, *Chiarismo e linea lombarda: Parole di Antonia Pozzi,* in «Capitali sul novecento», Milano, Vita e Pensiero, 1990.

E. ANDRIUOLI, *Antonia Pozzi,* in «La Nuova Tribuna Letteraria», Abano Terme, febbraio 1991.

G. FERAZZA, *Da Chiaravalle il ricordo di Antonia Pozzi,* in «Il Melegnanese», Melegnano, 15-31 maggio 1991.

L. ORSENIGO, *La poesia religiosa di Antonia Pozzi,* in «Studi e Fonti di Storia Lombarda. Quaderni Milanesi», II N.S., nn. 25-26, Milano 1991.

H. LEROY, *Un cas littéraire: Antonia Pozzi*, in «Novecento-Marginalités (Frontières, nations et minorités)», Cahiers du Cercic, n. 18, Grenoble, 1994.

G. STRAZZERI, *Il ciclo fecondazione-produzione-morte nella poesia di Antonia Pozzi*, in «Acme – Annali della Facoltà di Lettere, Università degli Studi di Milano», VI, n. 48, maggio-agosto 1994.

H. LEROY, *Antonia Pozzi, une biographie intellectuelle*, in «Les femmes-Écrivains en Italie (1870-1920)», ordres et libertés, «Chroniques italiennes», nn. 39-40, Université de La Sorbonne, Paris, 1994.

G. DE MARCO, *Pretesti dall'invenzione. Dall'ultimo Montale a Primo Levi*, Pisa, Giardini, 1995.

A. CENNI, *Le ragioni della memoria*, in *Pozzi e Sereni. La giovinezza che non trova scampo*, Milano, Scheiwiller, 1995.

A. CENNI, *A. Pozzi e V. Sereni «in un tempo vero d'immagini»*, in «La Rassegna della letteratura italiana», serie VIII, n. 3, settembre-dicembre 1995.

L. SCORRANO, *Memorietta su Antonia Pozzi*, in «Archivi di Lecco», XVIII, n. 2, Lecco, ed. G. Stefanoni, aprile-giugno 1995.

G. SANDRINI, *E di cantare non può più finire. L'idillio negato di Antonia Pozzi*, in «Atti dell'Istituto Veneto di Scienze, Lettere ed Arti», tomo CLIV, Venezia, 1995-1996.

A. BENINI, *Antonia Pozzi. Lettera [inedita] ad Antonio Banfi*, in «Archivi di Lecco», XIX, n. 1, Lecco, ed. G. Stefanoni, gennaio-marzo 1996.

D. FORMAGGIO, *Una vita più che vita di Antonia Pozzi*, in *La vita irrimediabile*, a cura di G. Scaramuzza, Firenze, Alinea, 1997.

A. CENNI, *Antonia Pozzi, una storia lombarda*, in *Mentre tu dormi le stagioni passano*, Milano, Viennepierre, 1998.

O. DINO, *Naufragio nella luce*, in *Mentre tu dormi le stagioni passano*, Milano, Viennepierre, 1998.

A. CENNI, *A. Pozzi. Autoritratto da adolescente*, in «Arte estetica», dicembre 1998.

Indice

Finito di stampare
nel mese di aprile 2002 presso il
Nuovo Istituto Italiano d'Arti Grafiche - Bergamo

Printed in Italy